Månpocket

Johan Theorin

BLODLÄGE

Månpocket

Denna Månpocket är utgiven enligt överenskommelse med
Wahlström & Widstrand, Stockholm

Omslag: Richard Hansson www.555design.org

© Johan Theorin 2010

Tryckt hos GGP Media GmbH, Pössneck, Tyskland 2011

ISBN 978-91-7001-855-8

WALPURGISNACHT

Per mörners vänsterhand var sönderbränd, hans revben var brutna och blicken blöt och suddig, men känseln i hans kropp fanns fortfarande kvar. Han kände bensinen som hälldes över honom, kände hur ljummen den var. Jämfört med den kalla kvällsluften var vätskan nästan varm, och den sved och brände när den rann ner i hans hår och in i de blödande såren i hans ansikte.

Det kluckade lugnt och rytmiskt från den höjda bensindunken. Sedan slutade det klucka, och den tomma dunken kastades åt sidan på kalkstenshällen.

Nu satt Per på knä med våta kläder, mitt i en stor pöl. Han var fortfarande yr av slagen mot huvudet, och bensinångorna gjorde honom ännu yrare.

Han stödde sig på armarna och försökte resa sig från stenhällen. Men det var svårt att fokusera blicken, och gestalten som stod över honom var bara en mörk skugga mot kvällshimlen.

Som ett troll, tänkte Per. Den såg precis ut som ett bergatroll.

»Valborg«, sa skuggan. »I kväll tänds eldar överallt.«

Sedan tog den fram något ur jackfickan, en liten sak som rasslade svagt. Det var en tändsticksask.

Nu skulle Per brinna, för sin fars synder.

Han lyfte huvudet och kom plötsligt på något som han kunde göra, även om det var sent – han kunde be om nåd.

Droppar av bensin rann in i munnen när han öppnade den.

»Jag ska vara tyst«, viskade han.

Fast det kunde han ju inte. Han visste för mycket om vad Jerry och Bremer och Markus Lukas hade gjort nu.

Men han visste också att alla namnen han hade åkt runt och samlat de senaste veckorna inte betydde något. De skulle snart försvinna.

Gestalten ovanför honom verkade ändå inte lyssna. Den öppnade asken och tog upp en tändsticka. Sedan sköt den igen asken, tog stickan mellan fingrarna och drog till.

Det sprakade lågt, och så tändes stickan med en klar gul låga.

Jerry, Bremer, Markus Lukas. Jessika, Regina och alla de andra …

Per slöt ögonen och väntade på elden. Namnen fortsatte flimra genom hans huvud.

I

DET VAR MARS MÅNAD på norra Öland och solen sken över små gråvita snödrivor som sakta smälte på gräsmattorna vid Marnäshemmet. Två blå flaggor vid parkeringen – den svenska med gult kors och den öländska med en gyllene kronhjort – fladdrade i den iskalla vinden. Båda var hissade på halv stång.

En lång svart bil rullade långsamt in mot äldreboendet och stannade framför entrén. Två medelålders män i täta vinterrockar klev ut och gick bort till bilens bakdörrar. Där drog de ut en bårvagn av metall. De fällde ner hjulen och började skjuta den framför sig, uppför rullstolsrampen och in genom glasdörrarna.

Männen var likbilsmän.

Den pensionerade skutkaptenen Gerlof Davidsson satt och drack kaffe i matsalen med sina rumsgrannar när de kom ut ur hissen. Han såg dem gå genom korridoren med sin vagn framför sig. På vagnen låg gula filtar och breda remmar som skulle hålla fast kroppen. Männen lunkade tyst förbi matsalen och fortsatte mot varuhissen som ledde ner till kylrummet.

Sorlet bland de äldre i rummet hade tillfälligt tystnat när bårvagnen rullade förbi, men nu började det igen.

Ett par år tidigare, mindes Gerlof, hade alla som bodde på hemmet fått rösta om de ville att begravningsbyråns chaufförer skulle parkera på baksidan av byggnaden och diskret gå in genom en sidodörr när de hämtade en avliden. De flesta hade röstat emot det förslaget, även Gerlof.

De gamla på äldreboendet ville se en död grannes sista färd. De ville ta farväl.

Den som skulle hämtas den här kalla dagen hette Torsten Axelsson och hade avlidit i sin säng – ensam och sent på natten, som döende människor ofta gjorde. Morgonpersonalen hade hittat honom, kallat på en läkare som skulle bekräfta dödsfallet och sedan klätt honom i hans mörka finkostym. De hade satt ett plastband med hans namn och personnummer runt hans ena handled. Sist av allt hade de virat en gasbinda runt Torstens huvud för att hålla käken stängd när likstelheten kom.

Torsten hade förstått exakt vad som skulle hända med honom efter döden, det visste Gerlof. Före pensioneringen hade han arbetat som kyrkogårdsvaktmästare och dödgrävare. En av de många kistor han hade begravt hade tillhört en mördare som hette Nils Kant, men oftast hade Torsten grävt gravar åt vanliga öbor.

Han hade grävt gravar på kyrkogården året om, bortsett från när det var mycket snö och tvåsiffriga minusgrader. Grävandet hade varit extra tungt på våren, hade han berättat för Gerlof, eftersom tjälen släppte så långsamt på Öland. Men det fysiska slitet hade ändå inte varit det värsta, hade Torsten tillagt: han hade haft enormt svårt att komma ur sängen de dagar han visste att han skulle gå bort till kyrkogården och gräva en grav för ett avlidet barn.

Nu skulle han snart sänkas ner i en egen grav. I en urna – Torsten ville bli kremerad.

»Hellre bränns jag än att mina ben blir kvar i jorden och kastas hit och dit«, hade han sagt.

Så här var det inte förr, tänkte Gerlof. När han själv var ung och någon släkting dog fanns inga likbilsmän eller begravningsbyråer som tog hand om det praktiska. Förr dog man i sin säng i hemmet och sedan fick någon släkting snickra ihop en kista.

Det fick Gerlof att minnas en gammal släkthistoria. Som nygifta i en ombyggd stuga nere i Stenvik i början på 1900-talet hade Gerlofs far och mor väckts en natt av märkliga ljud från vinden; det lät som om någon slängde runt de överblivna bräderna som fadern lagt undan däruppe. Men när han gått upp på vinden för att se vad som pågick hade allt varit tomt och stilla.

När fadern gått ner och lagt sig hade slamrandet börjat igen.

Gerlofs föräldrar hade legat i mörkret och lyssnat på de kusliga ljuden, utan att våga röra sig.

När han hade druckit ur sitt kaffe kom likbilsmännen tillbaka med bårvagnen. Nu låg det en kropp på den, såg Gerlof, dold under en filt och fastsurrad med läderremmarna. Den rullades tyst och snabbt bort mot utgången.

Adjö, Torsten, tänkte han.

När ytterdörren hade stängts sköt Gerlof tillbaka stolen.

»Dags att gå«, sa han till bordsgrannarna.

Så reste han sig sakta med hjälp av käppen. Han bet ihop käkarna mot den reumatiska smärtan i benen och gick ut i korridoren, bort mot kontoret där föreståndaren för avdelningen höll till.

I några veckor hade Gerlof funderat på en sak, ända sedan han fyllt år och plötsligt bara haft ett par år kvar till åttiofemårsdagen. Tiden rann iväg – ett år som gammal var som en vecka när han var ung. Och nu, efter Torstens död, hade Gerlof bestämt sig.

Han knackade försiktigt på dörren till föreståndaren Boels rum och öppnade när hon svarade.

Boel satt vid sin dataskärm och fyllde i någon sorts rapport. Gerlof blev stående på tröskeln, och sa ingenting. Till slut tittade hon upp.

»Mår du bra, Gerlof?«

»Jo.«

»Vad är det? Är det något problem?«

Han drog efter andan.

»Jag måste härifrån.«

Boel började skaka på huvudet.

»Gerlof …«

»Det är redan bestämt«, avbröt han.

»Jaså?«

»Jag ska berätta en historia …« Gerlof såg att Boel kastade en trött blick mot taket, men fortsatte ändå: »Min far och mor gifte sig 1910. Då fick de ta över ett gammalt torp där ingen bott på flera år. Första natten när de lagt sig för att sova hörde de de märkliga ljud från vinden … det lät som om någon plockade bland bräderna som far stuvat

9

undan däruppe. De fick ingen förklaring till ljudet, men nästa morgon kom en granne på besök.« Han gjorde en konstpaus och fortsatte: »Grannen berättade att hans bror hade dött borta i sin gård kvällen innan. Sedan bad han om lite virke för att bygga en likkista. Min far lät honom gå upp ensam på vinden och välja ut bräder, och när far och mor satt nere i köket och hörde slamrandet från vinden kände de igen det ... Det var exakt samma ljud som de hade hört under natten.«

Det blev tyst i rummet.

»Och?« sa Boel.

»Det var ett varsel. Ett varsel om kommande död.«

»Jaha, det var ju en trevlig historia, Gerlof ... Men vad är din poäng?«

Han suckade.

»Poängen«, sa han, »är att om jag stannar kvar här blir det min kista som måste snickras ihop nästa gång ... Jag har redan hört plockandet bland bräderna. Och rasslandet från likvagnen.«

Boel verkade ge upp.

»Vad vill du göra då? Vart ska du flytta?«

»Hem«, sa Gerlof. »Hem till min stuga.«

2

»Döende? Vem har sagt att du är döende, pappa?«

»Jag själv.«

»Det är löjligt! Du har många år kvar ... många vårar«, sa Julia Davidsson och tillade: »Dessutom har du ju tagit dig levande ut ur ett ålderdomshem nu – hur många lyckas med det?«

Gerlof sa ingenting, men han tänkte på stålvagnen med Torsten Axelssons kropp. Han förblev tyst när dottern körde ner mot kusten och in i byn Stenvik.

Solen sken in genom vindrutan och fick honom att längta efter fjärilar och fåglar och allt annat som värmen förde med sig. Hans livslust lyfte sitt sömniga huvud inne i bröstet och blinkade förvånat, och han fick anstränga sig för att låta dyster när han till slut pratade:

»Bara Gud vet hur mycket tid jag har kvar, och han låter den gå alldeles för fort ... men ska jag dö vill jag göra det här i byn.«

Julia suckade. Hon stannade bilen på den öde byvägen och stängde av motorn.

»Du läser för många dödsannonser.«

»Jo. Tidningarna lever på dem.«

Gerlof menade det sista delvis som ett skämt, men Julia skrattade inte. Hon hjälpte honom bara tyst ut ur bilen.

De gick sakta bort mot grinden till familjens sommarstuga som låg i en skogsdunge i Stenvik, några hundra meter från havet.

Han skulle bli ensam här den mesta tiden, det var Gerlof helt klar över, men han skulle samtidigt slippa all sjukdom som fanns uppe på äldreboendet. Allt folk där och deras mediciner, syrgastuber och ständiga prat om sjukdomar hade börjat gå honom på nerverna. Hans gamla flickvän, Maja Nyman, hade blivit alltmer krasslig och låg mest till sängs på sitt rum.

Det hade tagit nästan en månad att få Boel och de andra i ledningen på äldreboendet att ge med sig och låta honom flytta tillbaka till Stenvik, men till slut hade de insett att Gerlof skulle lämna plats åt någon annan som faktiskt *ville* bo på Marnäshemmet. Själv skulle han förstås behöva fortsatt hjälp med städning, läkarvård och matleveranser, men det kunde ordnas genom besök av sköterskor och hemtjänsten.

Gerlof var i alla fall klar i huvudet, även om han ibland knappt kunde röra sig. Huvudet och tänderna var det inga större fel på – det var bara armarna, benen och resten av kroppen som hade behövt en renovering.

Den här dagen i slutet av mars var första gången för året som han var tillbaka i kustbyn där han en gång hade fötts och vuxit upp. Han var tillbaka på marken som släkten Davidsson hade ägt och brukat i århundraden, och tillbaka vid stugan som han hade byggt för sig själv och frun Ella knappt femtio år tidigare. Det var hit till Stenvik han ständigt återvänt under åren på sjön.

Snön hade nästan försvunnit i trädgården. Kvar fanns en blöt gräsmatta som behövde räfsas.

»Fjolårsgräs och fjolårslöv«, sa Gerlof. »Allt som vintern har dolt dyker upp igen.«

Han höll hårt i Julias arm när de gick över det gulbleka gräset, men när hon stannat framför stentrappan släppte han taget och gick sakta uppför stegen mot ytterdörren, stödd på sin käpp av kastanjeträ.

Gerlof kunde gå men var glad att få hjälp av sin dotter, och lika glad att Ella inte var i livet. Nu hade han bara varit en börda för henne.

Han tog fram stugnyckeln ur plånboken och låste upp.

Stugans instängda dofter slog emot dem när han öppnade glasdörren. Rå och lite fuktig luft, men ingen lukt av mögel. Tegelpannorna på taket höll säkert fortfarande. Och det fanns inga små svarta kulor på trägolvet, det såg han när han klev över tröskeln.

Mössen och sorkarna gillade att bo i husgrunden under vintern, men de kom aldrig in i rummen.

Julia hade åkt till ön över helgen för att hjälpa honom att flytta ner till stugan och ställa i ordning den. Vårstädning, som hon kallade det. Det här var förstås Gerlofs stuga, men den hade använts som fritidshus för hans två döttrar och deras familjer i många år. När sommaren kom skulle de förstås få samsas i de små rummen.

Den dagen, den sorgen, tänkte han.

När de hade tagit in Gerlofs tillhörigheter i stugan, slagit på strömmen och öppnat fönstren på vädring gick de ut på gräsmattan igen.

Bortsett från skränet från några fiskmåsar nere vid stranden hade byn verkat helt öde den här lördagen, men från andra sidan byvägen kom plötsligt dunkande ljud. De ekade över landskapet och lät som hårda hammarslag.

Julia såg sig om.

»Det är någon här.«

»Jo«, sa Gerlof. »De bygger borta vid stenbrottet.«

Han var inte förvånad, för i somras hade han varit nere i byn och sett att alla buskar och snår hade röjts undan på två stora tomter därborta, och hur en bandtraktor åkte runt och jämnade till marken. Han antog att det skulle byggas ännu fler stugor som skulle stå tomma en stor del av året.

»Vill du titta efter?« sa Julia.

»Visst, kan vi göra.«

Han tog tag i sin dotters arm igen, och Julia ledde ut honom genom grinden.

När Gerlof byggde sin stuga i början på femtiotalet hade han både haft havsutsikt i väster och kunnat skymta Marnäs kyrktorn i öster, men på den tiden fanns gott om kor och får som betade rent. Nu var boskapen borta och träden hade kommit tillbaka. Kronorna bildade ett allt tätare tak runt stugan och när de gick över byvägen fick Gerlof bara en kort skymt av det istäckta sundet i väster.

Stenvik var en gammal fiskeby, och Gerlof mindes när rader av snipor och ekor hade legat uppdragna i gruset längs den mjukt rundade stranden, i väntan på att ros ut mot fisknäten längre ut i sundet. Nu var de alla borta, och fiskarnas stugor och sjöbodar hade byggts om till semesterhus.

De vek in på grusvägen till stenbrottet. ERNSTS VÄG stod textat på en ny vit skylt vid vägen.

Gerlof visste vem den var döpt efter: Ernst hade varit stenhuggare och vän till honom, och den siste av alla bybor som hade jobbat borta i stenbrottet innan det stängt för gott i början av sextiotalet. Ernst var också borta nu – bara hans väg fanns kvar. Gerlof funderade över om han själv någonsin skulle få något uppkallat efter sig.

När stenbrottet dök upp bakom en skogsdunge såg han att Ernsts rödbruna stuga stod kvar strax invid kanten av det, igenbommad. Något kusinbarn och hans familj hade ärvt den när Ernst dog, men de hade nästan aldrig varit där.

»Oj«, sa Julia, »nu har de byggt här också.«

Gerlof tog blicken från Ernsts stuga och upptäckte de två nya villorna som hon pratade om. De låg med ett par hundra meters mellanrum på östra sidan av stenbrottet.

»De röjde ju för tomterna här i somras«, sa Julia. »De måste ha byggt under hösten och vintern.«

Gerlof skakade på huvudet.

»Ingen har frågat mig om lov.«

Julia skrattade till.

»Du störs väl inte? Träden är ju i vägen.«

»Nej, men ändå. Lite hyfs kan de visa.«

Villorna var byggda i trä och sten, med blanka panoramafönster, vitkalkade skorstenar och tak i någon sorts svart skiffer. På en av dem fanns byggnadsställningar kvar, och där stod ett par snickare i tjocka ylletröjor och spikade upp träpanel. Vid den andra låg ett stort vitt badkar på gårdsplanen, fortfarande inslaget i plast.

Ernsts stuga, som låg norr om de nya husen, såg ut som en liten vedbod i jämförelse.

Lyxhus, tänkte Gerlof. Knappast vad byn behövde fler av. Men här låg de, nästan färdigbyggda.

Det övergivna stenbrottet fanns kvar som ett sår i marken, fem hundra meter brett och fyllt av små och stora kullar av skrotsten som brutits loss och kastats åt sidan i jakten på den sprickfria stenen längre ner i berget.

»Vill du titta närmare?« sa Julia. »Vi kan gå fram och se om någon av husägarna är hemma.«

Gerlof skakade på huvudet.

»Jag känner dem redan. Det är rika och sorglösa storstadsbor.«

»Alla som köper hus kommer inte från storstan«, sa Julia.

»Nä nä ... Men rika och sorglösa är de säkert.«

3

»VILL DU ATT JAG SKA ÖPPNA FÖNSTRET?« SA PER MÖRNER.
Nilla, hans dotter, nickade med ryggen vänd mot honom.

»Är det några fåglar därute?« sa hon.

»Massor«, sa Per.

Det var inte sant, han såg inte en enda utanför sjukhuset. Men det fanns träd vid sjukhusets parkering, och kanske satt några småfåglar i dem.

»Då kan du öppna«, sa Nilla och förklarade: »Jag fick i läxa på naturkunskapen att räkna fågelarter den här veckan.«

Nilla gick i sjunde klass, och alla hennes läxböcker låg på bordet bredvid sjuksängen. Hon hade lagt sina lyckodjur och lyckostenar vid kudden och sedan ställt sig i sängen för att hänga upp ett stort tygskynke med texten NIRVANA på väggen ovanför den.

Per öppnade fönstret, och svaga kvittrande ljud drev faktiskt in i rummet. Men de blandades med vinandet från gasande motorer och snart skulle de säkert tystna. Det var ju nästan kväll, och blänkande bilar lämnade parkeringen när läkare och sköterskor körde hem från sjukhuset. Hans egen bruna Saab stod också därnere, men den var nio år gammal och blänkte inte.

»Vad tänker du på?« sa Nilla bakom honom.

Per vred på huvudet.

»Gissa.«

»Du tänker på våren.«

»Helt rätt«, sa Per, trots att han bara hade tänkt på sin gamla bil. »Du blir bara bättre och bättre på det där.«

Tankeläsning, det var dotterns senaste projekt. Innan dess hade hon hållit på i flera månader och tränat för att bli lika bra på att skriva med vänster hand som med höger, men på jullovet hade hon sett ett teveprogram om telepati och börjat experimentera med sin tvillingbror Jesper och sin far, både att skicka tankar till dem och att läsa deras. Pers uppgift var att varje kväll klockan åtta skicka en speciell tanke till Nilla.

Han blev stående vid fönstret och såg den sjunkande solen glittra i bilarnas rutor.

Det var nog vår nu, trots kylan, men Per hade inte riktigt hunnit notera det. Fåglarna kom hem från Medelhavet och bönderna började så på åkrarna. Per tänkte på sin far Jerry som också alltid hade sett fram emot våren. Det var då hans arbete drog igång på allvar. Visst sa folk att våren var ungdomens tid? Ungdomens tid, och kärlekens.

Men Per hade aldrig haft några vårkänslor. Inte ens när han och Marika hade träffats på ett marknadsföringsseminarium femton år tidigare och sedan gift sig en solig majdag hade han känt av dem. Det var som om han hade anat redan då att hon skulle lämna honom, förr eller senare.

»Har mamma sagt när hon kommer?« sa han över axeln.

»M-m«, sa Nilla. »Mellan sex och sju.«

Klockan var nästan fem nu, såg Per.

»Vill du att jag och Jesper väntar på henne?«

Nilla skakade på huvudet igen.

»Jag klarar mig.«

Det var det svaret Per hade hoppats på. Han hade inget emot att träffa Marika, men hon var bara på väg hit för att besöka sin dotter, och risken fanns att hon skulle ha sin nye man med sig, Georg med de stora inkomsterna och dyra presenterna. Per hade kommit över Marika, men han hade svårt för att hon träffat en man som skämde bort både henne och tvillingarna.

Nilla hade fått ett eget rum och verkade väl omhändertagen. En ung manlig doktor hade varit inne hos henne och Per en halvtimme tidigare och förklarat vilka prover som skulle tas de närmaste dagarna, och i vilken ordning. Nilla hade lyssnat med sänkt blick, utan att ställa frågor. Hon hade tittat upp på läkaren ibland, men inte på Per.

»Vi ses igen snart, Pernilla«, hade doktorn sagt när han gick.

Framför henne låg två långa och jobbiga dagar när läkarna skulle titta på henne, och Per kunde inte säga någonting uppmuntrande.

Hon fortsatte plocka upp sina saker och han hjälpte henne. Det gick aldrig att göra ett sjukrum mysigt, det var för kalt och för fullt av slangar och larmknappar för det, men de försökte. Bortsett från en egen rosa kudde hade Nilla tagit med sig en cd-spelare och Nirvanaskivor, ett par böcker och fler byxor och tröjor än hon egentligen behövde.

Hon var klädd i jeans och svart tröja, men snart skulle hon få den vanliga sjukhusdressen: en vit dräkt som skulle vara lätt att vika upp för alla undersökningar.

»Så där«, sa Per. »Vi får väl åka nu, men mamma kommer ju snart … Ska jag gå och hämta Jesper?«

»Visst.«

Hans son satt i en soffa i väntrummet. Det fanns några böcker och tidningar på en hylla där, men Jesper satt böjd över sitt lilla Gameboyspel, som alltid.

»Jesper?« sa Per med hög röst.

»Va?«

»Nilla vill säga hejdå.«

Jesper pausade spelet.

Han gick ensam in på tvillingsysterns rum och stängde dörren. Per undrade vad de pratade om. Hade Jesper lättare att prata med Nilla än med sin pappa? Pratade de om hennes sjukdom? Med Per pratade han knappt alls.

När de var små, bara några år gamla, hade tvillingarna haft ett eget språk som ingen annan än de själva förstod. Det var ett sjungande språk nästan enbart fyllt av vokaler. Speciellt Nilla hade haft svårt att börja prata svenska, hon föredrog det hemliga språket med Jesper. Innan Per och Marika hittat en logoped som kunde rätta till problemet hade det ibland känts som att vara pappa till två utomjordingar.

En dörr öppnades längre bort i korridoren. Läkaren som tidigare pratat med Nilla kom ut med långa steg och Per gick fram mot honom. Per hade alltid tyckt om den yrkeskåren – när hans mor inte hade velat berätta vad hans far sysslade med hade Per fått för sig att Jerry var doktor i ett främmande land. Han hade trott det i flera år.

»Jag har en fråga«, sa han. »Om Nilla, min dotter.«

Läkaren stannade.

»Jaha? Vad vill du veta?«

»Hon ser lite svullen ut«, sa Per. »Är det normalt?«

»Svullen, var då?«

»I ansiktet, på kinderna och runt ögonen. Det kom på vägen hit. Betyder det något?«

»Kanske«, sa läkaren. »Vi ska undersöka henne noga. Med ECG, ultraljud, CAT, röntgen, blodprover … Hela arsenalen.«

Per nickade, men Nilla hade undersökts för sin märkliga värk så många gånger redan. Testsvaren verkade bara kräva nya tester. Allt var bara väntan.

Dörren till hennes rum öppnades och Jesper kom ut. Han gick mot väntrummet med sitt Gameboy, men Per stoppade honom med lyft hand.

»Börja inte spela igen«, sa han. »Vi ska åka upp till sommarstugan nu.«

När de körde av Ölandsbron en kvart senare och svängde norrut på den platta ön hade naturen omkring dem en gulbrun färg, som ett landskap på gränsen mellan vinter och vår. Kvällssolen sken över diken där blommande vitsippor och tussilago tittade upp, men på båda sidor om vägen låg drivor av gnistrande snö fortfarande kvar. Den snö som smält i solen hade börjat bilda stora sjöar ute på alvaret. Smala vårbäckar porlade ut från dem, på jakt efter havet.

En vattenvärld. Inga människor rörde sig därute nu, bara flockar av tofsvipor och bofinkar.

Per älskade tomheten och de rena linjerna på ön, och när trafiken glesnade efter att de passerat Borgholm ökade han farten.

Saaben brummade norrut genom det öppna landskapet, förbi skogslundar och väderkvarnar – det var lite som att köra genom en oljemålning. En målning av våren. Markens gröna och bruna fält, himlens enorma kristallkupol och sundet i väster. Det var fortfarande täckt av mörkblå is, men den såg tunn ut och det fanns svarta råkar längre ut i sundet. Snart skulle vågorna släppas lösa.

»Visst är det vackert?« sa Per.

Jesper, som satt bredvid honom i bilen, tittade upp från sitt Gameboy.

»Var då?«

»Här«, sa Per. »Här på ön ... överallt.«

Jesper såg ut genom vindrutan och nickade, men Per såg inte samma glöd i sin sons blick som han själv kände här på ön. Och han försökte intala sig att det var så att vara ung, att man inte uppskattade naturen för dess egen skull. Kanske krävdes det en viss ålder eller till och med en stark sorg för att man skulle bli intresserad av landskapets själ.

Eller också var det Jesper det var fel på. Ville Per hellre att Nilla skulle sitta i sätet bredvid honom, frisk och förväntansfull? Ville han att det var Jesper som skulle undersökas?

Han sköt undan den tanken. Han tänkte på våren i stället. Våren på ön.

Per hade börjat besöka ön som liten i slutet på femtiotalet, tillsammans med sin mor Anita. Det var sommaren 1958, två år efter att hon hade skilt sig och knappt haft några pengar att resa för. Jerry skulle betala underhåll varje månad, var det tänkt, men det hade han bara gjort då och då – även om Anita berättat att Jerry kört förbi hennes radhus med sin stora bil en gång, slängt en tjock sedelbunt mot dörren och sedan dragit iväg.

Pengabristen betydde korta och billiga semestrar i närheten av Kalmar. Men Anita var kusin med Ernst Adolfsson, en stenhuggare som bott ensam i en liten stuga på Öland, och hon och sonen hade alltid fått ta färjan över till ön på loven och stanna så länge de ville.

Per hade älskat att leka i det övergivna stenbrottet nedanför Ernsts hus. Det var en sagovärld om man var nio år.

Ernst hade varken haft barn eller syskon, och när han dött några år tidigare hade kusinbarnet Per fått ärva hans stuga. Han hade städat ur den förra sommaren och nu skulle han bo där hela sommarhalvåret – kanske året om. Han hade inte råd att ha två bostäder, så lägenheten inne i Kalmar var uthyrd fram till den sista september.

Hans två barn skulle få komma till Öland så ofta de ville, det hade varit Pers plan. Men Nilla hade börjat sjunde klass som en trött och håglös elev, och sedan blivit allt tröttare under hösten. Skolläkaren trodde att det handlade om puberteten, om växtvärk, men efter nyår hade hon börjat klaga på smärtor i vänster sida. De hade bara blivit värre under vintern. Ingen läkare visste varför.

Alla sommarplaner hade plötsligt blivit osäkra.

»Vill du ringa mamma när vi kommer fram?« sa Per.

Hans son såg inte upp från sitt spel.

»Vet inte.«

»Vill du gå ner till stranden?«

»Vet inte«, sa Jesper igen.

Han kändes lika avlägsen som en satellit i omloppsbana – men så var det väl att vara tretton år nuförtiden. När Per själv var i samma ålder hade hans stora önskan varit att hans far skulle komma på besök och prata med honom.

Plötsligt såg han en skylt med en bensinpump dyka upp bredvid vägen och bromsade in.

»Vill du ha en glass? Eller är det för tidigt på året?«

Jesper tittade upp från spelet.

»Hellre godis.«

»Vi får se vad de har«, sa Per och svängde in på parkeringen.

De klev ut. Där var det isande kallt trots solen. Per hade trott att det skulle vara varmare på ön så här års, men istäcket ute i sundet kylde väl ner luften. Vinden blåste rakt igenom hans gröna täckjacka och en liten sandvirvel for upp och in i hans mun. Det knastrade mellan tänderna.

Jesper stannade kvar vid bilen, men Per gick snabbt förbi bensinpumparna och tog skydd vid kiosken. Fönstret på framsidan såg mörkt ut, men han knackade ändå på några gånger, ända tills han fick syn på en solblekt lapp bakom glaset:

Tack för en fin sommar –
vi öppnar igen förste juni!

April var för tidigt på året – ön hade inte vaknat ur vintersömnen än och tillgången på vinteröppna affärer motsvarade säkert efterfrågan. Han hade jobbat med marknadsundersökningar i femton år och kunde förstå det.

Jesper stod inte kvar vid bilen, han hade satt sig på en trälåda med texten VÄGSAND vid parkeringen. Han spelade på sitt Gameboy igen. Per gick bort mot honom, samtidigt som han hörde motorbuller i fjärran. En vitmålad långtradare närmade sig med hög fart från norr.

Han tog fram sin bilnyckel igen och ropade mot Jesper:

»Inget godis, tyvärr. Det var stängt.«

Jesper nickade bara, och Per fortsatte:

»Det finns fler affärer längre norrut. Vi får ta och …«

Sedan tystnade han, för plötsligt hördes en dämpad smäll ute på vägen och skrikande däck över asfalten. I söder syntes blänkande solreflexer.

Det var en Audi, och den hade tappat kontrollen och börjat svänga över vägbanan, mitt framför långtradaren.

Per kunde bara stå och titta. Bilen hade kolliderat med något, såg han, för motorhuven var rödstrimmig och vindrutan täckt av blod.

Vems blod?

Långtradaren tutade mot bilen. Bakom den smetiga rutan skymtade föraren, en mansgestalt som lutade sig över ratten och kämpade hårt för att få kontroll.

Per började röra sig, samtidigt som långtradarens dova tuta tystnade. Den hade dragit sig till höger, långt ut på vägrenen. Per såg Audin räta upp sig i en halv sekund och sedan svänga åt andra hållet.

Fordonen missade varandra, för nu hade bilen sladdat in på parkeringen. Däcken låste sig och bilen gled över gruset, men hade fortfarande hög fart. Den for fram på snedden över asfalten, rakt mot boxen med sand.

»Jesper!« skrek Per.

Hans son satt kvar på boxen. Han tryckte med tummarna på sitt

Gameboy och tittade inte ens upp.

Per fick fart. Han störtade fram över asfalten.

»Jesper!«

Nu lyfte han på huvudet. Han vred sig om, med öppen mun.

Men Audin rörde sig fortare. Däcken spred grus och sand omkring sig, och fronten svepte fram rakt mot Jesper.

4

Vendela Larsson hade suttit och mediterat i sätet bredvid Max när olyckan inträffade. Med sänkta ögonlock hade hon sjunkit in i sig själv och upplevt åkrarna och ängarna och alla stenmurar som en rullande film utanför bilfönstret. Ett välkänt landskap, och ändå främmande. Max hade varit här ett par gånger när huset byggdes under hösten och vintern, men för Vendela var det första gången på många år.

Hur många år sedan? Trettio år, eller trettiofem?

När hon tyst börjat räkna efter hade något dunkat till hårt mot bilens grill.

»Fan!« skrek Max, och Vendela blev klarvaken.

Ett kort slafsande ljud hördes, och så var vindrutan plötsligt rödmålad.

Bilen susade inte fram längre. Den svängde och krängde i slalomsvängar, fram och tillbaka med gnisslande däck över vägen – först åt vänster, rakt mot en mötande lastbil som brölade mot dem, sedan plötsligt på väg till höger mot en bred infart. Det var en bensinstation med kiosk och en tom parkering.

Inte helt tom. Det stod en bil där, och hon såg folk. En man som sprang över asfalten och en pojke på en stor låda.

»Fan!« skrek Max igen.

Vendela hörde sin hund Ally skälla. Hon öppnade munnen, men inga ljud kom fram. Hon var en kropp som följde med bilen och kunde inte göra någonting.

Max vred på ratten. Det small till, ett gnisslande hördes, och så stannade bilen tvärt. Vendela for framåt, men bilbältet höll henne.

Motorn puttrade till och dog.

»Helvete …«, sa Max. Han blev sittande med stirrande ögon och hans vita fingrar släppte inte ratten.

De stod stilla nu. Fronten på Audin hade kört in i lådan med sand, och tryckt sönder den.

Och pojken som suttit på lådan var borta.

Var fanns han?

Vendela knäppte upp bilbältet och lutade sig framåt, med pannan mot rutan. Hon såg en liten hand sträckas ut till höger om bilen.

Pojken verkade ligga bredvid lådan, med benen under bilen. Den långe mannen var framme vid honom nu, han satte handen på Audins motorhuv och böjde sig ner.

Max famlade med handen i dörren och fick upp den. Han störtade ut, röd i ansiktet.

»Rör inte min bil!«

Det var chocken, såg Vendela; Max var uppe i högvarv och visste inte vad han gjorde, han tog två steg framåt och höjde händerna mot mannen.

Två sekunder senare låg han själv nertryckt med näsan mot marken, ett par meter från bilen. Mannen hade fällt honom.

»Lugna dig.« Han böjde sig över Max, med hopbitna tänder, och hade höjt knytnäven. Han verkade sikta in den mot Max nacke.

Hjärtat. Vendela famlade efter dörrhandtaget, hon fick upp dörren och klev ut i vinden och skrek det första hon kom att tänka på:

»Nej! Han har hjärtfel!«

Mannen tittade upp mot henne, fortfarande arg. Men ilskan slocknade plötsligt i hans ögon. Han andades ut, sänkte axlarna och såg ner på Max.

»Är du lugn?« frågade han med låg röst.

Max svarade inte. Han bet ihop tänderna och kämpade för att komma loss, men till slut verkade han slappna av.

»Okej«, sa han bara.

Vendela stod orörlig bredvid bilen. Nu såg hon mannen släppa greppet om Max och räta på ryggen. Han tog varsamt tag i pojkens överkropp och drog försiktigt ut honom, bort från bilen.

»Mår du bra, Jesper?«

Pojken svarade något, för lågt för att Vendela skulle höra det, men verkade tack och lov inte skadad.

»Kan du röra på tårna?« sa mannen.

»Jo.«

Pojken började resa sig. Mannen·hjälpte honom och ledde bort honom mot sin egen bil. De såg sig inte om och Vendela fick en känsla av att vara utesluten ur något.

Max stödde sig mot Audins kylare och kom också upp på fötter. Han blinkade och upptäckte Vendela.

»Sätt dig«, sa han. »Jag tar hand om det här.«

»Okej.«

Vendela tog ett djupt andetag och vände tillbaka in i bilen. Hon satte sig, såg blodet rinna nerför vindrutan och tyckte nästan att det var vackert. Nej, hon kunde erkänna för sig själv att det faktiskt *var* vackert. Blodet hade smetats ut av vindrutetorkarna och skapat svepande linjer över rutan. Det såg ut som två små regnbågar i blekrosa och mörkrött, och de lyste som neon i solskenet.

En svag vind från havet fick fjädrarna som fastnat på bilen att dansa runt och klibba ihop sig på rutan. De var vitgrå och bruna.

Kanske var det en fasan de hade krockat med, eller en skogsduva.

Vad det än var för sorts fågel så hade den plötsligt dykt upp med stora flaxande vingar framför bilen och exploderat som en ballong vid kollisionen. Kroppen hade slagit hårt emot kylaren, studsat upp mot rutan i en blodröd explosion och sedan försvunnit över taket. Den hade lämnat breda spår efter sig.

Ett gnälligt ylande hördes från golvet nedanför hennes säte.

»Tyst, Ally!« ropade Max.

Vendela svalde. Det var jobbigt nog när Max skällde ut henne, men ännu värre när han skrek på deras hund.

»Det är ingen fara, Aloysius«, sa hon lågt.

Hon öppnade dörren.

»Max, mår du bra?«

Han nickade.

»Jag ska torka rent«, sa han bara.

Han var andfådd och röd i ansiktet, men det var nog bara av ilskan.

Förra sommaren hade Max känt en plötslig smärta över bröstet när han stod på scen i Göteborg och höll föredrag om sin senaste bok *Maximalt självförtroende*. Han hade fått avbryta för att gå åt sidan, och hade haft panik i rösten när han ringde Vendela. Han hade tagit taxi till akuten, där han fått syrgas och blivit undersökt.

Det hade varit en mild hjärtinfarkt, enligt läkaren, med betoning på mild. Ingen operation behövdes – bara vila. Och Max hade vilat så gott det gick hela hösten, när han inte övervakade husbygget på Öland och planerade en ny bok. Det skulle bli en annorlunda bok, mindre om psykologi och mer om att leva rätt och äta gott. En kokbok av Max Larsson. Vendela hade lovat att hjälpa honom.

Det fanns servetter och en flaska mineralvatten i handskfacket och hon öppnade den för att ta ett par klunkar, innan hon vevade ner rutan.

»Här, Max.«

Han tog tyst emot flaskan men drack inte – han hällde bara ut vattnet över rutan så att blodet löstes upp och rann i röda strimmor över karossen. Han lutade sig över motorhuven med hårt hopbitna käkar och torkade och torkade.

Vendela ville glömma den döda fågeln. Hon såg till höger, ut genom den rena sidorutan mot alvaret. En platt värld av gräs och buskar och stenar. Hon längtade dit. Om Max inte var för sur efter kollisionen skulle hon kunna ta en löptur över gräset redan i kväll.

Vendelas släkt var från ön, hon hade växt upp på en bondgård utanför Stenvik och det var delvis därför som hon hade övertalat Max att köpa en tomt här.

Själv föredrog hennes man ett sommarboende närmare Stockholm, det hade han sagt flera gånger. Men när Vendela hade visat Stenviks läge vid kusten och låtit honom välja exakt vilket hus de skulle kunna bygga vid stenbrottet hade han gett med sig.

De hade fått en arkitektritad drömvilla vid havet. Ett sagoslott av sten och glas.

Aloysius fortsatte att halta runt på sitt stela ben och byta liggställning nere på golvet, hans oro smittade av sig och gjorde henne lite illamående.

»Lägg dig ner, Ally … vi ska fortsätta snart.«

Den gråvita pudeln slutade yla, men gnällde svagt och tryckte sig mot hennes ben. Hans stora ögon stirrade upp mot henne, bleka och ofokuserade. Aloysius var tretton år gammal, mer än åttio hundår. Hans högra framben gick inte att böja längre och synen hade blivit allt sämre det senaste året. Deras veterinär i Stockholm hade förklarat redan i höstas att Ally snart bara skulle se skillnaden mellan ljus och mörker, och om mindre än ett år skulle han troligen vara helt blind.

Vendela hade stirrat på honom.

»Men finns det inget som ni kan göra?«

»Jo … det gör det ju alltid med gamla hundar. Och det gör inte ont alls.«

Men när veterinären börjat berätta om hur hundar avlivades hade hon tagit Ally i famnen och flytt.

Det krävdes ett tjugotal servetter för att få bilen någorlunda ren. Max hällde på vatten och torkade och slängde dem i diket bredvid parkeringen, en efter en.

Vendela såg hur de röddrypande servetterna tumlade runt och landade i diket. De skulle säkert bli liggande som torra löv vid rastplatsen hela våren och sommaren, och öborna skulle muttra över turisterna som skräpade ner. Och alvarets folk skulle också se skräpet.

Max kastade bort den sista servetten och böjde sig framåt – han verkade kolla att inget blod hade fastnat på mockajackan eller jeansen. Så kom han tillbaka in i bilen, utan att möta Vendelas blick.

»Allt väl?« sa han när han satte sig.

Hon nickade bara och tänkte:

Visst. Vissa dagar är bara lite galnare än normalt.

Hon såg bort mot den andra bilen, där mannen och pojken satt.

»Ska du prata med dem?«

»Varför det?« sa Max och startade motorn. »Ingen blev ju skadad.«

Bara fågeln, tänkte Vendela.

Det gnisslade när Max backade loss från sandboxen. Den hade spruckit på sidan – Vendela såg hur en tunn stråle sand rann ut på asfalten. Audins front var säkert också sprucken.

Aloysius slutade gnälla och la sig ner på golvet igen.

»Jaha«, sa Max och ruskade på huvudet, som om han ville skaka bort det som hänt. »Nu får vi sätta fart igen.«

Han la i ettan och spolade ren vindrutan. Sedan gasade han och svängde ut från rastplatsen.

Vendela vred sig om för att se om hon kunde se fågelns krossade kropp vid vägkanten. Men den var borta, kanske låg den i diket.

»Undrar vad det var för art«, sa hon. »Såg du det, Max? Jag hann knappt se om det var en fasan eller en orre eller …«

Han skakade på huvudet.

»Glöm det nu.«

»Det var väl ingen trana, Max?«

»Glöm fågeln, Vendela. Tänk på nya villan.«

Vägen var helt tom nu och han tryckte ner gasen. Vendela visste att han ville upp till huset för att fortsätta med kokboken. Efter helgen skulle en fotograf komma och ta bilder på honom i det nya köket. Själva maten skulle förstås Vendela få laga.

Audin ökade farten. Snart susade de fram lika snabbt som innan, som om krocken och bråket aldrig hade hänt, men Aloysius fortsatte att darra när han pressade sig mot Vendelas ben. Han darrade nästan alltid när Max var i närheten.

Om han varit yngre och friskare skulle Ally ha kunnat följa med henne på avkopplande turer på alvaret, men nu skulle han få stanna hemma. Max tyckte inte heller om promenader eller löpturer. Vendela skulle få ge sig ut själv i naturen.

Men kanske inte helt ensam. Älvorna fanns ju därute.

5

»ÄR DU OKEJ?« frågade Per för sjätte eller sjunde gången. Jesper nickade.

»Inga brutna ben?«

»Nä.«

De hade satt sig i sin bil igen. Tio meter bort backade Audin loss från den trasiga sandboxen. Per såg att spoilern var spräckt, liksom den högra strålkastaren.

Audin svängde runt på parkeringen och körde ut på landsvägen. Föraren tittade stint rakt fram, men kvinnan bredvid honom mötte Pers blick någon sekund, innan hon såg bort. Hon hade ett smalt och spänt ansikte och påminde om någon, tyckte han. Regina?

Han såg på sin son igen, höll honom om axlarna. Jesper verkade lugn, men hans nackmuskler darrade.

»Du har inte ont nånstans?«

»Bara blåmärken«, sa Jesper och gav Per ett snabbt leende. »Jag kastade mig undan däcket, men det var rätt nära.«

»Ja, det var *läskigt* nära ... Tur att du är snabb.«

Per log spänt tillbaka och släppte sakta sonens axlar.

Han la händerna på ratten och andades ut. Ilskan var borta nu, men för bara några minuter sedan hade han sopat undan benen på en annan man och varit redo att börja slå honom. Han hade velat klippa till vem som helst, egentligen. Som om något i livet skulle bli bättre av det.

Det andra han tänkte på var att Jesper just hade lett mot honom, det första leendet på länge. Ett vårtecken?

Han såg Audin öka farten på landsvägen, med blanka spår av blod på motorhuven. Den gasade och försvann norrut.

Den stora bilen fick Per att tänka på hans fars alla vrålåk – en lång rad bilar som Jerry importerat från USA. I mitten på sjuttiotalet hade han kört Cadillac och bytt till en ny modell nästan varje år. Folk hade vridit på huvudet när Jerry kommit åkande, och han hade älskat det.

»Vad gjorde du med honom?« frågade Jesper.

»Vadå?«

»Det där judokastet?«

Per skakade på huvudet och vred om startnyckeln. Han hade tränat judo i mindre än två år och bara lyckats få orange bälte, men Jesper verkade ändå imponerad.

»Det var inte judo … Jag drog omkull honom bara, som ett krokben«, sa han. »Det hade du också kunnat, om du hade fortsatt träna.«

Jesper var tyst.

»Du tränar ju inte heller nu«, sa han sedan.

»Jag har ju ingen att träna med«, sa Per och körde ut från parkeringen. »Jag tänker börja springa i stället.«

Han tittade mot det platta landskapet bredvid vägen. Marken därute såg livlös ut, men mycket pågick under ytan.

»Vart ska du springa, pappa?« sa Jesper.

»Vart som helst.«

6

BRÄNN DEM, GERLOF, hade Ella Davidsson sagt när hon låg som ett skelett i sjuksängen. *Lova att du bränner dem.*

Och han hade nickat. Men hans döda frus dagböcker fanns fortfarande kvar, och den här fredagen hade han hittat dem.

Solen hade kommit tillbaka till Östersjön, en vecka före påsk. Nu fattades bara värmen, så skulle Gerlof kunna sitta ute i trädgården hela dagarna. Vila, tänka och bygga flaskskepp. Tunna gröna strån började titta upp bland de bruna löven omkring honom. Gräset behövde inte klippas förrän i maj.

Solskenet mitt på dagen lockade fram fjärilarna.

För Gerlof var de det viktigaste vårtecknet. Redan som liten hade han väntat på att få se årets första exemplar dyka upp, och få se vilken färg det hade. Vid åttiotre års ålder var det svårt att fyllas av samma starka vårkänslor som när han var ung, men Gerlof väntade ändå spänt på årets första fjäril.

Han var ensam vid stugan nu, det hade blivit vardag efter flytten och han lunkade omkring bland de små rummen i huset, med käppen i ena handen och en kaffekopp i den andra. Rullstolen stod inne i sovrummet i tyst väntan på att Sjögren, hans reumatiska syndrom, skulle bli värre. Än så länge kunde han ta sig nerför stentrappan utan problem.

Veckan innan hade han fått dit sina möbler – de få som han velat behålla från rummet i äldreboendet – och alla småsakerna från de trettio åren på sjön: flaskskeppen, sjökorten, namnbräderna från några av skutorna som han seglat och vackra reparbeten av mörkbrunt tågvirke som fortfarande doftade tjära.

Gerlof var omgiven av minnen.

Det var när han hade öppnat skåpet bredvid frysen i köket för att stoppa undan loggböckerna och sjökorten som han råkat hitta dagböckerna.

De hade legat hopsnörade som ett paket på en hylla bakom Ellas lilla smyckeskrin och gamla ungdomsböcker av Karl May och L M Montgomery. Varje bok hade ett årtal i svart bläck på framsidan, och när han knöt upp snöret och öppnade dem såg han tätt skrivna rader med sin frus sirliga handstil.

Det var Ellas dagböcker, sammanlagt åtta stycken.

Gerlof tvekade några sekunder. Han tänkte på löftet han hade gett Ella. Sedan tog han den översta boken och gick ut till trästolen ute på gräset, med en känsla av att göra något skamligt. Han hade sett henne skriva i dagböckerna någon enstaka gång, men hon hade aldrig visat vad hon skrev och bara nämnt dem vid ett tillfälle, när hon var döende.

Bränn dem, Gerlof.

Han satte sig, vek en filt runt benen och la boken på bordet bredvid sig. Det var tjugotvå år sedan Ella hade dött i levercancer, hösten 1976, men här i trädgården hade han ofta en känsla av att hon inte alls var borta, utan stod i stugan och kokade kaffe.

Ella hade alltid satt tydliga gränser. Hon hade till exempel aldrig släppt in sin man i köket, och Gerlof hade förstås aldrig tjatat för att få komma in där. När deras döttrar Lena och Julia blivit tonåringar i början på 1960-talet hade de gjort ihärdiga försök att få honom att hjälpa till med hushållsarbetet, men Gerlof hade tvekat.

»Det är för sent för mig«, hade han sagt.

Mest hade han varit rädd och osäker i köket. Han hade aldrig lärt sig laga mat eller tvätta, bara diska. Numera verkade svenska män göra allt möjligt, det var nya tider.

Gerlof vred på huvudet. Han såg en liten fladdrande rörelse i vildgräset utanför tomten. Det var årets första fjäril. Den kom flygande mot honom med lika ryckiga rörelser som alla andra vårfjärilar han sett genom åren, hit och dit och till synes utan resmål.

Den var gul, en citronfjäril. Ett fint vårtecken.

Gerlof log mot den ljusa fjärilen när den nådde gräsmattan framför honom – men slutade le när han upptäckte ytterligare en fjäril ute i vildgräset. Den var mörk, nästan kolsvart med grå och vita strimmor, han visste inte namnet på den. Nässelfjäril? Eller kanske sorgmantel? Den flög rakare och nådde gräsmattan nästan samtidigt som citronfjärilen. Så snurrade de runt varandra några sekunder, i en vårlig dans, innan de for förbi Gerlof och försvann bakom huset.

En gul och en gråsvart, vad betydde det? Han hade alltid sett den första fjärilen som ett tecken på hur resten av året skulle bli, hoppfullt ljust eller dystert mörkt, men nu blev han osäker. Det var som om han hade hissat en flagga som först fastnat på halv stång, innan den fortsatte upp till toppen.

När han öppnat dagboken hörde han ljudet av en vinande bilmotor. En stor skinande bil kom rullande ute på vägen och svängde in på grusvägen mot stenbrottet.

Gerlof fick en skymt av en medelålders man och kvinna i framsätet.

Det var väl några av de nya grannarna som byggt hus vid stenbrottet. Sommargästerna. De skulle säkert bara vara här när det var ljust och varmt, de var knappast redo att gå runt och frysa och hugga ner de sista träden längs kusten, som hans egen släkt hade fått göra.

Gerlof brydde sig inte om dem. Han tittade ner i dagboken och började läsa:

I dag har vi den sjunde maj 1957.

I natt skall Gerlof gå årets första resa efter olja till Nynäshamn, han var i Kalmar med skutan i dag för mätning eftersom han har gjort om sin däckslucka. Lena och Julia är med honom ombord.

Sol på dagen. Kom till stugan vid sex på kvällen och vädrade ut. Svag doft av mögel trodde jag, försökte vädra, men det var en kruka enbär i sockerlag som börjat jäsa och sedan gått i tusen bitar. Fick börja med att torka härsken och blåröd sockerlag som klibbat fast på golvet, hann knappt laga middag (köttbullar). Barnen och Gerlof kommer hem i övermorgon.

Gerlof insåg att det var semesterdagböcker som hans fru hade skrivit. När han själv varit till sjöss visste han att Ella ofta hade rest upp till sommarstugan med de två döttrarna. Senare, när de blivit äldre och velat följa med Gerlof till Stockholm eller stanna nere i Borgholm, hade hon varit här ensam. Det var väl därför han knappt hade sett henne skriva i dem.

Han läste vidare:

I dag har vi den femtonde maj 1957.

Sol, med viss kyla i nordostlig bris. Flickorna på lång cykeltur längs kustvägen på eftermiddagen.

En konstig sak hände under tiden som de var borta. Stod ute på verandan och vattnade pelargoner – och såg då ett troll från stenbrottet.

Eller vad kan det ha varit?

Något tvåbent var det i alla fall, men rörde sig så snabbt att jag blev alldeles paff. En skugga bara. Ett knakande ute i betan, ett prasslande bland buskarna, så var det borta. Jag tror den skrattade åt mig.

»Betan« var Ellas och Gerlofs namn på den igenvuxna hagen utanför sommarstugan, där kor hade gått och betat före kriget.

Men vad menade Ella med ett troll?

Plötsligt hörde Gerlof ett nytt motorljud bakom träden. Det dog ut, och så gnisslade grinden till. Han fick bråttom att gömma dagboken under filten. Han visste inte varför, det var väl något slags dåligt samvete.

En kort och kraftig man i sjuttioårsåldern klev in i trädgården. Det var hans vän John Hagman, klädd i de slitna blå arbetskläder och den blekgrå vegamössa som han bar vinter som sommar. Han hade varit Gerlofs styrman på Östersjön en gång i tiden; numera arrenderade han campingen i södra änden av byn.

Han kom fram med tunga steg och stannade i gräset, och Gerlof log och nickade åt honom. John log inte tillbaka – att se glad och nöjd ut var inte hans stil.

»Jaha«, sa han, »jag hörde att du var tillbaks.«

»Jo. Och du också.«

John nickade. Han hade varit uppe hos Gerlof på äldreboendet några gånger under vintern, men annars hade han bott i sin sons lilla lägenhet nere i Borgholm. Han hade nästan skamset förklarat att det hade börjat kännas för kallt och ensamt uppe i byn på vintern. Han klarade inte av det längre, och Gerlof förstod honom.

»Är det någon annan här nu?«

John skakade på huvudet.

»Byn har nog stått tom efter nyår. Lite visiter på veckosluten, bara.«

»Och Astrid Linder?«

»Hon gav också upp till slut och bommade igen stugan … jag tror hon for till Rivieran i januari.«

»Jaha«, sa Gerlof, som mindes att Astrid hade varit läkare innan hon pensionerat sig. »Ja, hon har väl en del pengar undanstoppade.«

Det blev tyst igen. Gerlof såg inga fler fjärilar. Han lyssnade till vindens svaga sus borta i träden och sa:

»Jag tror inte att jag blir kvar så länge till här, John.«

»Här i byn?«

»Här, menar jag«, sa Gerlof och pekade mot sin bröstkorg där han antog att själen och därmed livet satt.

Det lät inte så dramatiskt som han hade väntat sig, och John nickade bara och frågade:

»Är du krasslig?«

»Inte mer än vanligt«, sa Gerlof. »Men väldigt trött. Jag borde göra något vettigt, snickra och måla på stugan som jag gjorde förr … men jag bara sitter här.«

John såg åt sidan, som om samtalet var jobbigt.

»Börja med något litet«, sa han. »Gå ner till sjön och skrapa snipan.«

Gerlof suckade.

»Den är full med hål.«

»Vi kan laga den«, sa John. »Och om två år är det ett nytt årtusende, en ny tid. Det vill du väl vara med om?«

»Kanske ... vi får väl se hur ny den nya tiden blir.« Gerlof ville byta ämne och nickade bort mot grinden. »Vad tror du om grannarna då? På andra sidan vägen.«

John var tyst.

»Känner du inte till dem?«

»Jodå, jag har sett dem. Men de har knappt varit här förrän nu, jag vet inte så mycket om dem.«

»Inte jag heller. Men man blir ju nyfiken. Eller hur?«

»De är rika«, sa John. »Rika fastlänningar.«

»Säkert«, sa Gerlof. »Du får väl låta dem veta att du finns här i byn.«

»Varför då?«

»Så att du kan få göra lite sysslor för dem, innan camparna kommer.«

»Jo, det vore ju bra.«

Gerlof nickade och lutade sig framåt en aning.

»Och ta bra betalt.«

»Jodå«, sa John och såg nästan glad ut.

7

»Så ni ska stanna här några veckor nu?« frågade den unge mäklaren när han lämnat över nycklarna och de sista dokumenten till Vendela Larsson. »Och njuta av vårsolen?«

»Vi hoppas det«, sa Vendela och skrattade till.

Hon skrattade ofta nervöst när hon pratade med folk hon inte kände. Men den vanan skulle försvinna här på ön, hon hoppades det. Mycket skulle förändras nu.

»Bra, jättebra«, sa mäklaren. »Då hjälper ni till att förlänga turistsäsongen, som riktiga pionjärer ... Ni visar folk på fastlandet att det går att njuta av friden på Öland, mer än bara några veckor på sommaren.«

Vendela nickade.

Njuta av friden? Det hängde förstås på om hon själv skulle kunna slappna av, och om Max skulle trivas och få färdigt sin kokbok.

Just nu stod han inne i det uppvärmda garaget och spolade ren bilen med vatten och tvättsvamp. Varenda droppe blod skulle bort. Sedan de kom fram till sommarhuset hade Max inte sagt ett ord om vad som hänt ute på landsvägen, men ilskan hade hela tiden hängt som en sur stank omkring honom.

Vendela fick själv ta hand om mäklaren, och hon ansträngde sig för att inte huttra i den kalla vinden. Det var kväll, solen hade gått ner borta i sundet och tagit all värme med sig. Hon ville helst gå tillbaka in i huset.

Mäklaren såg sig om i skymningen, bort mot den stora grannvillan i söder och den mindre stugan som låg några hundra meter norrut.

»Det här är ett ypperligt område«, sa han, »helt ypperligt. Med grannarna på lagom avstånd, varken för tätt inpå eller för långt bort. Och inga andra tomter mellan er och stranden ... det är bara att gå runt stenbrottet om ni vill ta ett morgondopp.«

»Då får isen smälta först«, sa Vendela.

»Det gör den snart«, sa mäklaren. »Det är sällan den är kvar så här länge ... men vi hade en tuff vinter i år. Femton minusgrader, vissa nätter.«

Bredvid mäklaren stod en man i blåställ som var huvudet kortare. Det var den lokale byggmästaren som nickade mot Vendela.

»Ring om något krånglar«, sa han.

Det var hans första och sista ord till Vendela den här kvällen. Både han och mäklaren gjorde sig redo att åka.

»Var rädd om grannsämjan nu«, var mäklarens sista råd till Vendela när de skakade hand. »Det är den gyllene regeln för villaägare.«

»Vi har inte träffat grannarna än«, sa Vendela och skrattade igen.

När hon kom tillbaka in i huset reste sig lilla Aloysius mödosamt upp ur hundkorgen på sina stela ben och skällde. Han verkade inte se att det var hans matte som kom – kanske började hans luktsinne försvinna också.

»Det är bara jag, Ally«, sa Vendela och klappade honom.

Hon kände sig lite utsatt ute på den blåsiga tomten, men härinne i huset kunde ingen nå henne. Hon älskade de rena ytorna i det nya huset. Allt var nytt, inget skräp fanns gömt i skåp eller vindsrum. Ingen källare som behövde rensas och städas.

Hon tänkte på vad mäklaren sagt om grannarna och kom plötsligt på något: Kanske skulle hon och Max ordna en fest för alla i byn, någon gång den kommande veckan, och lära känna dem lite? Det skulle dessutom vara ett sätt för henne att träna på att slappna av i större sällskap.

En fest var faktiskt en bra idé.

Fast egentligen var det ju inte grannarna hon ville träffa, utan älvorna.

Det var en gång för länge sedan en jägare som gick ut på alvaret, hade hennes far berättat en kväll för Vendela. *Jägaren tänkte jaga harar och fasaner, men i stället träffade han sitt livs stora kärlek därute. Och han blev aldrig sig själv igen.*

Hon hade varit sex eller sju år när hennes far börjat berätta en saga för henne om älvorna ute på alvaret. Vendela glömde aldrig den historien, och nu hade hon skaffat en anteckningsbok för att skriva ner den – och allt annat som hon hade lärt sig om älvorna genom åren.

Och varför skulle den inte kunna bli utgiven, till och med uppskattad av läsarna? När hennes mans alla böcker om att segra och vinna var så populära så kunde väl hon ge ut en bok om att umgås med älvorna. Hon satte sig med boken i den ljusa storstugan som ledde ut till verandan ovanför stenbrottet. Max var kvar ute i garaget.

Hon hade börjat fundera på att skriva en helt egen bok redan förra året, när köpet av tomten blev klart. Hon hade skaffat anteckningsboken innan de reste ner till ön men inte sagt något till Max, och när han hade upptäckt den hade Vendela sagt att det var en dagbok. Det var lögn, hon hade inget att berätta om sig själv, men det hade fungerat. Max hade inte bett att få läsa boken och hon hade kunnat fortsätta skriva om älvorna, några sidor i taget.

Nu började hon skriva ner Henrys historia, precis som hon mindes den:

Jägaren gick långt ut på alvaret, men inga fåglar eller småvilt syntes till den här dagen. Allt han såg var en hög och slank kronhjort i fjärran, en hjort som stod kvar och tycktes vänta på att han skulle komma närmare, innan den vände om och satte fart mot horisonten.

Jägaren följde efter över gräset, med höjt gevär. Jakten på hjorten höll på i flera timmar, men jägaren kom inte en meter närmare sitt byte. Solen gick ner och kvällen kom, och sakta närmade sig jägaren hjorten. Han höjde sitt gevär.

Då lyste plötsligt solen igen, och jägaren såg att han stod på ett alvar där gräset växte grönt och friskt och små bäckar porlade omkring honom. Hjorten hade försvunnit, men i stället kom en vacker och högrest kvinna i vita kläder gående mot honom.

Kvinnan log och berättade att hon var älvornas drottning och att hon sett honom många gånger ute på alvaret och blivit förälskad. Nu hade hon lockat honom med sig till sitt eget rike.

Vendela tittade upp från sin bok och studerade det breda sundet genom fönstren. I dunklet såg isen därute grå och smutsig ut.

Om hon lutade sig riktigt nära rutan kunde hon se grannhusen, och då tänkte hon på grannfesten igen. Jo, hon skulle ordna den.

Hon lutade sig bakåt igen och fortsatte skriva:

När jägaren såg älvornas drottning stå framför sig sänkte han sitt gevär och gick ner på knä framför henne. Och drottningen tog fram en silverbägare och böjde sig ner vid en porlande bäck. Hon fyllde bägaren till brädden, och när hon reste sig upp och bjöd jägaren att dricka kände han smaken av ett sött vitt vin. Han kände sig fri och lycklig och ville inte återvända till människornas värld. Så han stannade kvar hos drottningen hela kvällen och hela natten, och somnade i hennes armar.

Jägaren vaknade när solen gick upp, men då var han tillbaka i sin säng i stugan vid kanten av alvaret och den vackra kvinnan var borta. Och trots att han sökte ute på alvaret hittade han aldrig porten till älvornas rike igen.

Vendela gjorde en paus i skrivandet. Hon hörde ett dovt brummande och tittade ut genom fönstret. En bil kom sakta körande på grusvägen, och Vendela kände igen den.

Det var Saaben från parkeringen.

Bilen rullade förbi, på väg mot den gamla stugan vid nordöstra delen av stenbrottet. Bakom ratten satt den blonde mannen som hade slängt omkull Max på asfalten. Hans tonårige son satt bredvid honom.

När Vendela såg mannen i profil insåg hon vem han påminde henne om: Martin – han var faktiskt lite lik Martin, hennes förste man.

Kanske var det därför Max hade blivit så arg på honom? Vendela hade mött Martin av en slump en dag fem år tidigare och ätit lunch med honom, och det hade hon varit dum nog att berätta för Max. Han ältade fortfarande den lunchen.

Jaha, då hade hon redan träffat ett par av grannarna. Men ville hon verkligen bjuda in den familjen på fest? Hon var tvungen att prata med Max om det.

Hon böjde sig över boken och skrev ett sista stycke, slutet på historien:

Jägaren levde i sin stuga i många år efter mötet på alvaret, men han blev aldrig mer förälskad och gifte sig aldrig, för ingen mänsklig kvinna kunde mäta sig med älvornas drottning. Han glömde henne aldrig.

»Det var en saga om älvorna«, hade hennes far sagt och rest sig från sängkanten. »Nu får du sova, Vendela.«

Henry hade berättat historier om älvorna flera gånger efter det. Sin döda fru nämnde han aldrig, men drottningen verkade fascinera honom. Och sagan om älvorna hade stannat kvar i Vendelas tankar. Den fick henne att börja drömma om att göra som jägaren, och ge sig iväg till platsen där hon kunde möta dem.

VENDELA OCH ÄLVORNA

D ET ÄR VÅR NÄR HENRY FORS visar spåren av älvorna och trollen för sin dotter Vendela, året innan hon börjar småskolan.

Först går de till älvorna. Henry tar med Vendela ut på ängen bakom deras lilla bondgård för att hämta hem korna till mjölkningen.

Henry har tre kor, men till och med Vendela märker att han egentligen inte vill vara bonde. Inte det minsta. Han har sin lilla gård enbart för att överleva.

»Här dansar de«, säger han när de står i gräset och korna kommer lunkande mot dem med hårt spända juver.

Vendela tittar ut på ängen, som ramas in av en hög stenmur. Bortom den börjar alvarets värld av gräs och enbuskar. Ingenting rör sig därute.

»Vilka dansar?« frågar hon.

»Älvorna och deras drottning. Du minns väl henne?«

Vendela nickar, hon minns historien.

»Det finns till och med spår efter dem«, säger Henry och pekar med en högerhand som är torr och sprucken av allt stenarbete. »Ser du älvdansen?«

Vendela tittar ut mot ängen, och ser en meterbred ring av ljusare gräs i allt det gröna. Det ser ut som om någon trampat sönder stråna. Bara ringens mittpunkt är frisk och grön.

När Henry samlar ihop korna framför sig gör han en vid sväng runt ringen i gräset.

»Man ska inte kliva över älvornas dansplatser, det betyder otur«, säger han.

Sedan lyfter han handen och puttar lite i sidan på korna, för att de ska öka takten.

Några dagar senare tar Henry med dottern ner till kusten för att titta på stenbrottet. Det är där han helst vill vara.

Egentligen ska Vendela gå och hämta korna på ängen, men Henry säger att de kan vara ute en stund längre i dag.

Han sjunger hela vägen ner till havet, han har en djup baryton och tycker om att sjunga sånger om Öland:

> *Jag far min kos från rosorna på strand*
> *Jag är en öländsk lättmatros och havet är mitt land*

Det finns en sorg och längtan i hans röst, och Vendela tror att det är för att hennes mor Kristin inte finns längre.

Död, hon har varit död i flera år. Hon blev sjuk, och då blev de låga ljuden i huset högre, det knakade mer i väggarna, det prasslade och knäppte. Sedan dog hon, och då blev allt tyst igen.

»Hon gick bort i tvinsot«, sa Henry till Vendela när han kom hem för sista gången från sjukhuset.

Det var det gamla öländska namnet på en åkomma som betydde att någon bara hade tynat bort, någon som tröttnat på allt och inte orkade leva.

Tvinsot. Vendela undrar i flera år om det är ärftligt, ända tills hennes faster Margit berättar att Kristin dog av en brusten blindtarm.

När de kommer fram till stenbrottet slutar Henry sjunga. Han stannar till vid klippkanten, några meter ovanför den breda sänkan i berget. Det är torrt och kallt här.

»Här har folk rensat bort jorden och klyvt sten i fem hundra år. Sten till slott och borgar och kyrkor. Och till gravar, förstås.«

Vendela står bredvid sin far och ser ut över ett grått landskap som har brutits sönder och tömts på allt liv.

»Vad ser du?«

»Sten och grus«, säger Vendela.

Henry nickar.

»Lite som på månen, eller hur? Jag känner mig som en mångubbe när jag går omkring här, det är bara raketen som fattas ...«

Hennes far skrattar, han har alltid varit intresserad av rymden. Men skrattet tystnar när de kommer ner till grusplanen.

»Här var det mycket folk för bara några år sedan«, säger han. »Men de har gett upp och gått hem, en efter en ...«

Vendela tittar bort mot de andra stenhuggarna. De är bara fem stycken och står utspridda med trötta ryggar och kalkpudrade kläder nedanför klippkanten. Henry vinkar och ropar till dem.

»God dag, god dag!«

Ingen av stenhuggarna hälsar tillbaka. De håller borrar och hammare i händerna, men har sänkt dem för att titta på besökaren i stenbrottet.

»Varför jobbar de inte?« viskar Vendela.

Henry ser mot sina kollegor och skakar på huvudet, som om han har gett upp hoppet om dem.

»De står och längtar bort«, säger han lågt. »De frågar sig varför de aldrig tog chansen att resa till Amerika.«

Sedan visar han vägen till sin egen arbetsplats i södra änden av stenbrottet, där han har staplat upp skrotsten och byggt ett eget bräckligt vindskydd på klippan.

»Det här är Näcken«, säger han.

Han bjuder in Vendela, och de sätter sig på två stenpallar därinne. Henry har en termos med kaffe med sig och dricker två muggar.

»Se upp därnere!« säger han och häller ut den sista skvätten kaffe bland stenarna.

Vendela vet att han varnar trollen i underjorden, så att de ska hinna undan.

Kalkdammet från stenen kittlar i hennes näsa. Hon fortsätter att se sig omkring, det finns så mycket krossad sten här. Den ligger slängd överallt, och hon tittar på högarna och försöker se om någon gömmer sig bakom dem.

»Vad tittar du efter?« säger Henry. »Är det trollen?«

Vendela nickar, men hennes far skrattar.

»Det är ingen fara, trollen håller sig undan på dagen. De tål inte solskenet. De kommer bara fram när solen gått ner.«

Han ser sig om och fortsätter:

»Men innan människorna kom var det här trollens rike. De bodde här vid havet. Och älvorna, som var deras fiender, bodde längre inåt land. En enda gång kom älvorna ner till trollen. De möttes här vid stenbrottet, och blodet flöt den dagen. Marken blev helt röd.«

Han pekar bort mot klippkanten i öster.

»Blodet finns kvar … Kom bort här och titta.«

Han leder ner Vendela till stenbrottet och bort till den lodräta väggen. Där böjer han sig och pekar mot ett rödaktigt skikt som löper genom den ljusa klippan, strax ovanför marken.

Hon tittar närmare och ser att skiktet är fyllt av mörkröda klumpar.

»Blodläget«, förklarar Henry och rätar på ryggen. »Det är allt som är kvar av striden mellan trollen och älvorna … förstenat blod.«

Vendela förstår att älvornas drottning måste ha lett striden mot trollen, men hon vill inte titta mer på blodet.

»Slåss de fortfarande, pappa?«

»Nej, de har nog vapenvila nu«, säger Henry. »De har kanske bestämt att trollen ska hålla till i berget under blodläget och älvorna på alvaret, så slipper de mötas.«

Vendela lyfter blicken mot klippkanten och tänker att det borde byggas ett slott där på klippan, med höga fönster och väggar av sten. Hon vill gärna bo där, mellan trollens och älvornas riken.

Sedan ser hon på sin far.

»Varför var de ovänner, trollen och älvorna? Varför slogs de?«

Henry skakar bara på huvudet.

»Säg det … De tyckte väl att de andra var för annorlunda.«

8

PER OCH JESPER FICK ÅKA FLERA MIL för att hitta en öppen mataffär på fredagskvällen. När de till slut kom fram till Stenvik rullade de in genom en by fylld av mörka och igenbommade sommarstugor.

Per svängde in på Ernsts väg vid stenbrottet och såg att det i alla fall lyste i fönstren i de två nybyggda lyxhusen. Framför dem stod varsin stor och blänkande bil parkerad. Plötsligt kände han igen den ena av dem som Audin som nästan hade kört på Jesper. Skadorna fanns kvar, men den var helt renspolad från blod nu.

Mannen och kvinnan han mött på parkeringen hade alltså byggt hus här i byn. Det var två av Pers nya grannar.

»En ny bil«, sa han, »det skulle vara något ... Bra för både oss och miljön.«

Jesper vred på huvudet.

»Ska du köpa det, pappa?«

»Senare. Inte just nu.«

Hans egen Saab hade utslitna stötdämpare, de kved och gnisslade i guppen och groparna på grusvägen. Men motorn var ganska bra och Per tänkte inte skämmas för sin bil.

Inte för Ernsts stuga heller – trots att den på kvällen, med sitt låga tak och sina släckta små fönster, mest påminde om en övergiven byggbarack. Stugan hade stått i solen och vinden vid stenbrottet i nästan femtio år och behövde skrapas och målas, men det fick bli nästa sommar.

Senaste gången Per hade besökt ön för att titta till stugan hade varit i början av mars och alvaret hade varit täckt av snö. Den var nästan borta nu, men det var ändå inte mycket varmare i luften – i alla fall inte när solen hade gått ner.

»Minns du vår släkting Ernst?« frågade han Jesper när han stannade bilen på grusplanen framför huset. »Kommer du ihåg när vi hälsade på honom här?«

»Lite«, sa Jesper.

»Vad minns du då?«

»Han högg sten ... gjorde stenskulpturer.«

Per nickade och pekade bort i mörkret, mot ett litet skjul söder om stugan.

»De finns kvar i hans arbetsbod ... en del av dem. Vi kan titta på dem.«

Han saknade Ernst, kanske för att han hade varit den totala motsatsen till Jerry. Ernst hade gått upp tidigt i sin stuga varje morgon för att jobba med släggor och stämjärn nere i stenbrottet. Han hade slitit hårt – det ekande klingandet när stål slogs mot sten var ett av Pers barndomsminnen – men när han hade hälsat på med sin mor hade Ernst alltid haft tid för sitt kusinbarn.

VÄLKOMMEN stod textat på hans gamla dörrmatta.

När de öppnade dörren till sommarhuset kom en svag doft av såpa och tjära emot dem; det var lukter av den förre ägaren som inte helt hade försvunnit. När de tände takljuset såg allt ut som när Per hade lämnat stugan i vintras: blommiga tapeter, trasmattor med bruna kaffefläckar och blankslitna trägolv.

I stora rummet fanns en sjömanskista som Ernst hade snidat också, med en träbild på framsidan av en riddare på en häst som jagade in ett hånleende troll i hans håla i berget. På ett stenblock bakom riddaren satt en prinsessa och grät.

Den kistan skulle få stå kvar, men när Per fick pengar skulle han börja byta ut möblerna.

»Vi vädrar lite«, sa han till Jesper, »så släpper vi in våren.«

Med fönstren på glänt fylldes rummen av vindens sus.

Fint. Per försökte känna glädje över stugan som han hade ärvt, både som den var och som den skulle kunna bli.

»Det är bara ett par hundra meter till stranden, på andra sidan stenbrottet«, sa han till Jesper när de bar in väskorna i den lilla hallen. »Vi ska bada mycket där i sommar, du och jag och Nilla. Det blir kul.«

»Jag har inga badbrallor«, sa Jesper.

»Vi skaffar det.«

Tvillingarna hade varsitt litet sovrum till vänster om köket och sonen gick in till sig med sin ryggsäck.

Per stannade till i det lilla rummet bakom köket som hade utsikt mot norra delen av stenbrottet och det istäckta sundet. Det här kunde bli hans arbetsrum under sommaren.

Om han levde om tjugo eller trettio år skulle han fortfarande ha kvar det här huset, det var han säker på. Och barnen skulle få bo här så mycket de ville.

En ringsignal började klinga när Per var i sovrummet och packade upp sina kläder. Det var den gamla telefonen – i några sekunder mindes han inte var den fanns. Men signalerna verkade komma från köket.

Telefonen stod på köksbänken bredvid spisen och var gjord av svart bakelit, med nummerskiva. Per lyfte luren.

»Mörner.«

Han väntade sig att få höra Marika, eller en läkares kraftfulla stämma med nyheter om Nilla, men ingen röst hördes. Det brusade på linjen, en dålig förbindelse från fastlandet.

Till slut hostade någon, sedan hördes en låg och kraftlös röst – en gammal mans röst:

»Pelle?«

»Ja?«

»Pelle ...«

Per dröjde med att svara. Eftersom hans mor var död fanns det bara en enda person som kallade honom för Pelle, och dessutom kände han igen sin far Jerrys hesa röst. Tusentals cigaretter och många sena nätter hade slitit ut den. Och förra våren, efter en blodpropp i hjärnan, hade rösten blivit sluddrig och vilsen. Jerry mindes fortfarande namn – liksom telefonnummer, han ringde Per minst en gång i veckan – men mycket av hans ordförråd var borta.

Per hade kopplat vidare telefonen från lägenheten i Kalmar ut till stugan, trots risken att Jerry skulle ringa.

»Hur är det, Jerry?« sa han till slut.

Hans far tvekade, och Per hörde hur han drog in cigarettrök. Sedan hostade han igen och sänkte rösten ytterligare:

»Bremer«, sa han bara.

Per kände igen namnet. Hans Bremer var Jerrys medhjälpare och alltiallo. Per hade aldrig träffat honom, men helt klart hade hans far och Bremer en bättre relation än han själv någonsin hade haft med Jerry.

»Jag kan inte prata med dig i dag«, sa Per. »Mina barn är här.«

Hans far var tyst. Han sökte efter ord, men Per väntade inte.

»Så vi får prata senare«, fortsatte han. »Vi hörs.«

Han la lugnt på luren, utan att vänta på svar, och gick tillbaka till sitt sovrum.

Två minuter senare började telefonen skrälla igen.

Han var inte förvånad. Varför hade han kopplat vidare den?

När han lyfte luren hördes samma hesa röst:

»Pelle? Pelle?«

Per blundade trött.

»Vad är det, Jerry? Kan du berätta varför du ringer?«

»Markus Lukas.«

»Vilka?«

Jerry harklade sig och svarade något som lät som »den djävulen«, men Per var inte säker. Det lät som om Jerry hade en cigarett i munnen.

»Vad pratar du om, Jerry?«

Han fick inget svar. Per vände sig mot köksfönstret och såg ut över stenbrottet. Det var helt öde.

»Måste hjälpa Bremer«, sa hans far plötsligt.

»Varför då?«

»Hjälpa mot Markus Lukas.«

Sedan blev luren tyst. Per såg ut genom fönstret, mot vattnet och den smala svarta randen som var fastlandet. *Markus Lukas?* Han trodde att han hade hört det namnet förut, för länge sedan.

»Var är du, Jerry?«

»Kristianstad.«

Jerry hade bott i Kristianstad de senaste femton åren, i en inpyrd trerummare nära järnvägsstationen.

»Bra«, sa Per. »Stanna där.«

»Nej«, sa Jerry.

»Varför inte?«

Hans far var tyst.

»Vart ska du åka då?« fortsatte Per.

»Ryd.«

Per visste att Ryd var ett litet samhälle i de småländska granskogarna – Jerry hade en fastighet där och Per hade skjutsat dit honom en gång några år tidigare.

»Hur ska du komma dit utan bil?«

»Buss.«

Jerry hade litat på Hans Bremer i mer än femton år. Före stroken, när hans far pratade i hela meningar, hade han lagt ut texten rejält om sin medhjälpare för Per: *Bremer tar hand om allt, han gillar sitt jobb. Bremer fixar det.*

»Bra«, sa Per. »Åk dit några dagar, då. Du kan väl ringa när du är hemma igen.«

»Jo.«

Jerry började hosta igen och bröt samtalet. Per la på sin egen lur, men blev stående vid fönstret.

Föräldrar borde inte få sina barn att känna sig ensamma, men det var precis det Jerry gjorde. Per kände sig helt ensam, utan släkt och vänner. Hans far hade skrämt bort allihop. Till och med Pers första stora förälskelse, i en leende flicka som hette Regina, hade Jerry förstört.

Per andades sakta ut och stod kvar i köket. Han borde ge sig ut och jogga på stigarna längs stranden, men det var för mörkt nu.

Jerrys förföljelsemani hade funnits som en bubblande soppa i hans huvud så länge Per kunde minnas. Det hade funnits en skrockande livsglädje också, men efter stroken hade den försvunnit helt. Tidigare hade Per fått uppfattningen att Jerry behövde de här verkliga eller inbillade konflikterna som en krydda i livet, att de gav honom ny energi som den entreprenör han var – men rösten han hade hört i luren i dag hade varit förvirrad och kraftlös.

Så länge Per kunde minnas hade hans far inbillat sig att folk hade varit ute efter honom: oftast den svenska staten och dess skattefogdar, men ibland någon bank eller konkurrent eller tidigare anställd i Jerrys bolag.

Per kunde inte göra mycket åt sin far just nu. Han behövde nog någon sorts tillsyn, men för Per var det viktigare att vara far till Nilla än son till Jerry.

Och Jesper också. Han fick inte glömma Jesper.

Sonens dörr var stängd, men Per var en god far, han brydde sig. Han knackade på och stack in huvudet.

»Hallå.«

»Hej pappa«, sa Jesper lågt.

Han satt i sängen med sin Gameboy, trots att det egentligen var för sent på kvällen för att spela.

Per valde att strunta i det. Han berättade bara om en plan han hade fått när han sett ut genom fönstret;¹ att bygga en genväg ner till stranden.

»Ska vi jobba i morgon?« frågade han. »Få lite större muskler och bygga något bra?«

Jesper tänkte efter. Sedan nickade han.

De sov ut till nio nästa morgon, och började bygga trappan efter frukost.

Ernst hade bara haft en ranglig trästege från stugan ner till stenbrottet, och Per ville ha något stabilare. En trappa som han och barnen kunde gå nerför när de skulle till stranden på soliga sommardagar.

I södra delen av Mörners steniga tomt sänkte sig klippkanten ner ytterligare någon meter, och det var där Per valde att bygga trappan.

Ett i taget kastade han och Jesper ner några av Ernsts redskap i gruset på botten av stenbrottet: spett, spadar och hackor. Sedan sänkte de den gamla skottkärran nerför klippkanten, drog på sina arbetshandskar och klättrade efter.

Det var kyligt nedanför klippväggen och inte en människa syntes till. Inte många växter heller, bara gräs och småbuskar som klamrade sig fast i sprickorna och gruset. Högst upp på några av stenhögarna stod måsar och skrek åt varandra med stelt gapande näbbar.

I knähöjd på klippväggen löpte ett märkligt stråk med mörkröda klumpar genom den ljusa kalkstenen. Per mindes det från barndomen. *Blodläget* hade Ernst kallat det stråket, utan att förklara varför. Det var knappast riktigt blod i berget.

»Vad ska vi göra, pappa?« sa Jesper och såg sig om.

»Ja ... först ska vi hämta grus.«

Per pekade mot högarna längre bort.

»Men kan vi sno det?«

»Vi *stjäl* det inte«, sa Per, och insåg att han inte hade en aning om vem som ägde stenbrottet. »Vi *använder* det. Det ligger ju bara här.«

Nu skulle de arbeta. Inte för hårt och snabbt – han fick tänka på ryggen – men hårt nog för att bygga en trappa upp ur stenbrottet.

I över en timme körde de skottkärran fram och tillbaka mellan grushögarna i mitten av stenbrottet och klippkanten nedanför deras tomt, och byggde långsamt upp en brant ramp invid klippväggen.

Klockan var redan halv elva, men Per hade fått upp värmen nu och dessutom upptäckt en stor hög långsmala stenblock ett femtiotal meter bort.

»Ska vi börja med de där?« sa han.

De gick bort till högen och började lasta kalkstensblocken i skottkärran. Per undvek de allra största, men de mellanstora stenarna var tunga nog.

Han greppade tag i ena änden på det närmaste blocket och fick Jesper att ta tag i den andra. Stenens yta var torr och slät.

»Lyft alltid med benen, Jesper, inte med ryggen.«

De lyfte samtidigt, och la tre avlånga block åt gången i skottkärran.

När de lastat av blocken borta vid klippkanten och lagt dem som trappsteg hade Per börjat flåsa – det här var tungt och hårt arbete. Hur hade Ernst kunnat jobba här dag efter dag, år efter år?

Vid tolvtiden var de klara med nederdelen av den nya trappan – och Pers rygg, nacke och armar värkte. Huden på hans fingrar hade skavts sönder och fått blåsor. Och fortfarande nådde trappan inte ens halvvägs upp till klippkanten.

Han log trött.

»Nu är det bara resten kvar.«

»Vi borde ha haft en lyftkran«, sa Jesper.

Per skakade på huvudet.

»Det är fusk.«

De hävde sig över klippkanten och återvände in i Ernsts hus.

Deras hus, tänkte Per och funderade på ett namn. *Casa Grande?* Nej. *Casa Mörner*, det fick räcka.

Samma kväll började hårda vindar blåsa över ön, och när allt ljus var borta ven en styv kuling över taket.

Sjukhusavdelningens telefon hade varit upptagen hela kvällen, men vid åttatiden hade Per i alla fall gjort som Nilla ville och sänt en tanke till henne.

Kärlek, hade han tänkt och sedan skickat iväg den tanken ihop med en minnesbild av solnedgången över sundet.

Några tankar i retur från dottern dök inte upp i hans huvud, det kändes helt tomt. Han trodde inte att telepati fungerade, men det fanns inget att förlora.

Per gick till sängs och somnade till vindens vinande och började drömma att han hade fångat en ljus liten trädocka i stenbrottet. Han hade stoppat den i en tygpåse och tagit in den i stugan, av någon anledning. Dockan var arg och eftersom det fanns revor i påsen tog han fram tejp och försökte laga den så att fingrarna inte skulle sticka ut. Dockan kämpade i påsen och Per tejpade och tejpade – och hörde sin far skratta åt honom.

Nej, det var inte Jerrys hesa skratt som dånade, det var ett dovt muller som fick marken att skaka.

Per slutade kämpa med påsen. Han såg ut genom fönstret mot

stenbrottet och upptäckte något otroligt: en vulkan hade börjat bildas ute i sundet mellan ön och fastlandet. Vattnet kokade därute, luften var full av grå rök och en hundra meter bred krater växte mot himlen, högre och högre upp.

Lavan rann ner och började fylla stenbrottet.

Då vaknade han, vilsen och förvirrad, och famlade förgäves efter dockan i sängen.

En stormvind drog fram över huset, men det dova mullrandet hade försvunnit. Det kom inte tillbaka och till slut somnade han igen.

Söndagsmorgonen var solig, med ett märkligt brusande ljud i vinden. Per gick upp vid halvåttatiden och såg att något var annorlunda när han tittade ut genom fönstret mot väster: sundet var inte gråvitt längre, det var mörkblått.

Han förstod vad som hänt. Mullret som hade väckt honom under natten var isen som hade brutits upp av kulingen. Nu fanns bara enstaka isflak som drev omkring ute i vattnet – och ett grått fält av issörja som gungade bland stenblocken inne vid stranden. Brusandet som hördes kom från de befriade vågorna.

Isen hade gått i sundet – hundratals ton fruset vatten hade släppts lös, och Per hade fått höra dånet.

Häftigt.

Men nattens dröm hade varit konstig och obehaglig. Han ville inte fundera på den.

9

Samtidigt som max satt och funderade på sin kokbok gick Vendela omkring i den nya villan och tänkte på att inte äta. Hon hade bestämt sig för att göra två saker här på ön: jogga och fasta. Inte för att gå ner i vikt – hon hade vägt femtiotvå kilo hemma på badrumsvågen – utan som ett sätt att rena kroppen och komma närmare naturen. Så den första morgonen i nya huset drack hon bara ett glas vatten till frukost, ensam med Aloysius i det nya stora köket.

Idén om grannfesten fanns kvar i hennes bakhuvud. Hon hade bestämt sig för att bjuda in alla hon kunde hitta i byn. På askonsdagen – då brukade väl folk inte ha egna middagar? För säkerhets skull hade hon knackat på och kollat idén med sin man.

Max satt i sitt arbetsrum, det ena av dem.

Han hade kört ett eget flyttlass till den nya villan veckan innan. Max behövde *tre* skrivbord när han skrev sina fackböcker – ett arbetsbord där han satt och tänkte, ett bord där han skrev och ett bord där han redigerade – och för att allt skulle få plats hade han fått två egna rum bredvid varandra.

Han hade en roddmaskin, några hantlar och ett hopprep därinne också. Inget löpband.

När Vendela knackade på satt han vid tankebordet, som var helt tomt. Hon berättade om idén att ordna en fest för grannarna. Han lyssnade, men nickade mot stugan i norr.

»De där också?«

Hon visste vilka han menade – pappan med sonen som Max varit nära att köra över.

»Vi kan hoppa över dem«, sa Vendela, men han skakade på huvudet.

»Nej, bjud in dem också. Behöver du hjälp?«

»Det går bra, jag ordnar maten, men du kan välkomna gästerna.«

Max suckade.

»Jag kan vara värd, men jag tänker inte ge folk några goda råd.«

»Nej, det är klart.«

»Folk frågar alltid om hjälp med alla möjliga problem … men jag måste få vara ledig här.«

Max slöt ögonen och Vendela lämnade rummet.

Hon skulle gå på promenad snart, men gick först in i badrummet.

Necessären var inte upplockad än. Hon ställde den på toalettlocket och började plocka upp sina piller och stoppa in dem i medicinskåpet.

Allergitabletterna med de latinska namnen hamnade på nedersta hyllan. Hon hade flera askar av dem, men den här morgonen kändes det rätt bra i näsan och ögonen.

Sedan stoppade hon in burken med piller som var ångestdämpande, precis som de små tablettkartorna med Vistaril som hon hade börjat ta några år tidigare på kvällen och ibland tidigt på morgonen.

Men det hade varit i Stockholm. Här på ön skulle hon vara mer försiktig, och i dag skulle hon bara ta två piller. En ny sort. De kallades Folangir och hade kommit med posten från Danmark i förra veckan. De var en sorts bantningspiller som skulle dämpa hungern och oron – men de hade näring i sig också. Ett extrakt av ringblomma och flera starka vitaminer, enligt förpackningen.

Hon sköljde ner dem med vatten.

Så där. Dags för promenaden.

De nya pillren var ovanligt starka, de gjorde henne lite yr när hon klev ut på trappan. Solen lyste och kalla vårvindar susade runt huset, men varken värme eller kyla berörde henne nu. Hon hade kommit i balans. Allt var behagligt.

Himlen var enorm på Öland, det fanns inte ett enda berg som

kunde hindra ljuset från att stråla över ön. Det var därför älvorna trivdes här.

Landskapet var så tyst när Vendela gick över den smala vägen. Inga bilar, inga röster. Bara enstaka fågelkvitter omkring henne och ett rofyllt brusande från det isfria sundet.

På andra sidan grusvägen fanns en ännu smalare väg, en stig. Två hjulspår med en sträng av gräs i mitten, en väg som kunde leda vart som helst. Hon gick in på den och trippade fram över marken med slutna ögon några sekunder.

När hon tittade upp såg hon en stängd grind i en gammal stenmur. Bakom den fanns en liten trädgård, och där satt någon på den blek-gula gräsmattan. En man i en vilstol.

När Vendela smög närmare såg hon att mannen var jättegammal, rynkig och skallig med en vit krans av hår runt bakhuvudet. Han satt med en tjock halsduk knuten under hakan, en filt över benen och en tunn bok i knät. Han blundade med hakan mot bröstet och såg mycket sorglös ut, som en man som hade jobbat färdigt i livet men var nöjd med allt han gjort.

Det kunde ha varit hennes far som satt där – men Henry hade förstås alltid varit för rastlös för att sitta i trädgården.

Vendela trodde att mannen sov, men när hon ställde sig vid grin-den höjde han huvudet och tittade mot henne.

»Stör jag?« ropade hon.

»Inte mer än någon annan«, sa mannen och stoppade in boken under filten.

Han hade en låg men ändå kraftfull röst, stämman hos någon som varit van att bestämma riktningen. Lite som Max röst.

Pillren gjorde Vendela modigare, hon öppnade grinden och gick in.

»Jag sitter och tittar efter fjärilar«, sa mannen när hon kom fram. »Och tänker lite.«

Det var inget skämt men Vendela skrattade ändå till – och ång-rade sig direkt.

»Jag heter Vendela«, sa hon snabbt. »Vendela Larsson.«

»Och jag heter Davidsson. Gerlof i förnamn.«

Ett ovanligt namn, Vendela hade nog aldrig hört det förr.

»Gerlof ... är det tyskt?«

»Jag tror det är holländskt från början. Det är ett gammalt släkt-namn.«

»Bor du här året om, Gerlof?«

»Nu gör jag det. Jag blir nog kvar här tills de bär bort mig.«

Vendela skrattade till igen.

»Då blir vi grannar.« Hon pekade bakom sig och försökte hålla handen stadig. »Vi har just flyttat in borta vid stenbrottet, jag och min man Max. Vi ska bo här.«

»Jaså«, sa Gerlof. »Men bara när det är varmt, då. Inte för att bo året om.«

Det var ingen fråga.

»Nej, inte året om ... Bara på våren och sommaren.«

Hon tänkte tillägga *tack och lov*, men hejdade sig. Det var nog oartigt att påpeka att det var för kallt och ödsligt att bo på ön mitt i vintern. Hon hade gjort det som liten, det räckte.

Det blev tyst. Inga fjärilar syntes till, men fåglarna fortsatte sjunga bland buskarna. Vendela blundade och undrade om deras nervösa kvitter var varningsljud.

»Trivs ni?« frågade Gerlof.

Vendela tittade upp, och nickade energiskt.

»Absolut, det är ju så ...« Hon letade efter ett bra ord, » ... så strand-nära.«

Den gamle mannen sa inget mer, så Vendela tog sats och fortsatte:

»Vi har funderat på att ha en liten middag för alla som bor i byn. Nu på onsdag vid sju, har vi tänkt ... Det vore roligt om du också ville komma.«

Gerlof såg ner på sina ben.

»Jag kommer om jag kan röra mig ... det beror på dagsformen.«

»Bra, trevligt.«

Vendela skrattade nervöst igen och gick tillbaka mot grinden. Hon var hungrig nu och de nya tabletterna gjorde henne dåsig. Men det kändes bra att röra sig över gräset, att sväva fram som en älva mot vinden och den vita solen.

»Hallå? Max?«

Vendela var hemma igen, och hennes röst ekade över stengolvet. Hon fick inget svar, men var så upprymd av mötet med Gerlof att hon fortsatte ropa inåt huset:

»Jag har träffat en man. En gammal bybo ... helt underbar! Han bor i en liten stuga tvärsöver vägen. Jag bjöd in honom till grannfesten!«

Det var tyst några sekunder, sedan öppnade Max dörren till sitt tankerum. Han såg på sin fru några sekunder och frågade:

»Vad har du tagit?«

Vendela tittade tillbaka och sträckte på ryggen.

»Inget ... Bara ett par bantningspiller.«

»Inget uppiggande i dag?«

»Nej! Jag har vårkänslor, är det fel?«

Hon ville vända om och gå, men stod kvar och skakade snabbt på huvudet. Hon försökte stå rakt utan att svaja, trots att stengolvet gungade svagt under henne.

»Vendela, du skulle minska dosen när vi kom hit. Du sa det.«

»Jag *vet*. Jag ska ju jogga!«

»Gör det«, sa Max. »Det är bättre än piller.«

»Jag är bara glad i själen«, fortsatte Vendela så allvarligt hon kunde, »men det beror inte på någon medicin. Jag är glad för att det är vår i luften, och för att jag träffade en så härlig gammal bybo ...«

»Ja, du blir alltid förtjust i gamla gummor och gubbar.« Max gnuggade sig i ögonen och vände tillbaka mot tankerummet. »Nu måste jag jobba.«

10

DOFTEN AV KALK OCH TÅNG, AV HAV OCH KUST. Vinden över stranden, solblänket i sundet, vintern och våren som möttes i luften över ön.

Det var söndag förmiddag och Per stod med en sopkvast ute på stenaltanen och önskade att vårsolen kunde nå in i alla mörka skrymslen i hans kropp. Ernst hade byggt två små altaner på varsin långsida om huset, en mot sydost och en mot nordväst, och det var fiffigt eftersom man antingen kunde följa solen från morgon till kväll eller sitta i skuggan hela dagen.

Han rätade på ryggen och såg ut över stenkusten. Han visste att han borde vara lyckligare av att stå här vid havet än han verkligen kände sig. Han ville känna frid och ro för stunden, men oron för Nilla var för stark. Oron för vad läkarna skulle hitta.

Inte mycket att göra åt det, det var bara att jobba på.

Den gamla altanen var av kalksten, ojämn och full av ogräs mellan stenblocken, men stabilt byggd. När Per hade sopat bort alla löv klev han ut på kanten av den och tittade ner i stenbrottet. Ingenting rörde sig där, stentrappan reste sig halvfärdig vid klippkanten.

Sedan såg han bort mot de stora villorna i söder och tänkte på de nya grannarna och deras pengar.

Det var värt att fundera på. Han gissade att de två tomterna och de båda husen på dem hade kostat ett par miljoner, minst. Kanske tre till och med, inklusive alla omkostnader. Att hans nya grannar var goda för stora summor var egentligen allt han visste om dem.

Dags att ställa ut Ernsts utemöbler. De var gjorda i rotting, som på någon plantageveranda i djungeln.

Telefonen ringde borta i köket när han stod i dörröppningen, med den första stolen i händerna.

»Jesper?« ropade han inåt huset. »Kan du svara?«

Han visste inte var sonen befann sig, men han svarade inte.

Telefonen ringde igen, och efter den fjärde signalen satte han ner stolen och gick bort till den.

»Per Mörner.«

»Hallå?« sa en sluddrig röst. »Pelle?«

Det var förstås hans far igen. Per blundade trött och tänkte på att Jerry hade haft råd att bygga en av miljonvillorna vid stenbrottet. I alla fall för tio eller femton år sedan. Men de pengarna hade Per aldrig fått del av, och nu efter Jerrys stroke var hans ekonomi högst osäker. Han kunde inte arbeta längre.

»Var ringer du ifrån, Jerry? Var är du?«

Det susade i luren, innan svaret kom:

»Ryd.«

»Okej, då är du framme. Du skulle ju åka upp till studion?«

»Till Bremer«, sa Jerry.

»Jag förstår. Du är framme hos Bremer nu.«

Men han hörde Jerry tveka igen och fortsatte:

»Du har inte träffat Hans Bremer? Skulle han inte hämta dig?«

»Inte här.«

Per funderade på om Jerry var både berusad och förvirrad, eller bara förvirrad.

»Åk hem då, Jerry«, sa han med bestämd röst. »Gå till stationen, och hoppa på nästa buss tillbaka till Kristianstad.«

»Kan inte.«

»Jo, Jerry. Gör det nu.«

Det var tyst igen.

»Hämta mig, Pelle?«

Per tvekade.

»Nej. Det går inte.«

Tystnad i telefonen.

»Pelle … Pelle?«

Per höll hårdare i luren.

»Jag har inte tid, Jerry«, sa han. »Jag har Jesper här, och Nilla ska komma snart … jag måste kolla med dem först.«

Men hans far hade brutit samtalet.

Per visste var byn Ryd låg. Två timmars bilresa – så långt var det dit från Öland. För långt, egentligen. Men samtalet med Jerry hade gjort honom orolig.

Håll reda på honom, hade hans mor sagt en gång.

Anita hade aldrig kallat sin förre man vid namn. Och det var Per som hade fått hålla kontakten med Jerry och berätta för henne vad han hade för sig, år efter år. Resor han hade gjort, kvinnor han träffat. Det var en plikt han aldrig bett om.

Han hade lovat Anita att hålla reda på Jerry. Men det hade skett på vissa villkor, och ett av dem var att han alltid träffade sin far ensam.

Per bestämde sig, han skulle åka ner till Ryd.

Jesper fick vara hemma. Han och Nilla hade bara träffat sin farfar några få gånger, några timmar åt gången, och det var bra.

Att inte låta hans barn umgås med Jerry var ett av Pers bästa beslut.

II

VENDELA INSÅG GANSKA SNABBT ATT hennes egen nyfikenhet
på de nya grannarna i byn inte var ömsesidig.

När hon gick runt för att bjuda in folk till grannfesten började hon
med att försöka hitta bebodda hus i resten av byn. Det var hopplöst.
Hon gick på kustvägen som svepte längs den djupa viken, men såg
inga människor. Allt som fanns var igenbommade hus med luckor
för fönstren – och i dem som saknade fönsterluckor öppnade ingen
när hon ringde på. Då och då fick hon för sig att någon *var* hemma,
men inte ville visa sig.

Det var först när hon kom till södra delen av byn och knackade
på det lilla huset bredvid kiosken som någon öppnade. En vithårig
och kortvuxen man med sotiga händer, som om han höll på med en
skorsten eller båtmotor. Vendela undvek att skaka hand med ho-
nom.

»Hagman, John Hagman«, sa han när hon presenterade sig.

När hon berättade om grannfesten så nickade han bara.

»Det blir bra«, sa han. »Så ni bor vid stenbrottet?«

»Just det, vi har ...«

»Behöver ni hjälp i trädgårn? Jag gräver och rensar och krattar, gör
det mesta.«

»Det låter bra«, sa Vendela och skrattade till. »Det kan vi kanske
behöva.«

Hagman nickade och stängde dörren.

Vendela såg sig om och tyckte att John Hagman borde ta hand om
sin egen trädgård först. Den var igenvuxen.

Hon gick norrut igen, tillbaka till stenbrottet, med en svag längtan till sitt medicinskåp. Men hon skulle inte öppna det i dag.

Hon vek av mot grannarnas villa. Den var ungefär lika stor som hennes och Max hus, men väggarna var av ljust trä och fönstren smala och höga. Trädgården såg mer färdig ut än deras egen också, det fanns ny jord utlagd och tillplattad på den blivande gräsmattan och någon hade hunnit strö ut gräsfrön.

I den här villan var ägarna hemma. En yngre kvinna i blå overall öppnade när Vendela ringde på. Hon hade blont kortklippt hår och hälsade artigt, men såg precis som John Hagman inte speciellt glad ut över besöket.

Kvinnan hette Kurdin, fick Vendela veta. Marie Kurdin.

»Störde jag?« sa hon och skrattade nervöst till.

»Nej, men jag höll på med en vägg.«

»Tapetserar du?« sa Vendela.

»Jag målar.«

När Vendela förklarade sitt ärende verkade Marie Kurdins tankar vara någon annanstans, kanske på färgen som torkade.

»Bra«, sa hon med låg röst, varken vänligt eller ovänligt. »Jag och Christer och lille Paul kan komma, vi kan ta med lite vin.«

»Bra, då ses vi.«

Vendela vände om och kände sig misslyckad. Inte för att något hade gått fel eller blivit pinsamt med samtalet, men hon hade ändå hoppats på att få känna sig mer välkommen. I sådana här stunder längtade hon ut på alvaret mer än någonsin – att bara ge sig iväg ut dit. Till älvornas sten, trots allt som hade hänt där.

Men hon tvingade sig att stanna kvar och gick bort till det sista huset vid stenbrottet. Den lilla stugan i norr. Saaben stod parkerad på vändplanen och Vendela stannade och funderade på om hon verkligen borde knacka på här. Till slut gjorde hon det.

Dörren öppnades direkt. Det var mannen som kört bilen och kastat omkull Max. Nu såg han vänligare ut.

»Hejsan«, sa Vendela.

»Hej«, sa mannen.

Hon sträckte fram handen och presenterade sig, och fick höra att mannen hette Per, Per Mörner. Hon skrattade nervöst.

»Jag måste förklara en sak om det här som hände på parkeringen, min man blev lite …«

»Vi glömmer det«, sa Per Mörner. »Alla var uppjagade.«

Det blev tyst, så Vendela fortsatte:

»Jag går bara runt och hälsar.« Hon skrattade till igen. »Någon måste ju börja.«

Per nickade bara.

»Och jag fick en idé«, sa Vendela. »Jag tänkte att vi kunde ha en grannfest ihop.«

»En fest? Okej … När då?«

»På onsdag«, sa Vendela. »Skulle det gå bra för dig och din fru?«

»Visst, men någon fru har jag inte. Bara två barn.«

»Jaha … Är ni hemma på onsdag?«

Per nickade.

»Jag måste åka till fastlandet nu, över dagen bara. Min son Jesper blir kvar häruppe. Är det knytkalas?«

Vendela skakade på huvudet.

»Vi bjuder. Men ta gärna med egen dricka.«

Per Mörner nickade, men verkade inte se fram emot festen. Kanske hade han inte glömt bråket med Max, vad han än påstod. Eller också hade han annat att tänka på.

När Vendela kom hem hade Aloysius lagt sig till rätta i sin korg igen. Hon strök honom snabbt över ryggen och gick ut i vardagsrummet för att fortsätta skriva i anteckningsboken.

Max var ute på baksidan av tomten, klädd i lantlig tweedkostym. En fotograf hade kommit från Kalmar på morgonen för att stanna ett par dagar och ta bilder till kokboken – som nu hade fått titeln *Maximalt god mat* – och Vendela hade hjälpt till att kamma och sminka sin man.

Innan hon hann börja skriva slogs ytterdörren plötsligt upp och den unge fotografen störtade in i hallen. Han verkade upprymd och gick mot kameraväskan i köket, med bara en snabb blick mot Vendela.

»Måste hämta mitt vidvinkelobjektiv.«

»Varför då?«

»Max har dödat en orm!«

Hon såg honom försvinna ut i köket och satt kvar i fåtöljen några sekunder, innan hon reste sig. Bakom henne ställde sig Aloysius i sin hundkorg och gnällde mot henne, men hon hade inte tid att ta hand om honom nu.

Hon gick ut i kylan på gården.

Solen lyste över fälten av tillplattad jord på tomten. Max stod borta vid den gamla stenmuren med en spade i händerna, och studerade något som låg på skovelbladet.

Vendela gick sakta närmare. Det var en orm med svarta sneda strimmor – en huggorm. Hon kunde inte se huvudet, för den smala kroppen hade vridit sig till en stor oformlig knut och tycktes kämpa för att ringla ihop sig ännu mer.

»Den låg här i solen när jag skulle ställa mig med en spade vid muren«, sa Max när hon kom fram. »Försökte krypa in under stenarna när den såg mig, men jag fick den.«

»Max«, sa Vendela lågt, »du vet väl att huggormar är fridlysta?«

»Jaså?« Han log mot henne. »Nä, det visste jag inte. Inte ormen heller ... eller vad tror du?«

Vendela skakade bara på huvudet.

»Den lever«, sa hon. »Den rör sig ju.«

»Muskelminnen«, sa Max. »Jag krossade huvudet med spaden. Kroppen har bara inte fattat det än.«

Hon svarade inte, men hon tänkte på sin far som hade varnat henne för att döda huggormar när hon var liten. De var inte fridlysta på den tiden, men de var magiska väsen. Speciellt den svarta sorten – att slå ihjäl en svart huggorm betydde ond bråd död för den som gjorde det.

Den som Max dödat var åtminstone grå.

»Vi måste begrava den«, sa hon.

»Nejdå«, sa Max. »Jag slänger bort den. Så får måsarna ta hand liket.«

Han gick mot stenbrottet med höjd spade.

»Bara en bild!«

Det var fotografen som hade kameran redo nu. Han började smattra iväg en serie bilder och Max poserade villigt, han log brett och höll fram spaden.

»Skitbra!« ropade fotografen.

Max gick bort med huggormen till framsidan av huset. Vid kanten av stenbrottet knyckte han till med spaden och ormkroppen for som en trasig cykelslang genom luften.

»Så där!«

Ormen hade landat nere i stenbrottet, men Vendela såg att den fortfarande kämpade och vred sig i kalkdammet. Det fick henne att tänka på sin far, som alltid hade kommit hem från stenbrottet med vitpudrade kläder och vegamössa.

Fotografen gick fram till klippkanten och knäppte de sista bilderna på ormkroppen. Vendela såg på honom.

»Ska de där vara med i kokboken?«

»Visst«, sa han, »om de blir bra.«

»Det tycker inte jag. Ormar är inte mat.«

Vendela bestämde sig för att aldrig gå ner i stenbrottet. Inte på hela våren. Alvaret var hennes värld.

Hon gick in i värmen igen. Anteckningsboken låg kvar i fåtöljen. Hon tog upp den och började skriva:

Vi människor är rädda för så mycket och ser ofta naturen som något ont. En orm på en gräsmatta gör oss kallsvettiga av rädsla och för tankarna till ormen i paradiset, till att vi blir frestade, att vår värld är hotad och så vidare.

Men älvorna ser kräldjur och alla andra varelser som förbundna med varandra och med resten av naturen, de för varken med sig ont eller gott, bara en känsla av att vi alla är del av något större.

Så var inte rädd för naturen, du bor i den.

12

GERLOF FICK TVÅ BESÖK VARJE DAG. De var båda från hemtjänsten, och även om det ibland var vikarier så var det oftast Agnes som lämnade maten klockan halv tolv och hennes kollega Madeleine som kom vid åttatiden på kvällen för att bedöma chanserna att han skulle överleva natten. Gerlof trodde i alla fall att det var hennes uppgift.

Han tyckte att det var ganska trevligt med deras besök, även om de var stressade och ibland kallade honom vid fel namn. Men det var säkert svårt för dem att hålla reda på alla gamla gubbar som de åkte runt till ute i byarna under en dag. Besöken var alltid korta. Ibland hade de tid att stanna till och prata en stund, ibland hade de så bråttom att de knappt hann hälsa. De ställde bara maten på köksbänken och försvann.

En tredje besökare, som kom mer oregelbundet, var doktor Wahlberg, Carina Wahlberg. Hon svepte in i trädgården i lång svart kappa över den vita läkarrocken. Om Gerlof var inomhus knackade hon hårt och uppfordrande på hans dörr.

Ibland kom hon på torsdagar, ibland på tisdagar och ibland till och med på söndagar. Gerlof lärde sig aldrig doktor Wahlbergs schema, men han var glad när hon kom. Hon tittade till hans medicinförråd och tog hans blodtryck ibland och då och då ett urinprov.

»Hur är det att vara åttio plus då, Gerlof?«

»Hur det är?« sa han. »Det är orörligt, jag bara sitter här. Jag borde ha varit i kyrkan i dag ... men jag kom inte iväg.«

»Men hur känns det, rent kroppsligt?«

»Du kan känna efter själv.« Gerlof lyfte handen mot sitt huvud.

»Stoppa bomull i öronen, dra på ett par dåligt sulade skor och ett par tjocka gummihandskar … och smeta vaselin över glasögonen. Så är det att vara åttiotre.«

»Då vet jag det«, sa doktorn och fortsatte: »Minns du Wilhelm Pettersson, förresten? När jag sa att jag skulle åka hit till dig bad han mig hälsa.«

»Fiskaren?« Gerlof nickade, han mindes Wille i byn Tallerum. »Wilhelm blev sprängd av en mina under världskriget. Han stod i aktern på en fiskebåt när minan gick på den i fören, och flög trettio meter ut i vattnet. Wille var den ende som klarade sig på båten … Hur mår han nu?«

»Bra, men han börjar bli döv.«

»Det är väl efter flygturen.«

Gerlof ville inte grubbla över alla minfält som legat utanför Öland under världskriget, men nu tänkte han på dem ändå. De hade sänkt många skepp. Han hade lotsat handelsfartyg förbi minorna under krigsåren, och på nätterna drömde han fortfarande mardrömmar om att segla på en av dem. En del fanns kvar därnere i djupet, rostiga och täckta av alger …

Doktorn hade frågat något.

»Ursäkta?« sa Gerlof.

»Jag sa: Hur är din egen hörsel?«

»Rätt bra«, sa Gerlof snabbt. »Jag hör det mesta. Ibland susar det i öronen, men det är nog vinden.«

»Vi kan kolla den någon gång«, sa Wahlberg. »Du sa att du hade bomull i öronen … du kanske behöver hörapparat?«

»Helst inte«, sa Gerlof, som inte ville ha ytterligare en liten manick att hålla reda på.

»Hur mår du annars, då?«

»Bara bra.«

Det var det enda Gerlof ville svara – om han sa till doktorn att han tvivlade på att han skulle leva så länge till kanske han blev intagen på äldreboendet igen. I stället sa han:

»Det är förstås lite konstigt att inte ha någon framtid.«

»Ingen framtid?«

Gerlof nickade.

»Om jag var yngre skulle jag nog köpa en båt, men i min ålder går det inte att planera för mycket.«

Han tyckte att doktor Wahlberg såg lite bekymrad ut, och när hon öppnade munnen fortsatte han snabbt:

»Men det gör inget. Tvärtom, jag känner mig fri.«

»Du har ju många minnen«, sa doktorn och log.

»Precis«, sa Gerlof utan att le tillbaka. »Det är dem jag umgås med.«

När läkaren hade åkt sin väg satt Gerlof kvar i sin stol några minuter. Sedan reste han sig och gick in till skåpet vid köket för att hämta en av Ellas böcker.

Umgås med minnen, hade han sagt till doktor Wahlberg – men det var bara ett finare uttryck för att tjuvläsa dagböckerna.

Han kände sig skamsen när han gjorde det, och ändå var det svårt att sluta. Om Ella verkligen hade haft saker att dölja, borde hon inte ha bränt böckerna själv innan cancern tog henne? Hon hade lämnat dem i arv till Gerlof, kunde man säga.

Han vek upp en ny sida och började läsa:

I dag har vi den 3 juni 1957.

Det har varit marknad i dag på morgonen uppe i Marnäs, med många besökare och mycket vackert väder. Och årets första getingar har det tyvärr också varit.

Gerlof körde ner till Borgholm i går kväll och har lastat 30 ton kalksten till Stockholm. I morgon skall han segla med skutan, och flickorna har sommarledigt och ska följa med honom.

Det är tomt efter flickorna och Gerlof. Vi brukade cykla upp i sällskap till marknaden varje sommar när de var små, men nu är de stora och i dag kändes det lite ensamt. Jag vågar inte gråta för då blir jag sjuk, men när jag tänker på att Gerlof skall vara ute och segla på Östersjön fram till november är det som en kniv i kroppen.

Men jag är inte helt ensam för jag har ju den lille bytingen, mitt lilla troll.

*Han rör sig på huk längs stenmurarna och smyger fram mellan
enbuskarna för att få lite mjölk och kakor. Men bara när jag är ensam
och mitt på dagen, när det inte är så mycket människor på byvägarna.
Han känner kanske på sig att det är tryggast att vara ute då.*

13

SOLEN HADE KOMMIT FRAM när Per lämnade Öland för att åka och ta hand om sin far. Han hade ringt på Jerrys hemtelefon och mobil flera gånger på söndagsmorgonen, utan att få något svar. Oron växte med tystnaden.

När han och Jesper åt en tidig lunch förklarade Per läget:

»Jag tror din farfar behöver lite hjälp ... Han lät förvirrad när han ringde, så jag måste åka ner till honom och kolla att han mår bra.«

»När kommer du tillbaka?« sa Jesper.

»I kväll. Det kan bli sent, men jag kommer.«

Det sista han gjorde var att koppla vidare telefonen i stugan till sin mobil, så att Jesper skulle slippa svara om Jerry ringde igen.

Sonen satt framför teven och spelade spel när Per gick ut, men han vinkade mot hallen. Per vinkade tillbaka.

Det var ingen fara med Jesper, han hade köttbullar i kylen och det fanns inga bilar vid stenbrottet som kunde köra på honom. Per var ingen oansvarig far, och han *var* inte orolig när han lämnade Stenvik och körde söderut på ön.

Solen lyste, våren var här. Det gick att trycka gasen i botten, det var få bilar ute på vägarna den här dagen.

Han passerade Borgholm vid ettiden och körde över Ölandsbron till fastlandet en halvtimme senare. När han körde förbi Kalmar såg han ett rött kors på en vägskylt och försökte att inte tänka på Nilla i sjuksängen. Han skulle hälsa på henne på vägen hem.

Efter Nybro slöt sig granskogen runt landsvägen, med avbrott för enstaka åkrar och sjöar. Granarna fick Per att tänka på Regina igen, och bilfärden ut i skogen med henne en vacker vårdag.

Han kände ingen glädje inför det kommande mötet med sin far. Två timmar till Ryd, sedan kanske två timmar för att skjutsa hem honom till Kristianstad. Fyra eller fem timmar i Jerrys sällskap, det var allt – men det kändes ändå som en lång tid.

Efter ett par timmars körning genom skogarna var han framme i Ryd, och då hade solen försvunnit bakom ett molntäcke. Våren kändes plötsligt som höst.

Ryd var inget stort samhälle, och trottoarerna var tomma. Per bromsade in vid busstationen och spanade förgäves efter Jerry. Antingen satt han på en buss som rullade tillbaka söderut – eller också irrade han omkring någonstans på egen hand.

Han tog fram mobilen och slog faderns nummer igen.

Tre signaler gick fram, sedan tryckte någon på svarsknappen.

Men ingen röst hördes. Per hörde bara ett brusande, följt av två dunkande ljud.

Sedan blev det tyst.

Per tittade på telefonen. Så gick han in i tidningsaffären och frågade efter Jerry.

»En gammal man?« sa tjejen bakom disken.

Per nickade.

»Sjuttiotre. Han är bredaxlad, men rätt sliten och ihopsjunken.«

»Det stod en gubbe och väntade här utanför för någon timme sedan ... han stod där ett bra tag.«

»Vart tog han vägen då, såg du det?«

»Nä.«

»Klev han på någon buss?« sa Per.

»Inte som jag såg.«

»Blev han hämtad av någon?«

»Kanske ... Han försvann.«

Per gav upp. Han gick tillbaka ut till bilen och bestämde sig för att fortsätta ut till Jerrys villa.

Till studion. Den låg några kilometer väster om Ryd, vid en by som hette Strihult. Jerry hade köpt och inrett fastigheten när pengarna började strömma in i mitten på sjuttiotalet. Alla år när han fortfarande körde bil hade Jerry veckopendlat dit från Kristianstad för att göra film, först med olika inhyrda medhjälpare, sedan med Hans Bremer.

Per hade bara varit där en gång, han hade skjutsat Jerry tre eller fyra år tidigare. Då hade fadern fortfarande varit frisk och skulle till Ryd för att klippa en film – en av de sista han och Bremer hade gjort ihop. Per hade varit på väg hem till Kalmar och hade bara släppt av Jerry utanför villan. Han vägrade följa med in.

Strihult var bara en samling hus med en liten bensinstation och en mataffär. Per rullade rakt genom byn, utan att se en enda människa.

Efter byn blev vägen ännu smalare, granskogen tätare – och någon kilometer längre fram såg han en skylt som pekade till höger i form av en vit pil med texten MORNER ART AB. Det var namnet på ett av Jerrys bolag.

Nu var han nära sitt mål och höll lite hårdare i ratten. Även om Jerry ringde honom minst en gång i veckan hade de inte träffats sedan i december, när Per hälsat på några timmar i hans lägenhet. Jerry hade firat jul helt ensam då, utan dambekanta.

Efter fem hundra meter av granskog utan ett enda hus dök plötsligt en tät häck av cypresser upp. Han var framme.

Varning för hunden! stod textat på en röd skylt vid infarten till tomten, trots att Jerry aldrig haft hund.

Per svängde in, följde vägen runt ett garage bredvid den stora trävillan och stannade bilen på en stor öde grusplan. Han stängde av motorn, öppnade dörren och tittade på huset. Det var stort och brett, byggt i två våningar och format som ett L. Jerry, Bremer och deras skådespelare hade sovit över där när de jobbade, så han antog att den bestod av en kortare bostadsdel och en större arbetslokal.

Han kände sig inte välkommen, men tänkte ändå knacka på. Även om hans far inte var inne i huset så var kanske Hans Bremer där.

Per hade aldrig träffat Bremer, men de behövde prata nu – om framtiden. Jerry var för sjuk för att driva ett bolag, det var dags att avveckla Morner Art och sälja den här villan. Bremer skulle få se sig om efter ett nytt jobb, men det hade han nog redan fattat.

En bred cementtrappa ledde upp till ytterdörren. På båda sidor om den fanns rader av blanka fönster med fördragna gardiner.

Per klev ur bilen och tittade på klockan. Tjugo över fyra. Det var minst ett par timmar kvar tills solen gick ner, men himlen var mulen och granarna som höjde sig runt tomten stängde ute dagsljuset.

Hans skor krasade i gruset när han gick bort mot trappan.

Ytterdörren var stor och bred, av ek eller mahogny – och det var först när Per klivit upp på första trappsteget som han såg att den stod på glänt. Den var öppen med en springa på någon decimeter, och hallen innanför var kolsvart.

Han drog upp den tunga dörren och kikade in.

»Hallå?«

Allt var tyst därinne. Han sträckte in handen och hittade en strömbrytare, men när han knäppte på den kom inget ljus.

Han såg sig snabbt om för att kolla att grusplanen fortfarande var öde. Sedan klev han över tröskeln.

Två skepnader väntade på honom till vänster i hallen. Per stelnade till – tills han såg att det var ett par mörka regnrockar som hängde under en hatthylla.

På golvet nedanför hyllan stod en rad tofflor och gummistövlar, och ett paraply. Det fanns en skulptur av ebenholts i ett mörkt hörn, en nästan meterhög tiger som verkade redo för språng.

Per tog ett par steg in i hallen. Det fanns fyra dörrar som ledde vidare från hallen, men de var stängda allihop.

Av någon anledning väntade han sig en unken eller sur stank i luften, men kände bara en svag lukt av gammal tobaksrök och alkohol. Hade någon haft fest i villan?

Något låg på mattan i hallen – en svart mobiltelefon. Per plockade upp den och såg att den var avstängd.

Var det Jerrys? Den var i alla fall lik mobilen som fadern hade, med stora knappar som var lätta att trycka på för ett darrigt finger. Han stoppade på sig telefonen och ropade:

»Hallå? Jerry?«

Inget svar. Ändå hade han känslan av att någon fanns i huset, någon som rörde sig försiktigt över golvet för att inte höras.

Han gick fram till den vänstra kortsidan och tryckte försiktigt ner dörrhandtaget.

Där bakom fanns villans stora kök. Ett avlångt rum med flera fönster som släppte in grått ljus över ett bastant matbord, flera diskbänkar och två breda spisar. Det påminde om ett restaurangkök, och det stod några tomma vinflaskor och en trave odiskade tallrikar på bänkarna.

Per vände sig om, han tyckte att han hade hört ett ljud. Ett rop inifrån huset?

Han blev stående innanför tröskeln till köket, och ryckte till när en klocka plötsligt började ringa. En telefonsignal. Den kom både från en väggtelefon på andra sidan köket och från någon annan plats i huset.

Kan någon svara? ville Per ropa, men höll tyst.

Telefonen ringde tre signaler, fyra, fem.

Ingen svarade, men när han till slut gick fram med utsträckt hand tystnade den.

Han drog sig sakta bakåt, ut ur köket. Han klev över tröskeln tillbaka ut i hallen och vände om. Därute fanns spritlukten kvar, kanske ännu starkare, och den svarta tigern lurade fortfarande på honom i skuggorna. Han gick förbi den och prövade dörren på andra sidan hallen.

Det var kolmörkt bakom den. När Per klev över tröskeln såg han att fönstren var igentejpade, men anade ändå en stor och lång sal med plastmatta på golvet, flyttbara väggar och strålkastare i taket. Det här var Jerrys och Bremers arbetslokaler.

Han fick syn på en ljusknapp vid dörren och tryckte på den, men inget hände. Strömmen måste ha gått i hela huset. Eller stängts av.

Det var ingen idé att blint treva sig inåt över golvet. Han skulle just vända om när han hörde ett lågt ljud i mörkret.

Ett suckande, eller ett stön? Jo, någon stönade i lokalen framför honom. Och det lät som en man.

Per fortsatte in i mörkret. Han stötte emot något stort och hårt på golvet, en bred lädersoffa, och tog sig sakta runt den.

Lukten av alkohol var skarpare härinne – men var det alkohol?

Så såg han något röra sig på andra sidan om soffan, några meter bort, och tog ett steg framåt. Det var en skugga med armar och lyft huvud.

»Pelle?« sa en röst i mörkret.

Den var låg och hes, och Per kände igen den.

»Jerry«, sa han. »Vad har hänt?«

Gestalten rörde sig. Den låg på golvet, men lyfte huvudet mot honom. Långsamt, som om den hade svårt att röra sig. Han böjde sig ner mot den, mot ett blekt huvud med gråa testar av hår och en kropp täckt av en skrynklig överrock.

»Du var svår att hitta, Jerry. Hur mår du?«

Per såg sin fars gulvita ögon blänka till i mörkret. De blinkade mot honom, men Jerry verkade inte förvånad över att se sin son.

»Bremer?« sa han bara och hostade.

Per skakade på huvudet. Han talade lågt, som om någon smög på dem.

»Jag vet inte var Bremer är … Är han här i huset?«

Han anade att hans far nickade.

»Kan du resa dig upp?«

Han sträckte ut händerna mot Jerry, men kände något kallt och tungt över hans bröst. Någon sorts lampstativ eller stålställning hade rasat ner över honom. Per lyfte undan den – och samtidigt hördes en kraftig duns från taket, den fick honom att titta upp.

Det var någon på husets övervåning, insåg han.

»Res dig«, sa han lågt till Jerry, och lyfte undan stativet. »Så … kom igen.«

Han fick upp sin far på knä, sedan på fötter. Jerry stönade och verkade sträcka sig efter något som låg längre bort på golvet.

Det var hans gamla läderportfölj. Per lät honom ta med den.

»Kom nu«, sa han.

Hans fars kropp var bred och tung, märkt av långa middagar och mycket vin. Jerry gick sakta över golvet, stödd på sin son.

»Pelle«, sa Jerry igen.

Per kände en lukt av svett, nikotin och otvättade kläder från sin far. Det var en märklig känsla att vara så nära honom. Det hade han aldrig fått som liten. Inga vänliga klappar från Jerry, inga kramar.

När han lyckats få honom halvvägs till dörren hördes ett kort klickande ljud i mörkret. Sedan fräste något till.

Per vred på huvudet. Över axeln såg han ett ljussken på golvet längre in i lokalen, en liten låga flammade upp.

Den var tunn och svag men blev snabbt större, elden sträckte sig upp från golvet och lyste upp en märklig anordning som stod borta vid långsidan av lokalen. Det såg ut som ett bilbatteri med trådar, som stod bredvid en plastlåda.

Det var ingen lukt av alkohol i luften, insåg Per. Det var bensin.

Lådan var en stor grön dunk, och någon hade borrat små hål i sidan på den. Bensin hade redan runnit ur dunken och bildat en pöl på golvet.

Han stirrade på elden, han såg hur den växte och kröp närmare dunken, och förstod faran.

»Vi måste ut.«

Han drog iväg Jerry genom lokalen.

De tog sig över tröskeln och Per stängde snabbt dörren bakom dem. Precis när han hade gjort det hördes en dov och sugande smäll inifrån rummet, när bensinen antändes. Dörren skallrade till.

Jerry lyfte huvudet, och Per såg att hans far hade en röd bula i pannan.

»Pelle?«

»Kom, Jerry.«

Han stapplade ut genom hallen med armen runt fadern. Ett dovt knaster hördes genom dörren bakom dem, när elden spred sig i lokalen.

Per blinkade mot dagsljuset, han kom ut ur villan och stödde Jerry när de gick nerför trappan och bort mot Saaben.

När de var framme släppte han Jerry, tog fram sin mobil och slog snabbt ett nummer. En kvinnoröst svarade efter två signaler.

»SOS alarm.«

Per harklade sig.

»Jag vill rapportera ... en brand.«

»Var då?«

Per såg sig om.

»I en villa utanför Ryd, den är anlagd ... det brinner på neder-våningen.«

»Vad är adressen?«

Kvinnan på larmcentralen lät mycket lugn – Per försökte också lugna ner sig, försökte tänka efter.

»Jag vet inte vad vägen heter, den ligger vid Strihult väster om Ryd och det finns en skylt med texten Morner Art ...«

»Är alla ute?« sa kvinnan.

»Va?«

»Har alla lämnat villan?«

»Jag vet inte ... jag kom just hit.«

»Och vad heter du?«

Per tvekade. Vad skulle han svara? Ett påhittat namn?

»Hallå?« sa kvinnan. »Är du kvar?«

Han hade inget att dölja. Jerry kanske hade det, men inte han.

»Jag heter Per Mörner«, sa han, och uppgav sin adress och hemnumret på Öland.

Så stängde han av mobilen.

Jerry lutade sig mot bilen. I det gråa dagsljuset såg Per att fadern var klädd i samma skrynkliga bruna rock som han hade burit året om de senaste åren, dess sömmar hade börjat lösas upp och flera knappar var borta.

Jerry suckade och bet ihop tänderna.

»Ont«, sa han.

Per vred huvudet mot honom.

»Har du ont?«

Jerry nickade. Sedan vek han sin rock åt sidan och Per såg plötsligt att skjortan nedanför Jerrys bröstkorg var blöt och sönderriven.

»Vad har du gjort, har du skadat ...«

Per tystnade när han lyfte upp sin fars skjorta.

Några centimeter ovanför naveln på Jerrys kulmage löpte ett långt blodigt sår. Blodet hade börjat stelna, i dunklet på gårdsplanen såg det nästan svart ut.

Per vek ner skjortan.

»Vem gjorde det här, Jerry?«

Jerry tittade ner på sin blodiga buk, som om han själv nyss upptäckt den.

»Bremer«, sa han.

»Bremer?« sa Per. »Slogs du med Hans Bremer, varför då?«

Snabba frågor fick hans fars hjärna att låsa sig. Han bara stirrade och blinkade mot sin son, utan att svara.

Per såg bort mot den stora villan på andra sidan grusplanen. Ytterdörren stod fortfarande öppen och han tyckte sig se ett tunt rökmoln driva ut genom den.

»Var är Bremer nu då? Är han kvar därinne?«

Jerry var fortfarande tyst, han klev bara mödosamt in i Saabens passagerarsäte.

»Vänta här«, sa Per till honom och stängde bildörren.

Han sprang tillbaka över grusplanen mot villan. Uppför trappan, in i hallen. Det var inte riskfritt, för nu hörde han elden dåna och knastra bakom den stängda dörren till studion. Luften i huset kändes varmare också, som en bakugn på väg mot hundra grader. Han hade inte mycket tid på sig.

Och han behövde ett vapen, om det nu fanns någon med kniv i huset. Han valde det ihopfällda paraplyet.

Med paraplyspetsen lyft framför sig öppnade han en av mittdörrarna och såg en brant trappa leda ner i underjorden.

Källaren. Den var kolmörk, han ville inte gå ner där.

Bakom den fjärde och sista oöppnade dörren fanns en annan trappa. Den ledde uppåt, till övervåningen.

Per började gå uppför trappstegen, de var klädda i en vit heltäckningsmatta som helt dämpade hans steg.

Trappan slutade i en korridor. Den löpte bort genom husets övervåning, och på sidorna om den fanns ännu fler stängda dörrar, som om han hamnat i ett hotell.

Han klev ut i korridoren, med paraplyet som ett svärd i handen.

»Bremer?« ropade han. »Det är Per Mörner!«

Stanken av bensin eller tändvätska var lika stark på övervåningen, och plötsligt hörde han ett lågt knastrande. Han såg inga lågor, men förstod att det brann även här någonstans. En grå dimma av rök hängde omkring honom i korridoren, den tätnade fort och torkade ut hans luftrör.

Men var fanns elden?

Per gick snabbt fram och öppnade försiktigt den närmaste dörren: det var en städskrubb. Han öppnade nästa: ett litet sovrum med kala väggar och en bäddad säng.

Den tredje dörren till vänster var låst, men från en centimeterbred glipa vid golvet puffade slingor av rök fram.

»Bremer? Hallå? Hans Bremer?«

Inget svar. Eller hörde han något? Ett jämrande ljud?

Per hade aldrig sparkat upp en dörr, bara sett hur man gjorde på film. Var det enkelt? Han tog ett par steg bakåt – det var tyvärr all sats han kunde ta innan hans rygg slog emot korridorväggen. Sedan klev han fram och sparkade.

Dörren darrade till, men den var av furu och gick inte upp.

Han såg sig om. I dörren tvärsöver korridoren satt en nyckel och han gick dit och drog ut den. Sedan prövade han den på den låsta dörren. Den passade och gick att vrida om.

Dörren gled upp på oljade gångjärn, bakom den fanns bolmande vit rök. Den sögs ut ur rummet, rakt mot Per.

Han blinkade och kände tårar tränga fram i ögonen. Röken var tät, rena höstdimman, men han klev ändå in i den och kände plötsligt en speciell sorts doft genom röken. Det luktade bränt kött.

Rummet som Per kommit in i var litet och dunkelt. Han blinkade igen och trevade med handen, men hittade inte lysknappen och fick böja sig ner mot golvet för att kunna andas friskare luft.

Så tog han ett par steg inåt. Till höger såg han lågor klättra över tapeten. Det stod en obäddad säng med en hög filtar där, det brann för fullt i dem också. Han tog ett steg framåt men hettan fick honom att stanna.

Han blinkade mot röken och försökte se klart. Låg det en brinnande kropp under filtarna? Per tyckte att han såg utsträckta armar, byxklädda ben, ett förkolnat huvud ...

Ögonen tårades ännu mer, lungorna sved. Och det var då han hörde ropet bakom sig.

Han hörde inga ord, bara ett utdraget skrik. Det lät som en kvinnas röst, och den var skräckslagen.

Per släppte paraplyet och vände om, halvblind. Han tog sig ut i korridoren igen. Ropet hade kommit från övervåningen – men dämpat, som genom en vägg.

Alla dörrar var fortfarande stängda i korridoren, men i slutet av den såg han något nytt: ett fält av ljusa lågor som fått fäste i heltäckningsmattan. Det brann överallt på övervåningen, insåg han. Han var omringad av eld.

»Hallå!« ropade han.

Han fick ett till rop från kvinnan till svar, mer dämpat.

Han stod stilla, obeslutsam, innan han fortsatte mot de närmaste dörrarna. De var låsta och han bankade på dem.

Rader av dörrar, men inget svar.

»Hallå? Var är du?«

Han ville slå in dörrarna, hitta kvinnan. Men röken tätnade snabbt omkring honom, mörkret föll i korridoren. Elden kom från två håll, sprakande och knastrande, och luften var som i en bastu. Per förstod att det brann i hela nedervåningen nu, han kunde inte längre ta sig nerför trappan.

Väggarna tycktes pressa sig mot honom, han fick ingen luft.

Ingen tid.

Han var tvungen att vända bakåt, han trevade sig framåt genom röken och var plötsligt tillbaka inne i rummet med den brinnande sängen. När han vände sig om där kände han en svalkande fläkt mot ansiktet; han såg att rummets enda fönster stod halvöppet och släppte in ljus. Gardinen var fråndragen och det stod en pinnstol nedanför.

Det gick att ta sig bort mot fönstret om han höll till vänster, där luften var lite svalare. Men lågorna från sängen kröp fram över golvet, röken tätnade.

Han kunde inte andas längre, han måste ut, snabbt.

Per tog tre steg fram mot öppningen. Han klev upp på stolen och tittade ut. Han såg åkrar och tät granskog.

Och två eller tre meter nedanför honom fanns garaget, med ett tak av tjärpapp.

Kvällskylan svepte mot hans bröst och ansikte, samtidigt som hettan från elden pressade sig mot hans rygg, den tryckte bort honom från rummet.

Det var som att stå med ryggen mot en ugn i ett krematorium. Han kunde inte vara kvar i fönstret och till slut tog han steget ut i luften och hoppade.

Han landade hårt på garagetaket, trät darrade till under hans skor, men höll.

Från taket hoppade han ner på grusplanen. Tre meter ner – ett kort svindlande fall, det grå gruset kom närmare och närmare – och så slog han ner med skorna i gruset. Hans knän vek sig.

Han hostade, reste sig upp och drog in kall frisk luft i lungorna. Han var på baksidan av villan nu och såg ett lågt staket framför sig. Bakom det fanns ett öde fält av vårgult gräs som slutade i en tät granskog.

På en skogsväg som ledde in mellan granarna, kanske två hundra meter bort, stod någon och såg bort mot huset. Det såg ut som en man klädd i mörka kläder, tyckte Per – men det var allt han hann se innan skepnaden vände om och försvann in i skogen.

Elden hade börjat spraka och dåna ovanför honom, men han tyckte att han hörde ljudet av en bilmotor. En bil som startade, varvade upp och snabbt försvann bort mellan granarna.

14

NÄR FÖNSTERGLASEN I JERRYS VILLA började spricka och regna
ner som isskärvor av hettan från elden svepte illamåendet plötsligt genom Per, trots att han stod i säkerhet på andra sidan grusplanen. Han drog hela tiden ner kall luft i de röktorra lungorna, gnuggade sina svidande ögon och försökte stå bredbent.

Svart rök bolmade ut genom de gapande fönstren och virvlade som en tät svepning runt villan. Ingen kunde ha överlevt därinne.

En slöja tycktes falla ner mellan honom och resten av världen, och han hörde dämpade ljud av sirener i fjärran. Vad hade han egentligen sett med sina tårade ögon? En kropp i en säng och någon som flydde in i granskogen? Ju mer han försökte minnas, desto suddigare blev bilderna.

Sirenerna kom närmare. Två blåblinkande brandbilar svängde in framför villan och stannade. Brandmän hoppade ut, klädda i svarta skyddsdräkter.

Per backade bakåt på gruset. Han stötte emot något hårt, vände sig om och såg att det var hans egen Saab. Flingor av gråvit aska hade börjat lägga sig på taket.

En brinnande säng, en kropp i röken. Och en kvinnas rädda rop.

Han såg sig om.

Jerry? Var fanns Jerry?

Just det, han satt kvar inne i bilen.

Han såg bort mot huset igen. Lågor slog ut genom fönstren på båda våningarna nu.

Brandmännen rörde sig runt bilarna, de drog ut tjocka slangar och började koppla ihop dem. En av dem, i röd jacka, kom med långa steg fram till Per och lutade sig fram mot hans ansikte för att ropa genom dånet från elden:

»Vad heter du?«

»Per Mörner.«

»Äger du fastigheten, Per?«   .

Han skakade på huvudet. Han drog in luft och försökte berätta, men luftrören kändes söndertorkade.

»Mår du bra?«

»Jo, men ...«

»Det kommer en ambulans snart!« ropade brandmannen. »Vet du var elden startade?«

Per svalde.

»Överallt«, viskade han. Sedan drog han in mer luft och försökte ge ett redigt svar: »Det brann både uppe och nere ... och jag tror någon kan vara kvar. Kanske flera.«

»Va?«

»Jag tror att jag såg en person i villan. Och hörde rop.«

Han hade höjt rösten, den lät bättre nu. Brandmannen blinkade till och såg på honom.

»Var då, Per?«

»På övervåningen, i rummen där. Det brann därinne, så jag ...«

»Okej, vi ska gå in och söka. Finns det några gasolflaskor i villan?«

Per skakade på huvudet.

»Tror inte det«, sa han. »Det var en ... en filmstudio.«

»Med farliga vätskor?«

»Nej«, sa Per, »inte vad jag vet.«

Brandmannen nickade och gick tillbaka till bilarna. Per såg att tre av hans kollegor därborta höll på att dra på sig skyddsdräkter med tuber på ryggen. Rökdykare.

Två av de andra slog på vattnet från tankbilen och riktade strålarna upp mot de krossade fönstren.

Gruppen av rökdykare började sakta röra sig mot trappan till villans ytterdörr. Samtidigt svängde en röd personbil märkt med texten RÄDDNINGSLEDNING in på grusplanen. En man i gul jacka klev ut med en kommunikationsradio i handen. Han knäppte på den och började rapportera till någon.

Per hostade och drog ner mer luft i lungorna. Sedan gick han tillbaka till bilen och öppnade dörren. Hans far satt hopsjunken i passagerarsätet, med portföljen i knät.

Per visade fram mobiltelefonen han hittat i hallen.

»Är det här din?«

Jerry tittade och nickade. Per lämnade över den.

»Hur mår du nu?«

Jerry hostade bara som svar. Per kunde se honom tydligt för första gången den här dagen, och tyckte att han såg ynklig ut. Trött och grå i sin skrynkliga rock. När Per var liten och hans far kommit på besök till honom och Anita hade Jerrys hår varit mörkt och bakåtkammat. Han hade alltid varit klädd i exklusiva pälsjackor på vintern och italienska kostymer på sommaren. Jerry hade tjänat mycket pengar och gillat att visa det.

När Per var femton hade hans far plötsligt bytt namn från Gerhard Mörner till Jerry Morner, kanske för att verka mer internationell.

»Du stinker«, sa Jerry plötsligt. »Stinker, Pelle.«

»Du med, Jerry ... Vi stinker rök.«

Per såg bort mot den brinnande villan. Rökdykarna var på väg uppför stentrappan nu. Den förste av dem drog upp dörren på vid gavel och tog ett steg över tröskeln, rakt in i den täta röken, och försvann.

De andra två stod kvar på trappan.

En halv minut gick – sedan var den förste dykaren plötsligt tillbaka i dörröppningen och skakade på huvudet mot de andra. Han lyfte handen. *Reträtt!*

De gick tillbaka nerför trappan.

Hoppet var ute för någon inne i huset, insåg Per.

»Åka, Pelle?« sa Jerry bakom honom.

Det var ett lockande förslag, att bara starta motorn och köra iväg till Öland – men det gick förstås inte.

»Nej«, sa han. »Vi måste vänta här.«

Det hördes fler sirener i fjärran. En ambulans körde in på gården och parkerade mellan brandbilarna och Saaben. Sirenerna stängdes av och två sjukvårdare klev ut. De ställde sig och tittade på husbranden med korslagda armar, det fanns inte mycket annat att göra.

»Kom med«, sa Per och hjälpte fadern ur bilen.

De gick bort till ambulansen, och han pekade mot Jerry.

»Min far är sårad i buken, och slagen i huvudet ... Kan ni ta hand om honom?«

Vårdarna nickade, utan att ställa frågor. De öppnade bara bakdörrarna och tog in Jerry i ambulansen för vård.

Själv började Per må lite bättre, han behövde bara massor av frisk luft. Han lämnade Jerry, gick bort över grusplanen och fram till staketet på ena långsidan av huset.

Han stod där någon minut, fundersam, och tittade bort mot granskogen. Så klättrade han över staketet.

Han hade stirrat så mycket på det brinnande huset att han inte märkt att solen gått ner. Det var nästan mörkt nu, och när han gick över åkern såg han att hans klocka var tio i sju.

Han tänkte på Jerry, som alltid hade haft två armbandsklockor när han jobbade: en i rostfritt stål och en i guld.

Granskogen höjde sig framför honom. Per letade efter öppningen bland träden och hittade den efter några minuter.

Det var en skogsväg, tom men inte igenvuxen. Det fanns en sträng av gräs i mitten med två breda spår på varsin sida.

Han böjde sig ner. Marken var hård och grusig, men hade fläckar av våt lera på vissa ställen, och i det svaga ljuset tyckte Per att han såg färska däckavtryck.

Han reste sig och såg på skogsvägen som slingrade sig bland granarna och försvann bakom en krök. Var slutade den? Kanske vid någon landsväg norr om Ryd.

En bra flyktväg.

Tio minuter senare var han tillbaka på grusplanen. Han höll sig undan från brandmännen men stannade vid ambulansen.

Sjukvårdarna hade tvättat Jerrys sår. Nu när blodet var borta syntes ett långt rött snitt över den stora bleka buken.

»Ser ut som ett knivhugg«, sa den ene sjukvårdaren när han satte på ett långt bandage. »Ganska ytligt, jag tror kniven har halkat.«

»Halkat?« sa Per.

»Halkat över huden ... Han hade tur, det kommer nog att läka om någon vecka«, sa sjukvårdaren. »Sedan kan ni åka till en vårdcentral och be någon ta bort bandaget, eller göra det själva.«

Per hjälpte Jerry tillbaka till bilen. De satte sig bredvid varandra i framsätet och tittade bort mot det övertända huset.

Tystnaden rådde, ända tills Per bröt den:

»Det fanns en kropp i en säng på övervåningen«, sa han och tilllade: »Jag tror i alla fall att det var en kropp, men jag kunde knappt se nånting i röken ... och jag tyckte jag hörde rop.«

Han suckade, lutade sig bakåt i sätet och tänkte på det öppna fönstret. Vem hade öppnat det?

Hans far mumlade något bredvid honom.

»Va?« sa Per. »Vad sa du?«

»Markus Lukas«, sa Jerry igen.

Per kände igen namnet.

»Markus Lukas?« sa han. »Var det någon här i villan som hette det?«

Hans fars hjärna verkade låsa sig igen.

Per gjorde ett nytt försök.

»Vad pratade du och Bremer om?« frågade han. »Vad sa han när han ringde och ville träffa dig här?«

»Minns inte«, sa Jerry.

»Men varför slogs ni?«

Jerry hostade bara och lutade sig bakåt. Per suckade, la händerna på Saabens ratt och tittade på den mörkgrå himlen.

»Jag måste åka hem snart«, sa han. »Nilla, min dotter, ligger på ...«

Sedan tystnade han, för en vit Volvo hade kört in på gården. Den höll låg fart, gjorde en sväng runt brandbilarna och riktade sedan in sig mot Pers bil. När de stannat kylare mot kylare klev en man och en kvinna ut. De bar civila kläder, men han anade vilka de var.

Mannen gick bort till ambulansen. Kvinnan kom fram till Pers bil. Han öppnade dörren.

»Hej.«

»Hej, hej«, sa kvinnan och visade sin legitimation. Hon kom från polisens kriminaljour i Växjö. »Var det ni som ringde larmcentralen?«

»Det var jag«, sa Per.

Polisen bad om hans personuppgifter och han gav henne dem.

»Och du, vem är du?« sa hon och såg på Jerry, som buttert stirrade tillbaka.

Per visste att hans far aldrig hade gillat poliser. Poliser och parkeringsvakter var två av hans hatobjekt.

»Det är min far ... Jerry Morner«, sa Per. »Han äger fastigheten.«

»Jaså?« sa polisen och kastade en blick mot branden. »Då får vi hoppas att du är försäkrad. Är du det, Jerry?«

Hon fick inget svar.

»Min far har haft en stroke«, förklarade Per. »Han har svårt med talet.«

Polisen nickade, men skrev ner Jerrys namn också.

»Så ni var här innan branden bröt ut?«

»Ungefär då«, sa Per. »Jerry var här ... jag kom hit strax efter.«

»Kan du berätta vad du såg då?«

Inget att dölja, tänkte Per igen. Sedan började han berätta om hur han hade gått in i huset, upptäckt Jerry och bensindunken, hjälpt sin far ut och sedan gått in i villan igen.

Polisen tog upp ett anteckningsblock och började skriva ner hans uppgifter.

»Så du såg en person på övervåningen? Och hörde rop på hjälp?«

»Jag tror det.«

»Såg du någon annan i eller vid huset?«

Per var tyst och funderade på vad han hade sett. En skepnad som flydde in bland granarna? Och hjulspår från en bil?

»Jag såg ingen tydligt ... Men någon hade slagit ner min far, och huggit honom med kniv.«

»Jaså?«

»Bremer«, sa en röst bakom Per.

»Bremer?« sa polisen. »Vem är det?«

»Det är min fars medhjälpare, Hans Bremer«, sa Per. »Han som kanske finns inne i huset.«

Alla tre tittade tysta bort mot elden som fortfarande stod emot brandsprutorna. Gnistor for upp mot himlen, hettan sträckte sig över hela grusplanen.

»Okej«, sa poliskvinnan och såg sig om. »Då ska jag och min kollega börja spärra av här.«

»Så ni ser det här som en brottsplats?« sa Per.

»Det kan det vara.«

Polisen vände om.

»Kan vi åka?« sa Per till hennes rygg. »Vi kan väl inte göra mer nu, eller hur?«

Polisen skakade på huvudet.

»Vi är snart klara här«, sa hon över axeln, »och då får ni följa med i er bil upp till Växjö.«

»Varför då?«

»Vi vill bara göra ett extra förhör inne på polishuset. Det går fort.«

Per suckade. Han såg upp mot den mörknande himlen och sedan ner på klockan. Den var kvart i åtta nu.

Han kände sig mycket trött. Planen var att köra tillbaka Jerry till hans lägenhet i Kristianstad, men då skulle han inte hinna tillbaka upp till Öland i kväll. Och Jesper skulle tvingas sova ensam i stugan.

Han vände sig om.

»Jerry, jag hinner inte skjutsa hem dig i kväll«, sa Per. »Du får följa med till Öland.«

Hans far såg på honom.

»Öland?«

Han såg tveksam ut, och Per tvekade också. Han hade ju lovat sig själv att Jerry aldrig skulle umgås med Nilla och Jesper.

»Ja … du är ju min far, eller hur? En del av familjen.«

»Familj?«

Jerry verkade inte förstå ordet.

»Min familj«, sa Per. »Så du får åka med och fira påsk med mig och Nilla och Jesper i vår sommarstuga … på ett villkor.«

Jerry väntade och Per fortsatte:

»Att du håller tyst.«

»Tyst?«

Per nickade. Att be någon som inte kunde säga en hel mening att hålla tyst var förstås komiskt, men han log inte.

»Du ska hålla tyst för dina barnbarn, Jerry ... Berätta inte vad du och Bremer höll på med här.«

15

Vendela var klädd i vit mössa och en vindtät röd tränings-
overall när hon böjde sig ner mot hundkorgen i hallen och pus-
sade Aloysius mellan öronen. Sedan gick hon fram till ytterdörren.

»Jag springer nu!« ropade hon inåt huset. »Ses om någon timme!«

Hon fick inget svar från Max, bara ett gnyende från Aloysius. Han
var orolig, kanske kände han på sig att det snart skulle bli fest i huset.
Sedan han förlorat synen blev Ally alltid stressad av främmande rös-
ter omkring sig.

Det verkade bli ett tiotal personer på onsdagens grannfest: hon
och Max, paret Kurdin och deras baby, Per Mörner och hans två
tonårsbarn och så den gamle grannen på andra sidan vägen, Gerlof
Davidsson och hans vän John. Hon behövde inte laga så mycket mat,
även om det förstås var viktigt att beräkna hur mycket som skulle gå
åt. I morgon skulle hon åka ner till Borgholm och fylla hela bilen
med varor, inklusive hundfoder.

Sedan gällde det bara att laga till alltihop inför onsdagen, och det
skulle hon få göra ensam. Men hon skulle inte tänka på det nu, hon
skulle springa.

Vendela hade varit joggare i tio år. Hon hade faktiskt börjat med
det när hon gift sig med Max, trots att han inte sprang och inte be-
grep varför hon ville göra det. Under vintern som gått hade hon
hållit uppe konditionen med att jogga på löpband, men saknat natu-
ren och rörelsen genom landskapet.

Hon böjde sig fram och stretchade någon minut ute på trappan
innan hon började jogga norrut, i en vid halvcirkel längs kanten av
stenbrottet.

Det fanns en märklig sorts port norr om brottet, såg hon – två tjocka hasselbuskar växte ett par meter från varandra, och hon sprang in mellan dem. Hassel var alltid speciellt, det trädet användes både till magiska käppar och slagrutor.

Nu var hon i en ny värld, kändes det som. Hennes mål var att efter nästan fyrtio år återvända till barndomen och till sin familj – om hon hittade dit. Mycket hade ändrats sedan dess. Hus hade byggts, vägar hade asfalterats, ängar och åkrar hade växt igen.

Hon ökade farten och sprang ut på kustvägen ovanför stranden. Det var sen eftermiddag och solen hängde lika lågt på himlen som i oktober – men dess sken nu på våren var skarpare. Den höll snabbt på att smälta ner de smala strängar av snö som fortfarande låg kvar i gräset och dikena.

Stenlandskapet låg tyst och stilla omkring Vendela. Allt som rörde sig var hon själv, hennes armar och ben som pendlade fram och tillbaka. Sakta började hon få in en rytm i löpningen och kunde slappna av. När kustvägen delade sig tog hon till höger, inåt land.

Luften hon drog in i näsborrarna var frisk och sval. Hennes allergi höll sig borta.

Det tog ett tjugotal minuter att springa upp till platsen där hennes barndom både hade börjat och slutat. Hon sprang nästan raka vägen dit, utan att komma vilse. Först en bit på den breda asfaltsvägen, sedan in på en smalare grusväg som hon trodde sig känna igen, förbi en skogsdunge med askar som hade växt sig täta och höga under åren som gått sedan hon lämnat ön.

Mitt i dungen fanns en smal och kort grusväg, och hon vek in på den. Nu var hon varm och svettig i träningsoverallen, och spänd av förväntan.

När hon sprungit kanske femtio meter och nått slutet av grusvägen var hon framme vid gården. Hon andades ut och försökte samla sig.

Den låg lite för sig själv vid kanten av alvaret, ett par kilometer nordost om Stenvik. Det fanns ett par nya vitmålade järngrindar framför stengången som ledde in i trädgården. Hon såg ingen som rörde sig därinne, och öppnade dem.

Solen hade sjunkit på himlen i väster och trädgården framför henne låg i skugga. Men strålarna lyste fortfarande på bostadshuset och fönstren däruppe blänkte mot henne.

Vendela hade befarat att gården skulle stå öde och vara förfallen, med krossade rutor och dörrar som lossnat från gångjärnen, men huset var välskött och nymålat med gul oljefärg. Någon med tid och pengar hade köpt gården.

Nedanför bostadshuset fanns en gräsplan, men till vänster syntes en upphöjning i marken, en lång rektangel. Fyrtio år tidigare hade det stått en liten lagård där, men den var borta nu. Gräs och mossa hade krupit upp och täckt husgrunden.

För syns skull gick hon uppför stengången till huset och knackade på köksdörren, men ingen kom och öppnade. Bondgården hade blivit en sommarbostad som många andra, med oklippt gräsmatta och neddragna rullgardiner. Förmodligen stod huset tomt och ensamt från höst till vår.

Hon tänkte på familjen som snart skulle komma hit och snabbt städa undan alla spår av vintern. Redan första kvällen skulle de börja räfsa löv och klippa gräs. Unga och bekymmerslösa människor, kanske hade de barn. Men ändå – kände de ekon av olyckan som funnits i det här huset?

Hon tittade bort mot busksnåren i den nedre delen av trädgården och upptäckte ett gammalt skjul. Det stod i skuggorna och passade inte alls in i resten av den välvårdade fritidsidyllen. Det var slitet och omålat och lutade svagt, som om det var på väg att sjunka ner i jorden.

Hon gick genom trädgården. Längst bort från huset fanns spröda fläckar av snö kvar och marken var vattenfylld, som i ett kärr.

Skjulet såg undangömt och bortglömt ut, och Vendela mindes plötsligt att hennes far hade haft det som redskapsbod. De verktyg han inte lämnat kvar varje kväll nere i stenbrottet hade han tagit med och låst in här.

Hon gick fram och drog i den rangliga dörren. Den gled upp på tröga gångjärn, men ingen otäck lukt slog emot henne. Bara en svag doft av jord.

Det var mörkt därinne, mörkt och trångt. Gamla redskap och väskor hade staplats på varandra. I hörnet närmast dörren stod en smal pinne av kastanj, med barken bortskalad. Vendela kände igen den direkt. Hon tvekade, men plockade upp den.

Kokäppen.

Den var hennes. Hon hade fått den som redskap av sin far Henry när hon vallade korna.

Käppen var blank och välanvänd.

VENDELA OCH ÄLVORNA

FLUGORNA SURRAR SLÖTT och sömnigt fram över stigen, väckta av vårsolen. Vinden susar i lövträden och Vendela lyfter sin käpp och slår på de tre korna, om och om igen.

»Gå! Rör på er!«

Hon går barfota på stigen, klädd i vit klänning, och bankar på korna så hårt hon kan. De får tre slag var. Hon måttar och svänger käppen snett in i sidan på dem, ovanför bakbenen. Det låter *smack!* på det stället. Längre fram på kornas kroppar låter det dovare, *smock!*

Smällarna hörs i långa rytmiska serier på stigen mellan ängen och gården, där hon och Henry och Invaliden bor.

»Gå, gå, gå!«

Ledarkons skälla klonkar rytmiskt i remmen under hennes hals. Det är varmt och tröttsamt att slå, Vendela är bara nio år och käppen är tung. Hon svettas. Klänningen klibbar fast under armarna, håret hänger ner över ögonen och spyflugorna kretsar runt henne och korna. Hon snorar i det färska gräset och lyfter käppen igen.

»Gå då!«

När hon fyllde åtta fick Vendela ansvaret för att fösa korna mellan gården och ängen. Det var ett riktigt jobb, men ändå aldrig tal om att hennes pappa skulle betala henne – Henry har inte ens pengar till elektricitet, trots att ledningarna sedan flera år är framdragna till gården.

Den enda belöning hon fick var att få döpa korna, och då gav hon dem namnen Rosa, Rosa och Rosa.

Det fick hennes far att skratta högt.

»Vi kan lika gärna ge dem varsitt nummer«, hade han sagt.

För honom betyder kornas namn ingenting – han har märkt dem med tydliga snitt i öronen, så att alla som stöter på dem på alvaret kan se att de tillhör honom. Men han måste ha tyckt att idén är rolig, för namnen fastnar.

Rosa, Rosa och Rosa.

För Vendela är det inte roligt. Det spelar ingen roll vad korna heter, för hon ser ingen skillnad på dem. För henne är de bara tre bruna saker som ska drivas fram och tillbaka mellan ängen och lagården. Det är en daglig plikt som börjar med vårbruket och solens ankomst i april. Då ger Henry, helt enligt traditionen, korna varsin sill doppad i tjära som första mål mat utanför lagården. Sedan släpper han ut dem på vårbete och låter dottern ta hand om dem.

Kokäppen är slät och fin, smal och smidig. Henry skalade av all bark innan hon fick den.

Du ska styra korna med den här, har han sagt. *Gå bakom och peta dem lite i sidan ibland, så går de åt rätt håll.*

Korna var stora som klippblock och Vendela petade försiktigt på dem när hon började fösa dem mellan ängen och gården. De första dagarna var hon rädd för att de skulle vända sig mot henne, men korna reagerade inte. Det var som om hon inte fanns. Så hon petade hårdare och hårdare, och redan efter någon månad började hon stöta till dem med käppen.

Till sist bankade hon.

Att ge den närmaste kon så hårda slag med käppen som möjligt har till slut blivit en vana. Rosa, Rosa och Rosa har så tjock brunvit hud, hård som läder, och hon vill tränga igenom den och se den blöda och mest av allt få korna att bli *rädda*. Men Rosorna fortsätter bara att lunka framåt med stora gungande huvuden framför Vendelas vinande käpp. Slagen får dem ibland att ta ett par snabba hopp framåt på grusvägen. Koskällan tappar rytmen, sedan är de tillbaka i lunken igen.

Lunkandet, de hängande huvudena, de bruna likgiltiga ögonen – Vendela ser alltihop som delar av den dagliga kampen. Rosa, Rosa och Rosa försöker visa henne att hon inte är det minsta viktig, men de har fel.

I somras gav Henry henne ansvaret även för hönshuset och då tänkte hon börja slå hönsen och kycklingarna också, eller åtminstone sparka mot dem när de kom i vägen.

»Undan med er!«

Men då blev tuppen helt galen. Han gol och flaxade och högg efter Vendela med näbben, och jagade ut henne ur hönshuset och bort över halva gårdsplanen.

Hon grät och skrek efter hjälp, men fick klara sig själv. Henry var nere i stenbrottet, Invaliden satt på sitt rum och modern Kristin var ju borta.

Henry pratar inte om sin döda fru längre och Vendela minns henne knappt, inte ett ansikte, inte ens en doft.

Allt som finns kvar är en sten på Marnäs kyrkogård, ett ovalt fotografi av henne som hänger i köket och ett skrin med smycken inne i Henrys sovrum.

Det finns en värk i Vendelas kropp också, men det beror nog bara på alla gånger hon har lyft käppen med armen.

Sedan modern dog verkar Henry alltid vara på väg ut, i tankarna och i kroppen. På morgnarna sjunger han på trappan när han går ner till stenbrottet, på kvällarna står han ofta och stirrar upp mot stjärnorna.

Det mesta av arbetet på gården lämnar han över till Vendela. Hon får städa och tvätta sina egna kläder så att de inte luktar kossa när hon är i skolan. Hon får bära mat mellan jordkällaren och köket, för något kylskåp har de inte råd med, och ingen el heller. Hon får sköta landen med potatis, brytbönor och sockerbetor. Och hon får mjölka och driva Rosorna fram och tillbaka på stigen.

Där på stigen mellan hagen och lagården går hon med sin käpp bakom dem, varje dag. Fram och tillbaka, före och efter lektionerna i byskolan nere i Stenvik. Men innan dess måste hon göra en annan sak: gå upp till övervåningen och ge Invaliden mat.

Den plikten är värst av allt.

Vendela minns inte riktigt när Invaliden kom till huset, bara att det var en sen höstkväll när hon var sex eller sju år och Henry fortfarande hade råd att ha bil. Då hade han vankat fram och tillbaka i köket hela eftermiddagen och sedan gått ut och kört iväg, utan någon förklaring. Vendela gick och la sig i sitt lilla rum bakom köket.

Flera timmar senare hörde hon att bilen återvände. Den körde ända fram till trappan i mörkret och stannade. Framdörrarna öppnades, först den ena, sedan den andra. Och Vendela låg i sängen och hörde hur hennes far hjälpte någon ut, *bar* någon ut ur bilen, och gick uppför trappan med stövlarna, fick upp dörren och klampade med tunga steg och något tungt i famnen upp till övervåningen.

Han var däruppe ett bra tag, och Vendela hörde hur han talade lågt till någon. Och han hörde någon som skrattade.

Sedan kom han tillbaka ner och gick ut till bilen igen. Han kämpade med något stort i bakluckan och fick ut föremålet till slut, och in i köket. Det hördes gnisslande ljud, som av en tung maskin.

Vendela klev ur sängen, öppnade dörren och kikade ut.

Hon såg sin far knuffa en rullstol över köksmattan. Han hade en filt över armen, och på rullstolens säte stod en transistorradio.

Henry klev upp i trappan och började dra stolen med radion bakom sig. Efter ett par steg stannade han för att vila, och då mötte han Vendelas blick.

Han såg ertappad ut, eller skamsen, och mumlade något. Vendela tog ett steg närmare.

»Vad säger du, pappa?«

Hennes far såg på henne och suckade.

»Det gick inte på anstalten«, sa han. »De band dem med läderremmar.«

Det var den enda förklaringen han gav. Och vem släktingen är som han tagit hem till gården berättar han inte.

Vendela vågar inte fråga heller. Det spelar ingen roll, för i fortsättningen kallar Henry den nya invånaren på övervåningen bara för Invaliden. Oftast säger han inte ens det, han nickar bara uppåt mot taket eller rullar med ögonen. Men den första kvällen, när Vendela hör ett dovt skratt från övervåningen och skrämt tittar upp mot taket, då ställer han en fråga till henne över köksbordet:

»Vill du gå med upp ... och hälsa?«

Vendela skakar snabbt på huvudet.

De nya plikterna blir snabbt rutiner, de behöver inte nämnas. Vendela får ta hand om Invaliden, precis som hon får ta hand om korna, med den skillnaden att Invaliden aldrig visar sig. Dörren på övervåningen är alltid stängd, men ljudet av musik och upplästa nyheter från radion hörs genom den från morgon till kväll. Hon undrar ibland om Invaliden har låst dörren om sig, men hon vågar aldrig sträcka ut handen och känna efter.

Allt hon gör innan hon går till skolan varje morgon är att sakta gå uppför den dunkla trappan med matbrickan och ställa ner den på det lilla kaffebordet bredvid dörren.

Knacka alltid på när maten är framme, har Henry sagt.

Vendela knackar, men väntar aldrig på svar. Hon skyndar nerför trappan igen.

Det tar tid för dörren däruppe att öppnas. Ofta har Vendela hunnit ta på sig ytterskorna när gångjärnen ovanför henne börjar gnissla svagt. Då blir hon ibland stående i förstugan och håller andan; hon hör dörren glida upp däruppe, och så tunga andetag när Invaliden kommer ut ur rummet. Det klirrar i porslinet när matbrickan lyfts upp.

I den stunden är Vendela alltid rädd för att något ska gå fel däruppe, att hon ska höra en krasch från övervåningen när brickan åker i golvet. Då skulle hon tvingas gå uppför trappan och hjälpa till.

Någon krasch hörs aldrig, men för var dag som går under de första månaderna med Invaliden blir Vendela mer och mer rädd för att dörren på övervåningen en dag ska stå öppen när hon kommer hem. Vidöppen.

Men det händer inte, varje eftermiddag när korna är införsta kommer hon in och hittar den tomma matbrickan tillbaka på bordet. Oftast står där en potta som hon får tömma också.

Från rummet bakom dörren hörs ett lågt skratt.

Henry har få vänner och bondgården får bara ett enda regelbundet besök per år: två dagar före jul kommer faster Margit och farbror Sven från Kalmar med sin stora bil som har bakluckan fylld av mat och presenter. Då har Vendela och Henry städat och skurat i köket och lagt ny duk på bordet, men mycket renare än så blir det förstås inte.

Henry bjuder på kaffe och försöker småprata, sedan går han och hans syster upp till övervåningen för att hälsa på Invaliden. Faster Margit har några små inslagna paket i famnen.

Vendela sitter kvar vid köksbordet och hör dem öppna dörren till rummet, och sedan stänga den. Faster Margits röst låter gällare och käckare än någonsin när hon pratar med Invaliden och önskar god jul.

Inget svar hörs.

En enda gång är dörren till rummet öppen när Vendela går förbi, några månader efter att Invaliden flyttade in. Den står på glänt. Hon saktar ner på väg från trappan, stannar och sträcker på halsen för att titta in. Det är dunkelt därinne, men hon känner en sur instängd lukt och ser ett trångt rum med en säng och ett litet bord. Och en gammal filt på golvet.

Någon sitter på filten. Det är en smal förkrympt person med okammat grått eller vitt hår som spretar åt alla håll.

Skepnaden sitter orörlig, med böjd rygg.

Vendela tror att Invaliden sover, men plötsligt rätar skuggan på ryggen. Den vrider på huvudet mot henne och öppnar munnen. Och så börjar den fnittra.

Då fortsätter hon snabbt förbi rummet, som om Invaliden inte finns. Hon går snabbt nerför trappan och rakt ut i gräset på gårdsplanen.

Hon förstår att Invaliden stänger dörren om sig – det går förstås inte att visa sig när man är så gammal, så sjuk.

Men ändå? Att bo året runt i ett rum på övervåningen och aldrig komma ut i solljuset? Hon kan inte tänka sig hur det skulle vara.

Så går vintern och det blir mars, och snön smälter ute på alvaret. Under några veckor bildas breda pölar i det gula gräset, vårsjöar, och när skolan är över och korna inlåsta går Vendela ibland iväg på upptäcktsfärd mellan dem. Hon ser vattnet spegla molnen på den stora himlen och känner sig fri, långt bort från bondgården.

En solig eftermiddag på alvaret ser hon plötsligt ett stort och märkligt föremål bland enbuskarna vid horisonten. Det är ett stenblock.

Blocket ligger som ett lutande altare kanske två eller tre kilometer bort från bondgården, det är stort och högt och syns på långt håll. Enbuskarna står i en ring runt stenen, men tycks hålla sig på avstånd.

Hon går inte ända fram till den, för nu är hon längre ut på alvaret än någonsin och rädd att hon ska gå vilse mellan vårsjöarna. Hon vänder om och springer hem.

Våren går och skolåret slutar utan att hon går till den ensamma stenen på alvaret igen. Men en sommarkväll nämner hon den för sin far och frågar om han också har sett den.

»Älvastenen?«

Henry sitter vid köksbordet och putsar på en rund lampsockel. Han har huggit ut sockeln ur kalkstenen och nu när hans smärgelduk far fram över ytan blänker den som slipad marmor.

»Den som ligger på väg till Marnäs? Är det den du menar?«

Vendela nickar.

Älvastenen. Nu vet hon vad den heter.

»Den är från istiden«, säger Henry. »Den har legat där jämt. Och folk har jämt gått dit och offrat saker.«

»Till vem?«

»Till älvorna«, säger Henry. »Den kallas älvakvarnen. Förr i tiden trodde folk att groparna på stenen hade formats när älvorna malde sitt mjöl. Men nu går man dit och ber om saker ... man lägger en gåva till älvorna och önskar sig något.«

»Vad önskar man sig?«

»Vad som helst. Har man tappat bort något kan man be älvorna leta reda på det ...«, säger Henry och ser ut genom fönstret, bort mot lagården, »... eller kanske be om lite mer tur i livet.«

»Har du gjort det någon gång, pappa?«

»Vadå?«

»Har du gett gåvor till älvorna?«

Henry skakar på huvudet och fortsätter putsa på kalkstenen.

»Man ska inte önska saker man inte förtjänar.«

16

VENDELA VÄGDE KOKÄPPEN I HANDEN. Var det verkligen samma käpp? Den såg kortare ut nu än när hon var liten, men var fortfarande obehagligt lång. Hon tyckte att hon hörde dova klinganden av koskällor i fjärran.

Gå, gå, gå!

Efter fyrtio år mindes hon käppens vinande ljud, men inte varför hon hade slagit korna så hårt. Hade hon varit sadist som barn?

Hon ställde tillbaka käppen i skjulet och började gå genom den tomma trädgården, in bland träden bredvid huset.

En smal stig ledde fram till öppen mark. Nu stod hon i hagen där korna hade gått på sommaren, men den var ingen äng längre, den var fylld av snåriga buskar. Det fanns inga komockor i gräset. Inga kor hade betat där på årtionden.

Rosa, Rosa och Rosa, tänkte hon och började springa.

Bakom stenmuren på andra sidan kohagen började alvaret. Det hade varit nästan helt fritt från träd och buskar när hon var liten, men nu växte låga björkar och spretig hagtorn framför henne. Buskarna var i vägen, men hon försökte hålla en så rak linje som möjligt över den platta marken.

Älvorna rör sig längs landskapets energilinjer, hade Adam sagt. *De går rakt fram, och om människor bygger hus som står i vägen för dem drabbas de av olycka.*

När hon inte längre såg gården bakom sig tog hon sikte mot en buske rakt framför sig och sprang vidare, med ökad fart. Solen skulle inte stanna kvar på himlen mer än ett par timmar till och hon ville inte vara ute på alvaret när det var mörkt.

Tio minuter senare var hon långt ute i ödemarken – avstånden verkade kortare nu än i barndomen.

Ett par hundra meter framför sig såg hon en hög och tät samling enbuskar och saktade in sina steg. Hennes ben darrade, hon drog in kall luft och koncentrerade sig. Sedan vandrade hon in bland snåren och stannade i den lilla gläntan innanför dem. Här var en besökare helt skyddad från insyn.

Klippblocket fanns kvar innanför buskarna.

Det var skrovligt och kantigt, precis som hon mindes det från barndomen.

Allt handlar om att vara på rätt plats vid rätt tid, tänkte hon.

Hon närmade sig sakta den avlånga stenbumlingen. Den låg stadigt nersjunken i marken.

Älvakvarnen, där älvorna malt sitt mjöl i skymningen. Porten till deras rike.

Blocket verkade lite mindre nu, kanske hade det sjunkit längre ner i marken under trettio år. Men förmodligen var det Vendela som hade blivit vuxen.

Det låg saker i groparna.

Nej, inte saker, utan pengar. Gamla mynt.

Av brons eller av guld? Hon vågade inte plocka upp dem och titta närmare, men nu visste hon att andra öbor än hon själv trodde på älvornas kraft.

Hon höll sig någon meter bort från stenen och lyssnade. Vinden susade och långt bort hördes svagt trafikbrus från landsvägen.

Men inga prasslande ljud hördes. Inga steg.

Vendela gick fram och la sin hand på blocket. Det var lika orubbligt svalt som hon mindes det, trots att solen lyste.

Hon la sig ner bakom älvastenen, där vinden blåste mindre. Marken här var kall men inte fuktig och hon slöt ögonen. Hon kände den stora stenen bredvid sig, den utstrålade tyngd och ett beskyddande lugn.

Ingen visste var hon var. Härute spelade resten av världen ingen roll.

Landskapet hade plötsligt stillnat omkring henne – inte en gren rörde sig på enbuskarna omkring stenen. Vendela öppnade långsamt ögonen och tyckte att alvaret med sitt vårgula gräs såg fastfruset ut, blekt och åldrat som ett gammalt fotografi. Om hon såg på sin klocka nu visste hon att visarna skulle stå stilla.

Älvornas rike.

Hon hörde plötsligt ett prasslande ljud i gräset på andra sidan buskarna, som om någon rörde sig där med fjäderlätta steg. Hon reste sig försiktigt upp, men såg ingen.

Ändå anade hon att någon tittade på henne genom buskarna.

Träningskläderna var fuktiga, och hon huttrade till. All hennes energi var borta, en plötslig oro hade jagat bort den. Hon ville gå fram till de täta buskagen och titta bakom dem, kanske fråga om någon var där, men stod kvar vid stenen.

De smyger på mig, tänkte hon. *Älvorna ... eller trollen?*

Hon vågade inte gå fram och se efter. Hennes ben rörde sig åt andra hållet, hon backade och gick runt älvastenen så att hon fick den mellan sig och de låga ljuden.

Då blev allt tyst igen. Prasslandet hade upphört.

Vinden började blåsa, Vendela andades ut. Hon kände sig stel och frusen nu men hade en sak kvar att göra. Hon grävde i jackfickan och la ett mynt, en blänkande ny tiokrona, i en av de tomma groparna i stenen.

Det var riskfyllt att önska sig saker på den här platsen – ingen visste det bättre än hon. Men det fanns något hon behövde hjälp med.

En enda sak som hon skulle be om, inget annat.

Låt Aloysius slippa bli blind, tänkte hon. *Ge honom några friska år till ... Det är allt jag vill be om.*

Hon släppte myntet och backade bort från blocket.

När hon gick ut från den öppna gläntan mellan enbuskarna kände hon hur tiden började röra sig igen. Hennes klocka tickade och det var kväll. Solen i väster hade förlorat sin gula lyster och var på väg ner mot horisonten, ljuset speglade sig som röda stråk i vårsjöarna omkring henne.

17

»**P**ELLE?« FRÅGADE JERRY YRVAKET. »PELLE?«
   När de körde ut ur Växjö efter polisförhöret hade fadern somnat.
Han hade sovit djupt och mumlat ohörbara ord i sömnen, och sedan
vaknat igen när de körde in i ett folktomt Kalmar. Per hade parkerat
bredvid ingången till sjukhuset.

»Pelle?«

»Allt är lugnt, Jerry. Vi är i Kalmar.«

Han öppnade förardörren. Frisk kvällsluft kom in i bilen och sval-
kade hans lungor. Han hostade och vände sig om.

»Du kan sitta kvar ... jag ska bara gå upp till Nilla. Min dotter,
minns du henne, Jerry?«

När han såg att hans far tittade på sjukhusskylten fortsatte han:

»Hon är bara på undersökning här. Jag kommer snart.«

Klockan var halv elva och sjukhusets alla fönster lyste mot den
mörka himlen. Pers ben var stela när han klev ur bilen, han hade
suttit fast i den en stor del av dagen.

Entrén var fortfarande olåst och glasdörrarna drog sig tyst undan
för honom. Han tog hissen upp till Nillas avdelning, utan att möta
en enda människa.

Korridoren var också öde och dörren till avdelningen var stängd.
Han ringde på och blev insläppt av en nattsköterska. Hon log inte
mot honom, men det kanske bara var trötthet. Det behövde inte
betyda att Nilla hade blivit sämre.

Dörren till hennes rum stod på glänt och han hörde två röster
därinne. Det var Nilla som pratade med sin mamma.

Per hostade en sista gång. Han hade hoppats att Marika inte

skulle vara inne på rummet. Han visste förstås att hans exfru var hos Nilla varje kväll, men med lite tur kunde hon ju ha varit ute när han kom. I några sekunder funderade han på att vända om, innan han gick fram och drog upp dörren.

Nilla satt i sängen, med en kudde bakom ryggen. Hon hade fått en vit sjukhusrock på sig och en slang med dropp instucken i armen. Hon såg ut som när han lämnat henne, kanske lite blekare bara.

Marika vakade på en stol bredvid henne. Teven som hängde uppe i ena hörnet av rummet var påslagen och visade en man och en kvinna som skrek och viftade åt varandra i ett kök, men ljudet var nerdraget.

»Hallå, hallå«, sa Per och log mot både mor och dotter.

Samtalet hade tystnat när han kom in. Marika verkade just ha skämtat med sin dotter, för hon log mot henne – men när hon såg Per slocknade leendet. En mask verkade falla av henne, och hon såg mycket trött ut.

»Hej, pappa.« Sedan sniffade hon förvånat mot honom. »Du luktar ju rök!«

»Jaså? Gör jag?«

Per log spänt och försökte att inte hosta igen. Han kom inte på något vettigt att säga.

»Vad har hänt, Per?« sa Marika. »Är du skadad?«

»Nej, det är ingen fara … Det var en husbrand i Småland. Jag upptäckte den från bilen, så jag ringde brandkåren. Och så kom de och släckte.«

»Var huset tomt?« sa Nilla.

»Det var ingen som bodde där«, sa Per, och fortsatte snabbt: »Hur är det med er, då?«

»Vi väntar på kvällsronden«, sa Nilla. »Och tittar på teve.«

»Bra.«

Marika reste sig.

»Jag kan gå ut, så får ni prata.«

»Det behöver du inte«, sa Per, »jag skulle bara …«

»Jo. Jag går.«

Hon gick förbi honom med sänkt blick, och försvann ut i korridoren.

Far och dotter såg på varandra, och Per kom på att han borde ha haft med sig något mer än rökskadade kläder. Choklad kanske, eller en cd-skiva.

»Har mamma varit här hela tiden?«

»Hon är här på dagarna, men inte när hon sover.« Hon såg på honom. »Jag ska åka hem snart. Eller hur?«

Per nickade.

»Jag kommer och hämtar dig på onsdag«, sa han. »Så firar vi påsk på Öland med massor av ägg. Kokta ägg och ägg av choklad.«

Nilla såg nöjd ut.

»Chokladägg blir bra.«

Per gick fram och kramade om henne, rörde med kinden vid hennes panna. Den var sval.

»Vi ses snart.«

När han gick ut kände han hur stelt hans leende hade varit, nästan krampaktigt.

Marika stod längre bort i korridoren när han försiktigt stängde dörren. Hon korsade armarna när han kom fram och han stannade tre steg bort från henne.

»Hon verkar må bra«, sa han.

Marika nickade.

»Är Jesper kvar på Öland?«

»Ja.«

Per tänkte inte gå in på vad som hänt under dagen, att han rest för att hjälpa sin far och tagit med sig honom tillbaka. Framför allt inte det sista, för Marika tyckte inte om sin tidigare svärfar.

»Jag kommer tillbaka på onsdag«, sa han bara. »När skulle läkaren dyka upp?«

»Vet inte … Före lunch, tror jag.«

»Jag kommer hit då.«

»Georg kommer också«, sa Marika lågt. »Går det bra?«

»Visst«, sa Per och la till en lögn: »Det går fint, jag gillar Georg.«

Jerry hade klivit ur bilen när Per kom tillbaka till parkeringen. Han stod med sin portfölj under armen och en cigarett i höger hand. Hur kunde han röka den här kvällen?

»Tänd inte den där«, sa Per, »vi ska åka.«

Han öppnade bilen och satte sig igen. Jerry kunde bara stoppa tillbaka cigaretten och sätta sig bredvid honom. Han hostade.

Jerry andades inte, han väste. Nu efter branden var det nog värre än någonsin, men väst och hostat hade han alltid gjort. Taskiga luftrör och för många cigaretter fick honom mer och mer att låta som en läckande luftballong.

Hans far hade misskött sig hela livet, tänkte Per när han svängde bort från sjukhuset. Men det var Nilla som hade blivit sjuk.

Per svängde in framför sin stuga vid halv tolv på måndagskvällen. Casa Mörner var nästan kolmörkt – Jesper hade bara tänt ett par lampor i hallen och köket.

»Hemma?« sa Jerry och såg sig om.

»Visst, det här är hemma nu«, sa Per och såg mot stugan. »Det var här Anita och jag bodde på somrarna, Jerry, efter att du hade lämnat henne. Mamma hade inte råd med några riktiga semestrar på flera år efter det. Det vet du väl?«

Jerry skakade på huvudet, men hans ögon hade smalnat. Per visste att han i alla fall hade känt igen sin förra frus namn.

Han stängde av bilmotorn och suckade lågt i tystnaden. Han var mycket trött nu, men det var ett sista möte som måste klaras av den här kvällen. Han tog in Jerrys gamla portfölj i stugan, och fadern följde sakta efter.

»Hallå?« ropade Per när de kom in i hallen. »Jesper?«

Dörren till sonens rum var öppen. Hans son satt i sängen, upptagen med sitt Gameboy.

»Ja?«

»Stäng av spelet nu. Kom ut och hälsa på farfar.«

Per sniffade i luften. Var brandröken borta ur hans kläder?

Jesper verkade inte känna den. Han reste sig bara och kom långsamt ut ur rummet. Per förstod hans tvekan, för Jerry hade inte träffat sina barnbarn på nästan tio år. Han hade aldrig pratat om att vilja träffa dem, och Per hade inte ansträngt sig för att låta dem mötas.

»Hej, farfar«, sa Jesper lågt och sträckte fram handen.

Jerry verkade tveka lite, sedan tog han den.

»Jesper«, sa han lågt.

Han släppte barnbarnets hand och såg sig om.

»Vill du ha något att dricka nu?« sa Per.

Jerry nickade snabbt, så Per gick ut i köket och hällde upp ett glas mjölk.

När han hade placerat Jerry i en fåtölj framför teven gick han ut ur huset för att få ner en sista dos ren luft i lungorna.

Han gick bort till kanten av stenbrottet – och blev stående.

En halvmåne lyste över sundet och stenbrottet var fullt av skuggor, men Per såg ändå att trappan som han och Jesper byggt verkade vara trasig. De översta stenblocken var borta.

Han vände om och hämtade en ficklampa och lyste ner längs kanten.

Jo, han hade sett rätt – de breda blocken hade rasat. Ett par hade slagit emot varandra i fallet och spruckit sönder.

Men trappan hade ju känts stabil i går. Vem hade förstört den?

18

KÄRA LÄSARE,
i den här handboken ska jag dels berätta om mina möten med älvorna på Öland, och dels om hur du själv kan få kontakt med dem. Det är faktiskt lättare än man kan ana. Älvorna rör sig längs uråldriga leder genom landskapet, oftast i raka spår. Det här är leder som många äldre människor i trakten brukar känna till. Det är alltså bara att börja knacka dörr och fråga!

Vendela hade varit nere i Borgholm under måndagen. Nu var all mat inköpt till onsdagens grannfest och på kvällen unnade hon sig en paus för att skriva förordet till sin bok.

Max var i Kalmar och höll ett föredrag och Vendela satt nersjunken i en fåtölj i stora rummet. Hon hade döpt boken nu – titeln var *Mina möten med älvorna.*

Hon hade mycket att berätta, och inte bara från barndomen. I trettioårsåldern hade hon rest till Island, där tron på älvor fortfarande levde kvar. Hon hade mött äldre människor som sett dem där och även följt med en grupp turister upp till Snaefjellsjökull, glaciären norr om Reykjavik där älvorna tydligen visade sig ibland. En råkall kväll hade hon suttit och väntat i en grotta vid glaciären, utan att se dem.

Man ska inte vara rädd för älvorna, skrev hon. *Det finns ingen ondska i dem. Det är inte alltid de vill träffa oss, men de vill oss inget illa. Om vi bara respekterar dem och inte förstör naturen de rör sig i så gör de oss inget. Tvärtom, ibland hjälper de oss att hitta försvunna saker – eller att finna oss själva.*

Fem år tidigare hade hon sett en annons i tidningen Sökaren om att man kunde resa till Gotland och gå en kurs där man lärde sig att se och kommunicera med älvorna. Vendela hade i hemlighet bokat plats på kursen och tagit flyget till Visby en solig fredag i början av maj. (Till Max hade hon sagt att hon skulle lära sig dreja.)

Älvguiden var i trettioårsåldern och hade långt brunt hår i en hästsvans. Han kallade sig Adam Luft och hade ett torp sydväst om Visby, i ett platt men skogrikt landskap där flera älvstigar möttes. Adam klippte inte gräset runt huset eftersom naturen skulle hållas så orörd som möjligt.

»Stigarna leder ofta mellan hassel eller enbuskar«, sa han. »Där finns portarna till deras värld.«

Adam kunde sitta med korslagda ben och tala om älvorna i timmar. Han var speciellt intresserad av deras privatliv, vilket enligt honom var fritt och utan fördomar. Vendela var inte lika säker på det, och ibland när han pratade om sex mellan älvor och människor anade hon att det nog handlade mer om Adams önskedrömmar – men när han lämnade det ämnet sa han ofta kloka saker. Som det här:

»Det är viktigt att tänka i nya banor. När européerna första gången kom i kontakt med vita tussar av bomull under medeltiden hade de ingen aning om vad det var för material, eller var det kom ifrån. De gissade att bomull kom från små flygande får och lamm som byggde bon uppe i träden.«

Adam hade gjort en paus för att låta kursdeltagarna skratta färdigt.

»Så när dagens vetenskapsmän får höra om folk som har mött älvor«, fortsatte han med lyfta händer, »vad ska de tro? Hur ska de tolka det? Forskarna är, precis som nästan alla andra, hjälplösa inför det oförklarliga.«

Vendela tittade upp från sin bok. Hon lyssnade efter ljudet från en bil – tecken på att Max var hemma – men hörde ingenting. Så hon fortsatte skriva:

Folk har träffat på älvor i alla tider. På Island anses deras existens så självklar att man tar hänsyn till deras boplatser vid vägbyggen, och i Storbritannien finns det många som har haft nära kontakter med äl-

vorna. En av dem var den unga Annie Jeffries i Cornwall som brukade gå ut från sin by och sjunga för älvorna, och till slut fördes bort av dem i mitten av 1600-talet. Hon kom tillbaka till människornas värld efter några dagar, och hade då stora kunskaper i att bota sjuka och förutspå framtiden.

Allt det här hade Adam berättat för henne. För Vendela hade helgkursen hos honom varit en fantastisk upplevelse. Den lilla gruppen gjorde vandringar i vårlandskapet och satte sig och sjöng för älvorna när solen gick ner. Flera av deltagarna började efter ett tag se dem. En av de yngsta, en tjugoårig flicka från Stockholm som berättade att hon även arbetade som medium, såg älvor så ofta och tydligt att hon började känna igen dem och ge dem vackra namn, som Galadriel och Dunsany.

Vendela blev lite avundsjuk eftersom hon själv inte såg några, men kursen var ändå fantastisk. Landskapet på Gotland kändes tidlöst och stilla på samma sätt som det gjort på Island. Hon hade rest hem med en återfunnen tro på älvorna och en stark längtan efter att upptäcka dem på sin barndoms ö, Öland.

Och nu satt hon här i sitt stora hus, med en påbörjad bok. Hon skrev vidare:

För min egen del hade jag turen att växa upp på Öland, en ö som älvorna alltid tyckt om att vandra på. Kanske dras de till alvaret eller alla dungar med enbuskar som växer där.

Älvor är mycket förtjusta i enbuskar. Lyckligtvis var trakten där jag bodde full av stora täta enar, och därför mycket populär bland dem.

Vendela visste att hon ville bege sig tillbaka till älvastenen på andra sidan alvaret. Hon var nästan tvungen, men ville fortfarande inte berätta det för Max. Under tio år hade hon bara nämnt älvornas rike en enda gång, och då hade han skrattat högt och frågat om det gick charterresor dit.

Hon fortsatte skriva:

Men om vi vet var älvorna brukar hålla till, varför ser vi dem inte ständigt och jämt? Svaret är enkelt: älvorna rör sig inte i vår värld, utan i sin egen. Och porten mellan dessa världar är bara öppen när ögonblicket är det rätta. Om det är älvorna själva som kan öppna dessa

»dimensionsportar« eller om de bara utnyttjar dem vet vi inte, men helt sant är att det är i skymningen och gryningen på våren och sommaren som det är lättast att möta dem.

När solen gått ner och vinden stillnat blir gränserna mellan våra världar mindre tydliga. Alla möjligheter blir större. Då kan den som lämnat all oro och stress hemma och gått ut i naturen få uppleva hur reglerna för tiden och rummet ändras och portarna slås upp till andra världar. Då kan den som har ett öppet sinne få möta älvorna.

Det var i alla fall vad hon hoppades. Vendela visste förstås inte säkert när älvorna var lättast att möta, men i en handbok var det viktigt att inte låta tveksam. Det hade Max lärt henne.

Men det var svårt att vara säker, och hon hade så många frågor. Ibland trodde hon att bara barn kunde få kontakt med älvorna, som de engelska flickorna som hade lyckats fotografera dem i Cottingley. I så fall var det för sent för hennes del, då fanns inget hopp.

Men Adam Luft hade sagt att det gick lättare att möta dem om man hade tro men saknade hopp. Då var man redo för dem. Och man kunde bara skymta dem i ögonvrån. Älvorna tyckte inte om när man stirrade rakt på dem, enligt Adam – de tålde inte våra intensiva blickar.

Vendela skrev vidare:

Älvorna är fjäderlätta varelser med svagt skimrande vingar, och de rör sig så lätt att de nästan tycks glida fram över marken. Men man kan se glittrande spår efter dem i gräset, om man letar noga.

Mest av allt utmärker sig älvorna genom sin hängivna karaktär. En älva som tar kontakt med dig, kära läsare, kommer för alltid att vara din följeslagare även om du inte ser honom. Kanske hör du honom bara, som ett lätt prasslande i gräset bakom dig.

Vendela slutade skriva och tittade upp från boken, bort mot de stora fönstren som vette ut mot det svarta stenbrottet. När hon mindes hur det hade prasslat i buskarna ute på alvaret kom hon att tänka på troll igen – själviska, brutala, våldsamma troll.

Hon ville inte tänka på dem, speciellt inte när hon var ensam.

19

På TISDAGEN I PÅSKVECKAN fick Gerlof två nya besökare – en far och en son som inte verkade tycka om varandra.

Efter att ha värmt och ätit lunchen satte han sig i stolen ute i trädgården för att läsa tidningen och lyssna på fåglarna, i fridfull väntan på att det skulle bli kväll.

Då fick han syn på en gråhårig man, klädd i en skrynklig rock, som kom gående ute på vägen med en cigarett i mungipan. En ung man, i alla fall jämfört med Gerlof – kanske var han i sjuttioårs-åldern, men inte helt frisk.

Mannen verkade vara vilse. Först stod han någon minut utanför grinden och rökte på cigaretten och såg sig om, innan han öppnade och gick in. Därefter blev han stående på gräsmattan och såg sig om igen, som om han inte mindes var han befann sig eller hur han kommit hit. Hans vänsterarm hängde rakt ner från axeln; den verkade vara förlamad.

Gerlof satt kvar utan att säga något. Han hade ingen större lust att få fler besök än hemtjänsten den här dagen.

Till slut kom mannen ändå fram till gräsplanen framför huset. Han fortsatte stirra på ett lite besynnerligt sätt omkring sig innan han hostade häftigt och fimpade cigaretten i gräsmattan. Sedan såg han rakt på Gerlof och sa lågt:

»Jerry Morner.«

Han hade en hes och skrovlig röst, med skånsk dialekt. Den lät härdad och erfaren.

»Jaha«, sa Gerlof, »du heter det?«

Mannen tog två steg närmare och satte sig tungt på besöksstolen.

»Jerry«, sa han.

»Då har vi liknande namn. Jag heter Gerlof.«

Jerry tog upp en ny cigarett, men höll den bara i handen och tittade på den. Gerlof såg att mannen besynnerligt nog hade två armbandsklockor på vänstra handleden, en i guld och en i stål. Bara en av dem visade svensk tid.

»Är allt väl?« sa Gerlof.

Mannen såg på honom med öppen mun, som om frågan var för komplicerad.

»Jerry«, sa han sedan.

»Jag förstår.«

Gerlof insåg att mannen framför honom var vilse på flera sätt, och ställde inga fler frågor. Det blev tyst i trädgården, men Jerry verkade trivas i sin stol.

»Jobbar du med något?« frågade Gerlof.

Han fick inget svar, så han fortsatte:

»Själv är jag pensionär. Jag har gjort mitt.«

»Jerry och Bremer«, sa Jerry.

Gerlof förstod inte nu heller, men Jerry log nöjt och tände cigaretten med en tändare målad som en amerikansk flagga.

»Jerry och Bremer?« sa Gerlof.

Mannen hostade igen, utan att svara på frågan.

»Pelle«, sa han.

»Pelle?«

Jerry nickade.

»Jaha«, sa Gerlof.

Det blev tyst.

»Jerry!«

Det var ett rop borta från vägen. En yngre man stod där, det var en av villaägarna borta vid stenbrottet.

Var det här sonen? Han drog upp Gerlofs grind och klev in.

»Jerry ... jag har letat efter dig.«

Jerry satt kvar orörlig framför Gerlof, som om han först inte kände igen mannen som ropade på honom. Sedan rätade han på ryggen.

»Pelle«, sa han igen.

»Du måste säga vart du går, Jerry«, sa den yngre mannen.

»Bremer«, sa Jerry och reste sig upp. Han såg orolig ut. »Bremer och Markus Lukas …«

Han började trava tillbaka mot grinden. Den yngre mannen dröjde sig kvar och nickade mot Gerlof. Då insåg Gerlof att han hade träffat honom tidigare, för många år sedan.

»Du är väl Ernst Adolfssons släkting«, sa han. »Per…?«

»Per Mörner.«

»Just det, jag minns dig«, sa Gerlof. »Du bodde ibland hos Ernst när du var liten.«

»Jag och min mor, ja«, sa mannen. »Vi bodde ganska mycket hos honom. Var du och han vänner?«

»Jovisst. Jag heter Gerlof.« Han nickade bort mot Jerry. »Är det där din far?«

»Jerry? Just det.«

»Han pratar inte så mycket.«

»Nej, han har en sorts dysfasi. Han fick en stroke förra året.«

»Jaha. Och varför har han två klockor på armen?«

»Ja, säg det«, sa Per och såg åt sidan. »Den ena visar amerikansk tid … Jerry har alltid gillat USA.«

»Vilka är Bremer och Markus Lukas då?«

»Pratade han om dem?« Per såg bort mot sin far och fortsatte: »Hans Bremer, det var hans kompanjon. Och Markus Lukas, det vet jag inte riktigt …« Han tystnade och tog fram ett visitkort ur plånboken. »Jag måste nog få hem honom… Här är mitt mobilnummer, om han dyker upp här någon mer gång.«

Han började gå, men stannade när Gerlof frågade:

»Så ni ska bo här nu?«

Per nickade.

»I alla fall jag själv … och mina barn. Jag ärvde Ernsts stuga förra året.«

»Bra. Ta hand om den.«

Per nickade igen och gick ikapp sin far, som hade stannat vid grinden.

»Kom nu, Jerry.«

Gerlof såg dem gå ut och försvinna bakom stenmuren, en far och hans son som bestämt var lite trötta på varandra.

Det var underligt med folk och deras barn. De stod nära varandra, men relationen var ofta spänd.

Den äldre mannen hade påmint Gerlof om några av de mer senila gästerna på äldreboendet, som var lika omöjliga att föra ett samtal med över kaffet som med svårt berusade personer. De levde mest i sina egna minnen och gjorde bara korta besök i den verkliga världen. Men då och då kom det oväntade saker ur dem. Tankar, historier och ibland skamlösa bekännelser.

Två dyra klockor på armen ...

Han undrade hur Jerry Morner hade tjänat sina pengar.

20

NÄR PER VAR LITEN hade han tyckt om att se solen gå ner i Kalmar sund, och på tisdagskvällen ställde han sig en stund vid fönstret. Han hade placerat Jerry framför teven och snart skulle han ringa Nilla och bestämma en tid för att hämta henne, men först ville han se solnedgången.

Klockan var strax efter åtta. Solskivan hade mist sin värme långt tidigare på kvällen, men den bländade fortfarande där den hängde över vattenlinjen i väster, skarp och gul. Det var först när den sänkt sig ner till hälften bakom horisonten som den miste all lyskraft och färgade de spridda molnen över fastlandet mörkröda som blodådror.

Sedan var den plötsligt borta. Himlen i väster fortsatte lysa, som om en stor eld brann under den, men mörkret sänkte sig snabbt över stranden och stenbrottet.

Per lutade sig fram mot fönstret och studerade de täta skuggorna därnere. Han tänkte på den förstörda trappan. Det var kanske inbillning – men han tyckte att några av skuggorna kröp och slingrade sig runt högarna med skrotsten.

Polisen hade inte hört av sig efter det första förhöret, och Per hade inte ringt dem. På onsdagsmorgonen åkte han in till Kalmar för att hämta Nilla. I kafeterian på sjukhuset låg en kvällstidning från gårdagen. Han bläddrade snabbt igenom den och hittade en kort nyhetstext:

MAN SAKNAS EFTER VILLABRAND

En man saknas efter en häftig brand som startade på söndagskväl-
len i en större villa i skogen utanför byn Ryd, 60 km söder om
Växjö.

När brandkår och polis kallades till platsen vid 18-tiden var
trävillan helt övertänd och brandmännen fick inrikta sig på att
elden inte skulle spridas. Släckningsarbetet fortsatte fram till
midnatt.

Villan totalförstördes och det var vid denna tidnings pressläggg-
ning oklart om någon förolyckats i eldsvådan. Fastighetsägaren
lyckades ta sig ut ur villan och är hörd av polisen, men har inte
kunnat ange någon orsak till branden.

Ett vittne har uppgett att minst en person observerades inne i
det brinnande huset. En anställd till ägaren som använde huset
både för övernattning och som kontorslokal saknas fortfarande,
och polisen befarar att han kan ha brunnit inne.

Så snart det är möjligt ska polisens tekniker gå igenom resterna
av fastigheten för att se om någon kan ha befunnit sig i den, och
vad som orsakat branden.

Per slog ihop tidningen. »Fastighetsägaren«, det var hans far, och
»den saknade anställde« måste ha varit Hans Bremer. Själv var han
bara »ett vittne«, vilket kändes lugnare. Om och när tidningarna fick
reda på att det var Jerry Morner som ägde villan kanske de skulle
skriva mer.

Än fanns inga svar, men de skulle nog komma.

Han fortsatte bort till sjukhushissen.

Nilla hade tagit på sig ytterkläderna och väntade på honom i dag-
rummet på avdelningen. Hon hade borstat håret och log mot honom,
men såg ännu magrare ut nu. Hennes axlar var smala och beniga när
han böjde sig fram och kramade henne.

»Har det gått bra?«

Hon nickade.

»De sa att de är klara nu. Mamma var inne och pratade med läka-
ren i morse, innan hon åkte.«

»Bra, då ska jag ringa henne ... Ska vi åka till Öland nu? Jesper
väntar på dig, och Jerry är också där.«

»Jerry?«

»Just det ... din farfar.«

Nilla blinkade.

»Varför då?«

»Han ska fira påsk med oss.«

Nilla nickade, utan att fråga mer.

»Men jag måste ha den där«, sa hon. »Får vi plats med den?«

Det stod en hopfälld rullstol längre bort i korridoren.

Per tittade på den. Rullstolen gjorde honom kall – varför behövde Nilla den just nu? Han ville fråga någon, men inga läkare syntes till.

»Visst«, sa han, »den får nog plats i bakluckan.«

De kom till stenbrottet en knapp timme senare.

»Kommer du ihåg stugan?« sa Per när han svängde in på grusplanen.

Nilla nickade.

»Du sa att du skulle måla den förra sommaren ... Har du gjort det?«

»Jag har inte hunnit.«

»Och snickrat?«

»Jo, när jag får tid«, sa Per snabbt. »Vi ska bygga på en stentrappa också. Men i kväll ska vi på fest.«

»Vadå för fest?« sa Nilla.

»En grannfest.«

Per klev snabbt ur bilen för att slippa fler frågor. Sedan hjälpte han Nilla ut på gruset och fram till dörren.

»Jag kan gå själv«, sa hon, men höll ändå fast i hans arm när de gick in i hallen och fortsatte in i ett litet sovrum.

»Här är ditt rum«, sa han, »städat och nyvädrat.«

Nilla satte sig försiktigt på sängen och Per gick för att hämta hennes packning, och rullstolen.

Jesper satt vid datorn inne på sitt rum, men Per kunde inte hitta Jerry.

Han gick ut i solskenet på altanen. Där satt hans far hopsjunken i en av stolarna, med en solhatt över pannan och slutna ögon. Portföljen låg som en gammal brun hund vid hans fötter.

»Hej, Jerry.« Per satte sig framför honom, och la tidningen i hans knä. »Läs det här.«

Men Jerry tittade inte ner på tidningen, han tittade på något bakom Pers axel.

Per vred på huvudet och såg att Nilla stod i dörröppningen. Hennes armar hängde trött längs sidorna, men hon log mot Jerry.

»Hej, farfar«, sa hon. »Hur mår du?«

Jerry nickade bara. Han lyfte sakta en hand mot henne och harklade sig.

»Hej«, sa han kort.

Per höll andan. Hans första instinkt var att på något sätt skydda sin dotter från Jerry, men det behövdes knappast.

»Farfar pratar inte så mycket«, sa han till Nilla. »Jag kommer in snart ... vi ska äta.«

Nilla nickade, och gick tillbaka in i huset.

Per lutade sig fram och pekade på tidningsnotisen.

»Jerry, det verkar som om Hans Bremer var i huset. Han saknas fortfarande, enligt polisen.«

Hans far lyssnade, men reagerade inte.

»Bremer«, sa han bara.

Sedan drog han upp skjortan och visade det stora plåstret på magen. Per behövde inte titta, han skakade bara på huvudet.

»Jerry, varför skulle Bremer vilja skada dig?«

Jerry kämpade med munnen för att hitta ord, till slut kom det ett: »Rädd«, sa han.

Per nickade bara. Han ville inte lämna sin far, men undrade om det var en bra idé att ta med honom till grannarna.

21

DE SKULLE HA FEST NU. Vissa hade grannfejder, men familjerna vid stenbrottet hade en grannfest – tack vare Vendela Larsson. De behövde inte tacka henne, men utan henne hade den faktiskt inte blivit av.

Vid sextiden stod hon ute på den stora verandan och dukade det långa festbordet med vinglas och tallrikar. Borta i väster ovanför Kalmar sund glödde solen i gult och rött, som en falnande eld. Om ett par timmar skulle den vara borta. Vendela visste att det skulle bli en kall kväll på verandan och bestämde sig för att bära ut tjocka filtar som alla skulle kunna svepa om sig. Dessutom fanns ju alltid infravärmen att slå på.

Max hade kommit ut ur arbetsrummet efter arbetsdagen, klädd i badrock och på väg mot bastun. Han gick med nakna fötter och raska steg över stengolvet i stora rummet, men stannade till i verandadörren.

»Har det gått bra?« frågade hon.

»Rätt bra«, sa Max, »början är nästan klar nu ... du får titta på den snart.«

»Gärna«, sa Vendela som själv hade skrivit utkastet till en inledning och lämnat till honom kvällen innan.

»Och sedan blir det ju mest recept och bilder«, sa Max. »Vi ska nog få ihop det här.«

Han var alltid mer harmonisk när han hade fått vara ifred vid skrivbordet några timmar, speciellt när han fick basta efteråt.

»Inte för hett, Max«, ropade hon när han gick in i bastun. »Tänk på hjärtat!«

Själv hade Vendela mest stått i köket den här dagen. Nu fanns olika sorters kött- och ostpajer på eftervärmning i ugnen och verandabordet var dukat.

Vid halv sju var allting klart. Max var nybastad och omklädd, och hon lyckades få honom att bära ut alla stolar de hade till verandan och tända glaslyktorna med värmeljus på bordet. Sedan hade hon skickat iväg honom för att hämta den gamle sjökaptenen på andra sidan vägen.

Han kom tillbaka efter en kvart med Gerlof Davidsson i en rullstol. Gerlof var klädd i smoking – den var blank och såg femtio år gammal ut, minst. Bredvid honom gick John Hagman, klädd i svart kostym med bruna skyddslappar på armbågarna.

Max rullade fram rullstolen på stengången, men när Vendela öppnade dörren reste sig Gerlof långsamt och gick med rak rygg över tröskeln. Stående var han nästan huvudet längre än Max, tänkte Vendela.

»Jag kan gå. Då och då«, sa Gerlof. Sedan lämnade han över ett litet paket till Vendela. »Varsågod, jag snodde ihop den här själv i morse.«

»Oj, tack.«

Vendela öppnade paketet och kände en skarp doft av tjära. Innehållet var en bit brunt tågvirke, sinnrikt knutet som en liten matta.

»Det är en valknop«, sa Gerlof. »Den ger lycka och tur i huset.«

Vendela blev lite yr av tjärdoften, nästan som om hon ätit starka tabletter – men log mot Gerlof.

De andra grannarna var ganska punktliga. Det unga vackra paret Kurdin kom först, en minut över sju, med sin baby sovande i barnvagn. Christer Kurdin log mot Vendela och tyckte att de hade ett fint hus – han verkade lite trevligare än sin långa och iskalla fru, som var klädd i en mörkgrå linnedress. Marie Kurdin nickade bara snabbt mot festens värdinna, och fortsatte med höjd haka rakt fram över stengolvet.

Familjen Mörner kom fem minuter senare från sin lilla stuga; pappan Per och de två tonårstvillingarna. Dottern, Nilla, höll i sin bror Jespers arm. Hon var liten och blek och tog mycket korta steg. Vendela log men blev ändå orolig. Var hon anorektiker?

När Per Mörner sträckte fram handen mot Max såg Vendela att hennes man stelnade till. De hade inte träffats sedan mötet på parkeringsplatsen i fredags.

Ingen av männen log.

»Är allt lugnt?« sa Per.

»Visst«, sa Max och skakade snabbt hand med honom och nickade mot sonen, för att visa att han inte var farlig.

Mörners hade en fjärde person med sig som Vendela inte sett förut, en äldre man med böjd rygg och grått bakåtkammat hår. Han snubblade till när han gick över tröskeln och Per Mörner grep snabbt tag i honom. Sedan nickade han mot värdparet.

»Det här är min far, Jerry Morner.«

Jerry hade trötta ögon som stirrade slött ner på Vendelas kropp när han skakade hand – han sa inte ett ord och verkade inte riktigt närvarande. Under den andra armen höll han en gammal portfölj.

Efter det travade han bara rakt genom hallen och ut på det nystädade golvet, utan att ta av sig skorna eller rocken. Vendela bet ihop käkarna men sa ingenting. Hon skyndade bara ut i köket för att hämta de sista pajerna.

Max gick bort till drinkbordet framför panoramafönstren och bjöd på whisky och dry martini, eller juice.

Konversationen mellan värden och gästerna kom sakta men säkert igång, och mest handlade den om jämförelser mellan de olika husen. Det var männen som pratade, speciellt Max och Christer Kurdin som jämförde sina nybyggda villor. Båda ville vara värst, Vendela hörde deras röster flätas in i varandra:

»Jo, jag har sett att ni har mycket glas, men våra stenväggar blir nog svalare på högsommaren ...«

»Suterräng? Ja, det ger ju större ytor ...«

»Perstorpsskivornas tid är förbi, de tillhörde folkhemmet ...«

»Harmoniska proportioner är viktigt, inte bara planlösningen ...«

Efter tio eller femton minuter bar Vendela ut de sista matfaten, och Max föste ut alla gäster på verandan. I väster svävade solen över fastlandets svarta linje, som en målning i rött och gult. Havet låg blankt och mörkblått.

Max knäppte på infravärmen, och metalltuberna som hängde runt verandan började glöda svagt. Den kalla kvällsluften blev nästan sommarvarm.

»Har alla kommit?« sa han och såg sig omkring på verandadäcket.

»Jag tror det«, sa Vendela.

Max nickade, klingade i sitt vinglas och höjde rösten:

»Slå er ner! Sätt er var ni vill!«

Sorlet tystnade, alla började sätta sig och Max log mot dem.

Vendela såg att han nu hade glidit in i rollen som festvärd. Som estradör. Han stortrivdes i den rollen – det var hans säkerhet när han stod i centrum för allas blickar som hon hade fallit för en gång i tiden.

»Känn er välkomna, allihop.« Max höjde sitt vinglas över bordet och fortsatte: »Min kära fru och jag själv har stått i köket hela dagen, och många recept är hämtade från min kommande kokbok ... så vi hoppas att det ska smaka!«

22

GERLOF HADE BESTÄMT SIG för att hålla distansen till sina nya grannar, men efter ett par glas whisky var det faktiskt ganska trevligt på deras stora träveranda.

De hade flyttat ut en läderfåtölj och placerat honom som en patriark vid ena änden av bordet. Den lilla värdinnan Vendela Larsson hade lagt en pläd över benen på honom och han behövde inte sträcka sig efter någonting – alla räckte över mat och dryck hela tiden. Han satt bekvämt tillbakalutad bredvid John på de inoljade plankorna.

Två stora glas whisky var egentligen ett för mycket för honom, och han hoppades att någon skulle erbjuda sig att skjutsa honom hem i rullstolen – helst inte för sent. Klockan var redan halv nio och han började bli sömnig av spriten, men ingen tycktes ha bråttom att äta upp. De hade inte ens nått efterrätten.

»Så, Gerlof ... jobbade du och John med stenen härnere?« sa Per Mörner och nickade bort mot det svarta stenbrottet.

»Bara på somrarna när vi var små«, sa Gerlof.

»Innan vi gick till sjöss«, sa John.

»Var ni stenhuggare?« sa värden, Max Larsson.

Gerlof skakade på huvudet.

»Vi var för klena.«

»Jaså? Var det ett tufft jobb?«

Gerlof var tyst. Han funderade på om de här familjerna från fastlandet förstod att stenbrottet var en gammal arbetsplats – eller om de bara såg det som något slags konstverk, byggt för deras nöje ovanför stranden, med charmiga stenhögar här och där och små dammar av regnvatten som de kunde bada i.

Han visste att de aldrig skulle förstå vilket slit som hade krävts för att vinna kampen mot berget, att dag efter dag hugga loss kalkstenen med bara spett och släggor och stämjärn som redskap. Hans vän Ernst hade sagt en gång att han under sina fyrtio år i berget måste ha hackat loss mer än femtio tusen meter kantsten: till trappor, vägar och trottoarer i städerna runt Östersjön.

Och så gravstenar. Gravsten till kyrkogårdarna hade det förstås alltid funnits behov av, även i dåliga tider.

»Nä, stenarbetare blev vi aldrig.« Gerlof såg på John. »Men vi var duktiga springpojkar, minns du det? Vi hämtade verktyg och städade näcken och sådant.«

»Näcken?« sa Per.

»Boden där arbetarna tog rast kallades för det.«

Det slog Gerlof att han och John kanske var de sista här i byn som mindes det namnet. Stenhuggarna var ju borta.

Gerlof tog en klunk whisky och fortsatte:

»Förr trodde man att trollen bodde nere i stenbrottet, men jag stötte på en helt annan varelse här när jag var liten ...«

Han såg att Johns axlar sjönk ihop, han hade hört den här historien många gånger förr. Men han fortsatte ändå berätta:

»När jag var åtta eller nio år hittade jag en trana härnere, en kväll när alla stenhuggarna hade gått hem. En unge som låg i gruset. Jag vet inte var den kom ifrån, men den var för liten för att flyga och inga föräldrar syntes till. Kanske hade räven tagit dem ... Så jag bar hem ungen till vårt uthus och la den på lite hö och började mata den med gammal potatis. Och när den hade vuxit till sig släppte jag ut den – men då vägrade den flyga sin väg. Den hade präglats på mig.« Gerlof log för sig själv. »Tranungen följde efter mig hela sommaren, som en hund på två ben. Och om jag blev trött på den och försökte smita iväg så flög den upp och cirklade över byn tills den hittade mig igen ... Så jag hade en trana som husdjur en hel sommar, innan hösten kom och den flög söderut ihop med de andra.«

Alla vid bordet log åt historien.

»Och när ni gick till sjöss«, sa Per, »var det på heltid?«

»Nä, på vintern frös skutorna fast nere i hamnen, så då fick vi ledigt«, sa Gerlof. »I december gick man i land och tog det ganska lugnt i några månader, när sjön var vit. Man gjorde lite reparationer på sin skuta, kollade motorn och lagade seglen. Resten av tiden satt man och väntade på våren med de andra skepparna.«

Han såg bort mot det tomma stenbrottet och fortsatte:

»Men kalkstenen fortsatte förstås att huggas vintern igenom, och den samlades på hög vid hamnen. Tusentals ton. Sedan kom vårsolen, isen släppte ute i sundet och det var dags att börja segla igen.«

»Ut på havet i vårvindarna«, sa Marie Kurdin. »Det måste ha varit en härlig känsla.«

Gerlof skakade på huvudet.

»Så romantiskt var det inte.«

»Var det mycket olyckor?« sa Per. »Grundstötningar och sånt?«

»Inte för oss«, sa John. »Vi gick aldrig på grund.«

»Nej, inte på trettio år«, sa Gerlof. »En av våra skutor sjönk i en eldsvåda, men på grund gick vi aldrig. ... Men det var ett hårt jobb på sjön, hårt och ensamt. Jag försökte ta med hustrun och mina döttrar ibland på sommarlovet, men oftast var jag och John ensamma på skutan, dag efter dag. Familjen fick vara hemma.«

Han tittade åt sidan, ut mot stenbrottet, och tänkte på sin döda fru.

Han trodde självklart inte på troll. Men vad var det för besökare Ella hade haft när han själv var ute på sjön?

23

VENDELA HADE DRUCKIT ETT PAR GLAS VIN och till slut börjat slappna av på sin egen fest, när hon plötsligt hörde en hög röst från andra sidan bordet. Den var nog också påverkad av vin, och lät extra orubblig:

»Nä, jag betalar inte skatt i Sverige«, sa Max. »Mitt bolag är inte registrerat här, det skulle bli för dyrt ... Dessutom tror jag inte på det svenska skattesystemet. Det trycker bara ner folk.«

Max log över bordet, men Vendela kände sig tvungen att släta över hans åsikter.

»Du betalar visst skatt här, Max.«

Han såg på henne och slutade le.

»När jag måste, ja. Men så lite som möjligt.«

Sedan höjde han vinglaset, som om alla vid bordet var med i samma ekonomiska klubb, ända tills en lika hög röst hördes över bordet:

»Jag betalar gärna skatt.«

Det var Christer Kurdin som pratade.

»Jaså?« sa Max. »Hur tjänar du dina pengar då?«

»Nätsäkerhet«, sa Kurdin kort.

Även han hade druckit en hel del vin, han hade en nästan tom flaska vit bordeaux bredvid sin tallrik, och nu såg han med ganska dimmiga ögon på Max.

»Jag är så trött på er«, fortsatte han.

»Förlåt?« sa Max.

»Alla skattesmitare ... Jag är så trött på allt fifflande.«

Max sänkte sitt glas.

»Jag är inte någon fiff…«

»Du åker ju på vägarna i Sverige«, avbröt Christer Kurdin.

»Hurså?«

»Du körde väl över Ölandsbron när du kom hit?«

Max rynkade pannan.

»Vad har det med något att göra?«

»Det är ju våra skattepengar som har betalat bron«, sa Christer.

»Och vägarna. Och allt annat som vi använder ihop. Skolorna. Sjuk-
husen. Pensionerna …«

»Pensionen?« sa Max. »Pensionerna är ju ett skämt i det här landet.
Sjukvården också.«

»Sjukvården är inget skämt«, sa någon längre bort vid bordet. »De
som jobbar där gör ett fantastiskt arbete.«

Vendela såg att det var Per Mörner.

»Precis, vi får mycket vård för pengarna«, sa Christer. Han såg på
Max och fortsatte »Om allt är så illa i Sverige, varför bor du kvar
här?«

Max stirrade tyst på sin granne, som om han begrundade vilken
sorts människor han egentligen hade hamnat ihop med här på ön.

»Sommaren gör det värt det«, sa han och tömde sitt glas.

»Vill ni ha mer vin?« frågade Vendela.

Hon fick inget svar, ingen verkade höra henne, men hon drack
själv en klunk till och lyssnade till sorlet. Om man slöt ögonen
kunde det nästan vara musik, en rad solosångare runt bordet.

För ett ögonblick tyckte hon att hon kände en märklig lukt från
alvaret, en bränd lukt av gummi eller svavel, men det var nog inbill-
ning. Det var mörkt därute nu. Det var mörkt överallt. Bara verandan
var upplyst av ljus.

Att sitta ovanför stenbrottet den här kvällen var som att sitta vid
kanten av en kolsvart krater. En slumrande vulkan.

Plötsligt hörde hon en hög mansröst fråga från andra sidan bor-
det:

»Är det någon av er nyinflyttade som känner till norra Öland?
Någon som har bott här förut?«

Det var den unge grannen igen, Kurdin. Han höll sitt vinglas i handen och såg sig omkring längs bordet, som om han inte menade något illa med frågan. Självklart menade han inget illa, han såg bara nyfiken ut.

»Vendela kommer härifrån«, sa Max kort.

Alla samtal tystnade inte vid bordet, men flera ansikten vreds mot henne. Hon kunde bara nicka.

»Jag bodde här som liten.«

»Här i byn?« sa Marie Kurdin.

»Nordost om den … Vi hade en liten bondgård.«

»Det låter mysigt. Med kor och gäss och katter?«

»Bara höns … plus några kor«, sa Vendela. »Jag skötte om dem.«

»Så mysigt«, sa Marie Kurdin igen. »Dagens barn borde också få ta hand om djur på landet.«

Vendela nickade. Hon ville inte tänka på de tre Rosorna. Så mycket frustration, så mycket längtan bort. Var kom den ifrån?

Nu var Rosa, Rosa och Rosa döda sedan länge. Alla hon känt här på ön var döda.

Hon drack en klunk vin till.

Gerlof Davidsson satt orörlig snett mittemot henne vid bordet. Han log och verkade trivas och Vendela lutade sig lite närmare honom och sa lågt:

»Min far var stenhuggare här, han hette Henry. Kände du honom, Gerlof?«

Han tittade vänligt på henne, men verkade inte ha hört henne. Hon höjde rösten:

»Kände du Henry Fors, Gerlof?«

Nu hörde han. Men namnet fick honom att sluta le.

»Henry Fors känner jag till … han var ju en av de sista som jobbade kvar nere i brottet. Väldigt duktig på stenslipning. Var ni släkt?«

»Det var min far.«

Gerlof såg bister ut, eller kanske sorgsen.

»Jaså. Jag beklagar …«

Vendela förstod vad han talade om och slog ner blicken.

»Det var längesedan.«

»Jag brukade se Henry komma cyklande på morgnarna«, sa Gerlof. »Ibland sjöng han så det dånade över alvaret.«

Vendela nickade och sa:

»Han sjöng hemma också.«

»Henry blev väl änkeman ganska tidigt, eller hur?«

Hon nickade igen.

»Mamma dog några år efter att jag föddes. Jag minns henne inte … men jag tror att pappa saknade henne hela livet.«

»Fick du gå med till brottet någon gång?«

»Bara en gång. Det var farligt där, sa pappa. Kvinnor och barn skulle inte vara i stenbrottet, det betydde otur.«

»De var lite vidskepliga«, sa Gerlof. »De såg olika tecken i stenen och trodde på spöken och troll. Speciellt trollen ställde till med mycket elände för stenhuggarna. De stal deras släggor och hammare och gömde dem i berget, eller trollade bort dem … men det var förstås lättare att skylla på sagoväsen än på kollegorna.«

»De stal av varann, menar du?«

»Nej«, sa Gerlof och log mot henne. »Det var säkert trollen.«

»Troll«, sa en röst bredvid dem.

Det var den andre gamle mannen vid bordet, Per Mörners far.

Vendela mindes inte hans namn. Billy eller Barry eller Jerry? Han hade suttit försjunken i egna tankar med en cigarett mellan de gulnade fingrarna, men nu tittade han upp och såg sig om, med oro i blicken.

»Markus Lukas«, sa han. »Markus Lukas är sjuk.«

24

KLOCKAN VAR HALV ELVA och Per satt i skuggorna på grannveran-dan och lyssnade på sin fars väsande andetag. Han lät värre än vanligt i kväll – som en man som inte hade långt kvar att leva, men som tänkte roa sig ända till slutet.

Jerry verkade faktiskt trivas på grannfesten. Ibland sjönk han in i sig själv och stirrade ner på sin förlamade arm. Sedan ryckte han upp sig och lyfte vinglaset. Ibland såg han skrämd ut, ibland log han för sig själv. Han tycktes redan ha glömt bort att hans affärspartner Hans Bremer saknades och att hela deras filmstudio – hela Morner Art, egentligen – hade gått upp i rök tre dagar tidigare.

Faderns hesa hostningar hade hörts över bordet hela kvällen, men hans leenden blev fler ju mer vin han drack. Han hade hällt i sig fyra eller kanske fem glas sedan middagen började, trodde Per, han var berusad men det borde inte vara någon fara för familjefriden. Jerry hade varit full förr, oftast på restauranger.

Det var kolmörkt utanför verandan nu, tjocka moln täckte kvälls-himlen. Per kände en kall beröring på kinden och insåg att det hade börjat duggregna.

Snart var det dags att gå inomhus, var och en till sig.

Nilla sov nog redan borta i stugan. Per vred på huvudet, och såg bara ett ensamt ljus i vardagsrummet. Han hade kört hem henne i rullstolen efter att hon hade varit med någon timme vid bordet – hon hade viskat till Per att hon inte orkade sitta kvar längre. Hade hon ätit något av all maten? Han var inte säker på det.

Jesper hade varit med någon timme längre, innan han också gick tillbaka till Casa Mörner, förhoppningsvis för att lägga sig tidigt.

Per skulle också gå snart och ta med sig Jerry. Han hade träffat grannarna nu, de verkade vara hyggliga och pålitliga människor men han hade ingen lust att bli närmare vän med dem. Det var bara att jämföra hans egen barack med deras nybyggda villor för att inse hur olika de var.

Plötsligt kom en fråga tvärsöver bordet:

»Vad jobbar du med då, Jerry?«

Det var Max Larsson som hade ställt den.

Jerry ställde ner sitt vinglas och skakade på huvudet. Han hittade ett enda ord:

»Ledig.«

»Okej, men vad gör du när du inte sitter här då?«

Jerry tittade förvirrat på sin son. Per lutade sig fram.

»Jerry är bara pensionär nu … Han drev egen firma i många år, men han har trappat ner de senaste åren.«

Max nickade, men gav sig inte.

»Och vad var det för sorts firma, då? Jerry Morner … jag har suttit och funderat, och jag tycker att jag känner igen namnet.«

»Media«, sa Per snabbt. »Jerry jobbade med media. Det gör jag också.«

»Jaha«, sa Max och verkade plötsligt mer intresserad. »Är du på teve, då?«

»Nej … jag jobbar med marknadsundersökningar.«

»Jaså«, sa Max och såg besviken ut.

»Jag joggar en del också«, sa Per och såg sig om runt bordet, »fast det är ju mer en hobby. Är det någon annan som gör det?«

»Jag springer«, sa en röst i dunklet. »Jag har gjort det i många år.«

Det var värdinnan, Vendela. Hon hade stora vackra ögon.

»Bra«, sa Per och log mot henne.

Han ville börja runda av nu och tacka och gå hem från det här enorma huset – men i samma stund rätade Jerry på ryggen och såg på Max Larsson. Hans blick var plötsligt helt klar och fokuserad, som om han mindes vem han var.

»Film!« sa han.

Max vred på huvudet.

»Förlåt?«

»Film och tidningar.«

»Jaså?«

Max skrattade lite osäkert, som om Jerry drev med honom – men Jerry såg irriterad ut över att inte bli tagen på allvar. Han höjde rösten och fortsatte:

»Jag och Bremer och Markus Lukas … filmer och tidningar. Brudar!«

Det hade blivit helt tyst runt bordet nu, det sista ordet hade fått alla gäster att tystna och vrida sina huvuden mot Jerry. Det var bara Per som inte ville höja blicken.

Jerry själv verkade mycket nöjd med uppmärksamheten, nästan stolt, och han pekade snett över bordet med ett stadigt finger som Per visste att han inte kunde fly undan.

»Fråga Pelle!«

Per såg rakt fram och försökte se ut som om han inte lyssnade, som om Jerry inte var värd att lyssna på. Till slut tittade han på fadern, men då var det för sent.

Jerry hade redan fått upp sin gamla portfölj från golvet – den hade han vägrat lämna hemma. Nu knäppte han snabbt upp spännena och drog upp något. Det var en kolorerad tidning, såg Per, med tjockt blankt papper.

Hans far släppte den mitt på bordet och log stolt.

Titeln på omslaget stod skrivet i rött: BABYLON. Under namnet sträckte en naken kvinna ut sig i en soffa, leende och med särade ben.

Per reste sig. Tidningen verkade ligga kvar en evighet på bordet innan han kunde luta sig fram och plocka bort den. Men alla hade förstås sett den innan dess – han såg Vendela Larsson luta sig fram och storögt studera bilden.

Samtidigt hördes hans fars röst över hela verandan:

»Brudar! Nakna brudar!«

25

PÅ MORGONEN EFTER GRANNFESTEN ville Per inte vakna, men gjorde det ändå. Klockan var kvart i nio. Han låg kvar och blinkade mot taket.

Det var skärtorsdag. Påskhelgen var nära, eller hade den börjat redan? Och hur skulle den firas, när allting var som det var?

Den fick väl firas så gott det gick, precis som han hade lovat Nilla. Med ägg – hönsägg och chokladägg.

Sedan mindes Per att hans far var i huset, och vad som hänt på festen kvällen innan.

Jerrys hesa skratt. Vendela Larssons nervösa leenden mot gästerna. Och sedan porrtidningen mitt på bordet.

Allt var tyst i stugan, men i hans bultande huvud ekade röster och rop. Han hade druckit för mycket rödvin i går, han var inte van vid det. Efter att Jerry hade visat sin tidning hade Per druckit tre eller fyra glas till, innan far och son till slut tackade för sig och tog sig hem.

»Markus Lukas«, hade Jerry sagt flera gånger.

Det namnet och minnet av Vendelas leende fick Per att tänka på Regina, som han hade träffat en solig och varm vårdag för många år sedan.

Hon hade också haft ett snabbt och lite nervöst leende, och ett par stora blå ögon inramade av kort brunt hår och höga fräkniga kinder.

Hade Regina varit hans första stora kärlek? Hon hade i alla fall verkat mycket mer spännande än alla flickor i hans skola. Äldre, mer världsvan. De hade suttit bredvid varandra flera timmar i samma bil en dag när han var tretton år.

Att åka på en biltur om våren med en söt flicka borde ha varit lätt, men det var det inte för Per.

Regina hade suttit och sminkat sig i baksätet när Jerry och en kompis kom med Cadillacen för att hämta honom hos hans mamma Anita. För en gångs skull kom Jerry i tid. De skulle umgås hela påskhelgen, far och son.

Och hur gammal hade Regina varit? Flera år äldre än Per, kanske sexton eller sjutton. Hon hade skrattat mot honom och klappat honom på huvudet när han satte sig bredvid henne på det läderklädda baksätet, som om han bara var en liten pojke.

Det var Jerrys fel, så fort de hade satt sig i bilen kallade han Per för »min grabb«.

»Regina«, sa Jerry, blåste ut cigarrök och vände sina stora svarta glasögon mot baksätet för att röra vid flickans kind, »det här är min grabb ... Pelle.«

Per ville också röra vid en flickas kind, på samma orädda sätt som sin far.

»Jag heter Per«, sa han.

Regina skrattade och rufsade vita smala fingrar genom hans hår.

»Hur gammal är du, då, Per?«

»Femton«, ljög han.

Han kände sig vuxen här i Jerrys bil och blev bara modigare och modigare, han vågade le mot Regina och insåg att hon var den vackraste flicka han någonsin sett. Hennes snabba leende var vackert och han blev mer och mer förälskad. Han satt och tittade på henne i smyg, på hennes solbrända ben som försvann in under en kort kjol och på de smala händerna som stack ut ur hennes läderjacka. Fingrarna virvlade omkring som ivriga fjärilar när hon pratade med Jerry och med mannen som körde. Per såg bara bakhuvudet på mannen, han hade breda axlar och tjockt svart hår – men det var säkert en vän till Jerry. Hans far hade många vänner.

Så körde de, och Per satt bredvid Regina och kände hur hans ben och rygg växte – han tittade inte bakom sig för att se om Anita vinkade åt honom eller om hon hade gått in. Han hade redan glömt sin mamma, han satt bredvid Regina och de log mot varandra.

Bilen doftade cigarrer, som Jerrys bilar alltid gjorde.

De körde ut på landet och efteråt hade Per ingen aning om var de hade varit – bara att de hade kört och kört och till slut kommit fram till en grusväg omgiven av täta granar. En sydsvensk skog.

»Blir det bra här?« sa mannen bakom ratten.

»Visst«, sa Jerry och hostade. »Det blir toppen, Markus Lukas.«

Så stannade bilen mellan granarna.

»Pelle«, sa Jerry när de hade klivit ut, »nu ska jag, Regina och Markus Lukas gå upp en stund i skogen.« Han tog Pers axel i ett rejält grepp och såg allvarlig ut. »Men du ska få ett viktigt jobb härnere vid bilen: Du ska vara vakt och du ska få betalt för det. Det är det viktigaste med jobb, att man får *betalt*.«

Per nickade – det här var hans första arbete.

»Om nån kommer, då?«

Jerry tände en ny cigarr. Han gick bort och öppnade bakluckan.

»Säg att det är militärövning«, sa han och log. »Säg att det skjuts skarpt häruppe, så ingen får komma förbi.«

Per nickade och Jerry och Markus Lukas lastade på sig flera tygväskor över axlarna och gick iväg ihop med Regina, in bland granarna. Hans far vinkade mot honom.

»Vi ses snart. Då blir det picknick!«

Per var plötsligt ensam bredvid bilen. Vårsolen blänkte i den röda lacken, flugor surrade över gräset.

Han tog några steg längs vägen och såg sig om. Ingen syntes till, inga ljud hördes. När han lyssnade noga tyckte han att han hörde Reginas skratt i fjärran, en enda gång. Eller var det ett skrik?

Tiden började gå allt saktare. Skogen framför Per kändes mörk och tät. Han tyckte att han hörde Regina ropa, flera gånger.

Till slut hade han gått iväg från bilen. Han hade följt efter Jerry och de andra, utan att riktigt veta vart de hade tagit vägen.

En liten stig slingrade sig mellan granarna. Han följde den uppför en brant slänt, över ett krön bland mossklädda stenar och nerför en liten backe. Han ökade farten, gick några tiotal steg till – och hörde plötsligt mansröster, och Reginas rop. Hon skrek inne i skogen, högt och utdraget.

Per började springa.

Granarna vek undan och han rusade ut i en solig glänta.

»Släpp henne!« skrek han.

Solen lyste ner som en strålkastare i mitten av gläntan. Där låg Regina naken på en filt i gräset, och nu hade hon en lång blond peruk på sig. Hon var solbränd, såg Per, men hennes bröst var kritvita.

Mannen som kört bilen, Markus Lukas, var också naken. Han låg ovanpå henne.

Och Jerry, som stod bredvid dem med en stor kamera i händerna, hade heller inga kläder. Han knäppte hela tiden, det lät *klick klick klick.*

Regina ryckte till av Pers rop, hon såg på honom och vände sedan snabbt bort ansiktet.

Jerry sänkte kameran, han vred irriterat på nacken.

»Pelle, vafan gör du?« röt han. »Gå ner och vakta vägen – sköt ditt jobb!«

Per vände om och flydde genom skogen.

Tjugo minuter senare kom hans far och de två andra tillbaka till bilen, påklädda. Regina hade tagit av sig peruken nu.

Jerry skrattade åt sin son hela vägen hem.

»Han trodde att vi skulle döda henne.« Jerry hade vänt sig om mot baksätet: »Regina, han trodde vi höll på att mörda dig ute i skogen! Han skulle rädda dig!«

Per skrattade inte.

Han tittade på Regina, men hon vägrade möta hans blick.

Regina och Markus Lukas.

Per kom fortfarande ihåg de två namnen. Hans huvud var fyllt av gamla minnen och kändes mycket tungt den här morgonen. Han lyfte det och såg ut genom sovrumsfönstret, mot de två nya villorna. Inget rörde sig därborta, men Larssons veranda såg tom ut. Inga spår syntes av grannfesten.

Den hade tagit slut ganska snabbt efter att Jerry hade slängt upp tidningen på bordet. Paret Kurdin hade gått hem med sin baby, Gerlof Davidsson och John Hagman hade också rest sig, och Vendela Larsson hade börjat plocka in maten. Per kanske inbillade sig, men det kändes som om grannarna ville slippa hans och Jerrys sällskap så fort som möjligt.

Per visste ungefär vad som väntade nu. Grannarna hade inget sagt i går när han tackade dem och gick hem med Jerry, men han visste att frågorna skulle komma.

Nyfikenheten, den ständiga nyfikenheten. Och de menande leendena varje gång någon ny bekant fått veta att han var son till den ökände Jerry Morner:

– *Du då, Per, har du gjort porrfilm?*

– *Nej.*

– *Inte en enda gång?*

– *Jag har aldrig haft något att göra med det Jerry sysslar med.*

– *Aldrig?*

– *Nej. Aldrig.*

Han hade blivit bra på det som vuxen, att distansera sig och att bedyra att han inte var som sin far. Men varför hade han behållit kontakten med Jerry? Och varför hade han varit dum nog att ta med honom till Öland?

Per ville ligga kvar i sängen, men klev ändå upp. Han önskade att solens strålar inte var så skarpa den här morgonen. Han ville inte tänka på Regina mer.

Han ville inte tänka på grannarna heller.

Ingen annan i stugan verkade vara vaken. Tvillingarnas rumsdörrar var stängda, och när han gick ut i köket hörde han sin fars långa andetag i gästrummet. De var en blandning av snarkningar och väsningar.

Per hade hört dem varje gång han besökt sin far i den lilla lägenheten i Malmö som Jerry hyrt i mitten på sextiotalet, innan de riktigt stora pengarna börjat strömma in.

Ljuden var speciellt tydliga när han hade kvinnor hemma. Då låg Per på sin madrass framför teven och lyssnade på Jerrys väsningar från rummet intill, blandat med kvinnornas regelbundna stön och oregelbundna skrik eller gråtanfall. Han kunde aldrig somna de kvällar när Jerry fotograferade eller spelade in sina filmer, men han vågade inte gå upp och knacka på och störa sin far heller. Då skulle han bli utskälld, precis som den dagen ute i skogen.

Sovrummet hade varit Jerrys arbetsplats under vinterhalvåret, när det varit för kallt att jobba utomhus. Det var där han fotade och filmade, och där hade han sitt kontor också. Han hade köpt en vattensäng som fyllde halva rummet och förvarat firmans pengar i ett tjockt kuvert under den. Sängen var både hans kontor och hans lekstuga, han hade haft två telefoner bredvid den, plus en Facit räknemaskin, ett barskåp och en projektor som kunde visa film på den vita väggen.

Det ljuva livet, tänkte Per. *Men det är slut med det nu.*

Han knackade på dörren till gästrummet.

»Jerry?«

Snarkningarna tystnade därinne. Hostningar hördes i stället.

»Du får vakna nu, Jerry. Vi ska äta frukost.«

Per vände om, och såg en svart mobiltelefon ligga på bordet ute i hallen. Den var Jerrys. Han såg att den var påslagen, och att någon hade ringt vid sjutiden på morgonen. Då hade förstås alla i huset sovit.

Han lyfte upp mobilen för att se om han kände igen namnet på uppringaren, men det stod bara OKÄNT NUMMER på displayen.

Jerry kom ut med hasande steg på altanen en kvart senare i en vit morgonrock som han lånat av Per. Tvillingarna sov fortfarande, men det var lika bra – speciellt Nilla behövde vila. Dessutom ville Per prata med sin far utan att de tjuvlyssnade.

De nickade åt varandra i solskenet.

»Pelle?« sa Jerry och tittade på glaset framför sig.

»Nej, ingen sprit i dag«, sa Per. »Apelsinjuice.«

När fadern satte sig fick Per en snabb skymt av det vita bandaget över hans mage. Han hjälpte honom att bre smör på en skiva rostat bröd, och Jerry började äta i stora tuggor.

Per såg på honom.

»Du borde ha hållit dig lite lugnare i går, Jerry.«

Jerry blinkade.

»Du skulle inte ha berättat för mina grannar vad du sysslade med. Du skulle inte ha visat tidningen.«

Jerry ryckte på axlarna.

Per visste att hans far aldrig hade skämts för något. Inte Jerry, han tog bara för sig. Han hade älskat sitt jobb och haft skoj hela livet.

Per lutade sig fram över bordet.

»Jerry, minns du en flicka som hette Regina?«

»Regina?«

»Regina, som jobbade med dig i mitten på sextiotalet ... Hon hade blond peruk.«

Jerry pekade på sitt eget tunna hår och skakade på huvudet.

»Ja, jag vet att du gjorde om alla tjejer till blondiner ... Men kommer du ihåg Regina?«

Jerry tittade åt sidan, som om han funderade.

»Vad hände med henne?« sa Per. »Minns du det?«

Jerry var tyst.

»Blev väl en kärring«, sa han sedan, och började hosta.

Per lät honom hosta färdigt, innan han lyfte faderns mobil för att visa det missade samtalet.

»Jerry«, sa han, »du är eftersökt.«

26

Vendela vaknade vid åttatiden på skärtorsdagen med torr mun och täppt näsa. Det var nog inbillning – men när hon vinklade persiennen tyckte hon att luften utanför var gul av virvlande pollen den här morgonen.

Aloysius sov vid foten av sängen, och Max låg helt invirad i sitt täcke på andra halvan av dubbelsängen. Hans ansikte var bortvänt, men hon hörde att han snarkade tungt med öppen mun. Det var förstås vinet. Han hade tömt glas efter glas med rödvin i går kväll, trots pratet om att tänka på hjärtat och ta det lugnt med alkoholen.

Han skulle vara hängig när han vaknade, så hon lät honom sova en stund till.

Det här var sista dagen som bokfotografen skulle komma till ön, vilket betydde att hon måste laga mat och baka bröd inför fotosessionen på förmiddagen.

Hon vek täcket åt sidan, snöt sig så tyst hon kunde i en pappersnäsduk och gick upp.

När Max lufsade ut ur sovrummet i en sorgsen morgonrock en timme senare hade hon tagit en allergitablett och väntade på effekten. Hon hade också två olika sorters lantbröd på jäsning och stod och rörde ihop smält smör och rågmjöl till ytterligare ett. Ally hade ätit torrfodret med kycklingsmak i matskålen och lagt sig under köksbordet.

»Gomorron!« sa hon till Max.

»M-m.«

Han hällde upp en kopp kaffe från bryggaren och studerade hennes arbete.

»Du har börjat för tidigt med bröden«, sa han. »De ska se nygräddade ut, så att de ryker när jag skär upp dem.«

»Jag vet, men problemet är att de svalnar väldigt snabbt«, sa Vendela och torkade sig i pannan. »Men de här är bara tänkta som dekoration i bakgrunden … Jag ska göra några till när fotografen kommer.«

»Okej. Har du ätit frukost?«

Hon nickade ivrigt.

»En banan, tre skivor bröd med ost, och en yoghurt.«

Det var en liten lögn, hon hade bara druckit en kopp citronte.

»Fortsätt så«, sa Max.

Han vände om mot badrummet och låste in sig där.

Vendela såg bort mot ytterdörren och längtade ut på alvaret för att se om myntet var borta. Hon tog smöret som blivit över efter bakningen. Med hjälp av två teskedar började hon göra bollar av det.

Det gyllengula smöret såg bra ut på bild, men själv hade hon bara dåliga minnen av riktigt smör, hur gott det än var. Hon hade fått kärna fram det för hand som liten – Henry hade gjort vispar av björkgrenar och lärt sin dotter hur man gjorde smör av grädde. Åtta liter grädde gick åt för att få fram en bytta smör och vispandet hade rent ut sagt varit skitjobbigt, Vendela hade fått blåsor i händerna.

Har man smörlycka går det lättare, hade Henry sagt till henne, *då hjälper älvorna till med att göra smöret resten av ens liv. Men för att få smörlycka måste man ta av sig alla kläder en natt när det är fullmåne, och sedan gå ut och sätta sig på gödselstacken och kärna smöret där. Då är smöret på gården tryggat för all framtid.*

Vendela ställde in skålen med smörbollarna i kylen. Hon misstänkte att den som först hade kommit på smörlyckeritualen hade varit en gammal bonde som hoppats få se nakna pigor springa omkring på sin gård. Själv hade hon fortsatt kärna smör med alla kläder kvar på kroppen.

En timme senare dök den unge fotografen upp från Kalmar. Han togs emot på trappan av en leende Max som fått på sig den lantklädsel i grått, brunt och blått som Vendela valt ut åt honom. De båda männen försvann ut i köket för att diskutera bildmotiv och vinklar, och Vendela gick ut i solen och bort till byvägen för att hämta tidningen. Sommarstugornas brevlådor stod samlade i en lång rad, för att underlätta för brevbäraren.

När hon närmade sig dem såg hon en lång man komma gående i en grön täckjacka med en tidning under armen. Det var Per Mörner.

Vendela rätade på ryggen och började le automatiskt. På grannfesten i går hade det blivit en stunds förvånad tystnad när Jerry Morner lagt fram sin tidning, men den hade snabbt gått över.

Det var då hon hade känt igen honom, från olika intervjuer och tevereportage. På sjuttiotalet hade Jerry Morner synts ute i vimlet, på nattklubbar och lyxkrogar. Han hade varit en av de porrdirektörer som förde ut bilden av den svenska synden i världen, som fick amerikaner och européer att se Sverige som ett drömland där alla kvinnor hela tiden ville ha sex.

Innan dess, när Vendela var ung, var pornografi förbjudet och fick inte säljas. Sedan blev det tillåtet, men smutsigt. Men numera fanns inga moraliska regler – ena dagen skrev tidningarna om den hemska sexbranschen och den andra tipsade de om de bästa erotiska filmerna.

Hon nickade mot Per Mörner och tänkte gå förbi honom, men han stannade och fick henne att göra det också.

»Tack för i går«, sa han.

»Varsågod«, sa Vendela snabbt. Hon la till: »Nu känner vi grannar varann lite bättre.«

»Ja ... just det.«

Det blev tyst, sedan fortsatte Per:

»När det gäller det här som min far pratade om ...«

Vendela skrattade nervöst.

»Han var i alla fall ärlig.«

»Jo, och det var inga oärliga saker han sysslade med«, sa Per snabbt och tillade. »Men han har lagt av med allt det där nu.«

»Jaha.«

Det blev tyst. Vendela tänkte precis fråga hur Per kunde vara så säker på det, när köksfönstret öppnades borta i hennes hus.

»Vendela, vi är klara!«

Det var Max som ropade.

»Vi ska plåta brödet nu, kommer du?«

»En sekund!« ropade hon tillbaka.

Max gav henne och Per Mörner en snabb blick och nickade kort utan att säga något, sedan stängde han köksfönstret igen.

Vendela kände sig bedömd av sin man och tilldelad ett dåligt betyg i uppförande, men allt hon hade gjort vara att småprata med en granne.

I ett plötsligt trots vände hon sig mot Per.

»Så du joggar också?«

Han nickade.

»Ibland. Jag vill gärna göra det mer.«

»Vi kanske kan ut och springa ihop någon kväll?«

Per såg på henne, lite avvaktande.

»Okej«, sa han. »Om du vill.«

»Bra.«

Vendela tog farväl och gick tillbaka till villan. Bra, nu hade hon varit social, riktigt normal. Och så hade hon fått en löparkompis.

Hon skulle förstås inte springa med Per Mörner ända ut till älvastenen. Den platsen var bara hennes.

VENDELA OCH ÄLVORNA

VENDELA ÅTERSER ÄLVORNAS STEN när hon har slutat gå i by-skolan och börjar i den större folkskolan. Den ligger i Marnäs på andra sidan av ön, nästan fyra kilometer bort.

Det är lång väg att gå sex dagar i veckan, i alla fall för en nioåring, men Henry följer inte med en enda gång.

Allt han gör är att ta ut dottern till början av ängen där korna går och idisslar, under den stora himlen. Sedan pekar han österut, mot den trädlösa horisonten.

»Sikta mot älvastenen, när du kommer till den ser du kyrktornet i Marnäs«, säger han bara. »Skolhuset ligger på andra sidan kyrkan. Det är den kortaste vägen ... men blir det mycket snö i vinter får du ta landsvägen.«

Han lämnar över ett paket med smörgåsar till frukostrasten. Sedan går han själv iväg mot stenbrottet, gnolande på någon melodi.

Vendela går åt motsatt håll. Hon vandrar mot öster, rakt ut i det brunbrända gräset. Sommaren är över men dess torrhet finns kvar, och döda blommor och blad krasar under hennes skor när hon går mot kyrktornet. Hon är livrädd för huggormar, men under alla vandringar till och från skolan möter hon bara snälla djur; harar, rävar och rådjur.

Hon återser älvornas sten redan första dagen. Den ligger kvar i gräset, ensam och orubblig. Vendela går förbi den och fortsätter mot Marnäs kyrktorn.

Skolan börjar halv nio och klassen tas emot av rektor Eriksson som står framför svarta tavlan och ser sträng ut och klassföreståndaren fru Jansson som har håret i en knut och verkar ännu strängare. Hon håller upprop och läser varje namn med hög och hård röst. Sedan sätter hon sig vid tramporgeln för morgonandakt med psalmsång, och efter det börjar undervisningen.

Halv två är den första skoldagen slut, Vendela tycker att den har gått bra. Hon kände sig ensam och lite rädd för fru Jansson först, men sedan tänkte hon att klassen var en koflock och att alla andra också var rädda; då kändes det bättre. Dessutom hade de syslöjd efter frukostrasten och rörelsesånger i skolbänkarna varje timme. Om hon bara får vänner kommer hon att trivas i folkskolan.

På vägen hem passerar hon den stora platta älvastenen igen, och stannar. Sedan går hon fram till den.

När hon sträcker på nacken ser hon att det finns små gropar på ovansidan av stenen, minst ett dussin. De ser uthuggna och polerade ut, som runda små stenskålar.

Hon tittar sig omkring, men ingen syns till. Hon tänker på vad Henry berättat om gåvor till älvorna och vill dröja kvar här, men till slut lämnar hon stenen och beger sig hemåt, till korna.

Efter det kan Vendela knappt gå en enda dag från skolan utan att sakta in vid älvastenen för att se efter om folk har offrat något. Aldrig ser hon någon annan besöka stenen, men ibland ligger små gåvor i groparna, pengar eller nålar eller smycken.

Det är en konstig stämning vid stenen, allt är så tyst. Men när Vendela sluter ögonen, inte tänker på någonting och blundar så hårt att ljuset genom ögonlocken blir mörkblått, då får hon bilder inne i huvudet. Hon ser en grupp smala och bleka människor som står på andra sidan av stenen och tittar på henne. De blir tydligare och tydligare ju mer hon blundar, och tydligast av alla är en lång och vacker kvinna med mörka ögon. Vendela vet att det är älvadrottningen, hon som en gång i tiden blev kär i en jägare.

Drottningen pratar inte, hon stirrar bara på Vendela. Hon ser sorgsen ut, som om hon saknar sin älskade. Vendela blundar, men tycker att hon hör ljudet av klingande bjällror i fjärran, och gräset under hennes fötter tycks försvinna så att marken blir hård och slät. Friskt vatten plaskar från svala brunnar.

Älvornas rike.

Men när hon öppnar ögonen är allting borta.

Hon kommer hem till bondgården och tittar upp mot det mittersta fönstret på övervåningen, trots att hon egentligen inte vill.

Invalidens rum. Som vanligt är rutan däruppe blank och tom.

Vendela går in i förstugan och fortsätter sedan rakt igenom köket till Henrys sovrum, där otvättade kläder, fakturor från grosshandlare och brev från myndigheterna ligger överallt. Hon har inga pengar att offra, men i ett mörkbrunt skåp vid faderns säng finns hennes mors smyckeskrin.

Det är fortfarande flera timmar kvar tills han kommer hem från stenbrottet, och Invaliden kan förstås heller inte störa henne. Så hon sätter sig på knä framför skåpet och öppnar det.

Smyckeskrinet står på nedersta hyllan och är vitt. Inuti är det klätt med grönt foder, och där ligger broscher, halsband, örhängen och kråsnålar. Det är många smycken, mellan tjugo och trettio stycken. Både gammalt arvegods och saker köpta efter världskriget – allt som hennes mor och hennes släkt har samlat ihop och lämnat efter sig.

Med tummen och pekfingret lyfter Vendela försiktigt upp en silverbrosch med en rödslipad sten i. Till och med här i dunklet har stenen en glöd i sig, nästan som en rubin.

En rubin i Paris, tänker Vendela.

Hon lyssnar, allt är tyst i huset. Så hon tar broschen och stoppar snabbt ner den i sin klänning.

På väg hem från skolan nästa dag tar hon upp broschen ur innerfickan på kappan när hon går förbi älvastenen. Hon tittar på den, och sedan på de tomma groparna.

Det är lustigt, men hon kommer inte på något att be om. Inte den här dagen. Hon är snart tio år och borde ha massor av saker att önska när det gäller framtiden, men det är helt tomt i huvudet.

Resa till Paris?

Hon måste vara ödmjuk. Till slut önskar hon bara att få komma till fastlandet – till Kalmar, där har hon inte varit på nästan två år.

Hon lägger broschen i en av groparna och springer hem.

Så blir det lördag. För en gångs skull är skolan stängd eftersom klassrummen ska få nya kaminer.

»Skynda på med korna i dag«, säger hennes far vid matbordet. »Så kan du klä om efter det.«

»Varför då?«

»Vi ska ta tåget till Kalmar, och stanna hos din faster över natten.«

En tillfällighet? Nej, det var älvorna.

Men Vendela borde ha slutat önska sig saker då.

27

Pᴇʀ ꜱᴋᴜʟʟᴇ ʀɪɴɢᴀ ᴘᴏʟɪꜱᴇɴ ᴏᴍ ʙʀᴀɴᴅᴇɴ, men om familjen skulle få mat var han tvungen att jobba också. Så efter frukosten, när han placerat sin far på altanen, stängde han in sig med en nummerlista och sitt frågeformulär vid telefonen i köket. Han satte fingret på listan och slog ett nummer.

Tre signaler, sedan lyftes luren och en mansröst svarade med efternamnet. Allt stämde enligt listan, så Per rätade på ryggen och drog efter andan för att fylla rösten med energi:

»Hej, jag heter Per Mörner och ringer från företaget Intereko, som sysslar med marknadsundersökningar ... Har du tid att svara på några frågor? Det tar bara tre minuter.«

(I själva verket tog det närmare tio.)

»Vad handlar det om?« sa mannen.

»Jag vill bara att du ska svara på frågor om en speciell tvål. Använder ni tvål i ert hushåll?«

Mannen skrattade.

»Jo ...«

»Bra«, sa Per. »Då ska jag säga namnet på den här tvålen och så får du berätta när du senast såg det någonstans ...«

Per sa namnet, långsamt och tydligt.

»Jo, det känner jag igen«, sa mannen, »den har man ju sett reklam för på stan.«

»Bra«, sa Per, »och kan du med tre ord beskriva vad du kände när du såg den här tvålreklamen?«

Han var igång nu. Marika hade sett road ut året innan – hånlett, tyckte Per – när han berättat att han blivit telefonintervjuare. När de träffats hade båda jobbat på en marknadsavdelning, men Marika hade blivit marknadschef medan Per hoppat av hela karusellen efter deras skilsmässa. Det var ett beslut som vuxit fram, delvis på grund av Jerry. Hans far hade varit hungrig på pengar och framgång, det var inget han själv ville ta efter.

Men intervjuandet var ett fritt jobb som gick att ta med sig överallt där det fanns en telefon. Det handlade om att ta reda på vilken image en vara hade, att hitta folks drömmar och förhoppningar om en speciell produkt så att framtida försäljning och reklamkampanjer kunde anpassas efter dem.

Strax efter tio hade han ringt tjugofem av numren på listan och fått svar på fjorton av dem. När han lagt på luren efter den sista intervjun ringde telefonen.

Per lyfte luren.

»Mörner.«

Ingen röst hördes i hans öra, bara ett märkligt ekande ljud. Det lät som om någon skrek i bakgrunden, några meter från telefonen men rösten lät metallisk. Inspelad.

»Hallå?« frågade Per.

Inget svar. Ropet bara fortsatte.

En felringning – kanske av någon annan telefonintervjuare. Per la på luren.

Han fortsatte ringa numren på listan, men vid elvatiden tog han en paus för att gå ut och hämta Kalmartidningen Barometern i brevlådan. Den kallades morgontidning, men delades ut mycket senare i Stenvik.

Han gick tillbaka mot stugan, bläddrade genom nyhetssidorna – och stannade tvärt på grusvägen när han såg en notis.

DÖDA HITTADE I ELDHÄRJAT HUS

De svårt brända kropparna efter en kvinna i 30-årsåldern och en man i 60-årsåldern hittades på onsdagen i en villa utanför Ryd, söder om Växjö.

Fastigheten totalförstördes i en brand natten till måndagen och en anställd som skulle ha befunnit sig i huset saknades. Polisen har gått igenom resterna och funnit en kropp som identifierats som den saknade mannen. Man har också funnit ytterligare en person i en annan del av huset, en yngre kvinna som ännu inte är identifierad.

Vad som orsakade branden är fortfarande oklart, men efter vittnesförhör misstänker polisen att den var anlagd. En förundersökning om mordbrand är inledd.

Per vek ihop tidningen och gick tillbaka in i stugan. Nu visste han att han verkligen hade hört en kvinnas rop i den brinnande villan, och att polisen skulle höra av sig snart. Så han satte sig i köket och ringde dem själv.

Han slog numret till Växjö polishus och sökte kvinnan som hade förhört honom efter branden i Ryd, men hon var ledig och han kopplades vidare till en polisinspektör som hette Lars Marklund. Polisen krävde att få både Jerrys och Pers personnummer innan han sa något alls, men var ändå inte speciellt talför.

»Det är en mordbrand med två döda, och förundersökningen pågår. Det är allt jag kan säga.«

»En av de döda är en kvinna, enligt tidningen«, sa Per. »Vet ni vem det var?«

»Vet *du* det?« sa polisen.

»Nej«, sa Per snabbt.

Polismannen var tyst, så han fortsatte:

»Har ni någon misstänkt?«

»Det kommenterar jag inte.«

»Kan jag hjälpa till med något?«

»Visst«, sa polisen, »du kan berätta om lokalerna.«

»Lokalerna ... Du menar villan?«

»Ja ... våra tekniker undrar vad fastigheten egentligen användes till. Det fanns flera små sovrum på övervåningen, och delar av huset var inrett som en skola, men andra delar som en krog eller bar och någon sorts fångcell ...«

»Det var en filmstudio«, sa Per. »Gästrummen var till för skådespelarna som kom dit. Andra rum var inredda för att spela in olika scener. Jag var aldrig med, men jag hörde av min far att de hade alla möjliga miljöer.«

»Jaha, de gjorde film där«, sa polisen. »Några som man har hört talas om?«

Per suckade tyst, innan han svarade:

»Nej. De gjorde film direkt för video, snabbinspelade filmer.«

»Deckare?«

»Nej. De gjorde ... erotik.«

På löpande band, tänkte han. Hans Bremer hade jobbat snabbt som regissör, Jerry hade berättat att han ibland spelat in en hel långfilm på två dagar.

»Erotik ... Du menar porrfilm?«

»Just det. De tog dit kvinnliga och manliga modeller och spelade in porrfilm.«

Marklund gjorde en paus.

»Jaha«, sa han sedan, »ja, det behöver ju inte vara olagligt, om det inte är minderåriga inblandade. Var det det?«

»Nej«, sa Per snabbt, trots att han inte var helt säker. Hur gammal hade egentligen Regina varit?

»Så du var insatt i den här ... i verksamheten?«

»Nej, inte alls. Men min far har berättat en del.«

»Har han sagt något om varför hans kompanjon brände ner deras studio?« sa polisen. »Eller har du själv någon idé om varför?«

Frågan avslöjade hur polisen funderade. De trodde att Bremer låg bakom branden.

»Nej«, sa Per. »Men jag tror inte bolaget har gått så bra de senaste åren. Min far blev sjuk, och konkurrensen från utlandet har kanske ökat i ... i just den här branschen. Men det är väl inte skäl nog att ta livet av sig?«

»Man vet aldrig«, sa polismannen.

Per funderade på att berätta för honom om gestalten han sett i skogsbrynet, men var tyst. Han hade redan berättat det i ett förhör, det fick räcka.

Han såg ut genom fönstret mot altanen, där Jerry låg och sov i en solstol.

»Ska ni prata mer med min far?«

»Inte före påsk«, sa Marklund. »Men vi hör av oss.«

Per la på luren. Det var det.

Om inte Jerry hade varit heltidspensionär före den här helgen så hade han inget val nu – hans arbetsplats var borta. Per skulle köra hem honom till lägenheten efter påsk, och så kunde han vila ut där. Sitta framför teven och leva på pensionspengarna. Om det fanns några.

Per gick ut på altanen.

»Jag har pratat med polisen nu, Jerry«, sa han. »De har hittat två döda i din villa ... Hans Bremer och en kvinna. Såg du någon kvinna där?«

Jerry såg upp på honom från vilstolen, och skakade på huvudet. Per satte sig mittemot honom.

»Polisen verkar tro att Bremer tände eld på villan«, sa han. »Och det verkar mest logiskt, eller hur?«

Men Jerry fortsatte skaka på huvudet. Hans mun fick fram ett enda ord:

»Nä.«

»Jo, Jerry. De tror att han ville förstöra studion.«

Hans far verkade ge upp försöken att tala. Han böjde sig bara ner mot sin portfölj och öppnade de slitna spännena. Därnere fanns en del papper och han rotade genom dem och fick upp en tidning. Det var samma gamla nummer av Babylon som han visat upp på grannfesten.

»Jag vill inte titta i den där«, sa Per kort.

Men Jerry började ändå bläddra i tidningen, som om han sökte efter något. Så hittade han ett speciellt uppslag, och lyfte fram det mot Per.

»Markus Lukas«, sa han.

Per suckade, han ville inte titta. Men han lutade sig ändå fram.

Bilderna som Jerry höll fram visade bara ytterligare en sexscen mellan en storvuxen man och en ung blond kvinna – samma bilder som hans far publicerat i tidning efter tidning genom åren.

Den kvinnliga modellen låg under den manlige men hennes ansikte var vänt mot fotografen, inte mot mannen, och paret verkade anstränga sig för att beröra varandra så lite som möjligt. Kärlek och ömhet fick inte ens antydas.

»Markus Lukas«, sa Jerry och pekade mot mannen.

»Okej ... Markus Lukas. Det var namnet på er manliga modell?«

Jerry nickade.

Per såg den nakna ryggen på en muskulös och bredaxlad man mellan trettio och fyrtio år. Han hade tjockt svartlockigt hår – det syntes på den enda bild där en del av hans bakhuvud fanns med – men de flesta andra visade honom bara från midjan och neråt.

Han tänkte på mannen som hade kört bilen vårdagen när Per och Regina åkt med i baksätet. Jerry hade kallat honom »Markus Lukas«. Var det samme man som i tidningen? Kanske.

»Man ser inte hans ansikte«, sa Per.

Jerry nickade, men pekade på mannen igen. Han kämpade med sin stela mun.

»Är ... bannad«, sa han.

»Är han förbannad?« sa Per.

Jerry nickade.

»Förbannad på vem då? På dig och Hans Bremer?«

Jerry såg åt sidan.

»Lurade«, sa han.

»Det förvånar mig inte... du och Bremer lurade honom på pengar?«

Jerry skakade på huvudet, men sa inget mer.

Per tog upp tidningen från bordet och bläddrade snabbt igenom den. Det fanns massor av bilder på olika flickor, sida efter sida med både närbilder och helbilder, men de manliga modeller som de hade sex med fanns bara delvis med på fotona. Kameran fokuserades på kvinnorna, männen var helt anonyma.

»Finns det *inga* ansiktsbilder på den här Markus Lukas?« sa han.

Jerry skakade på huvudet.

Per suckade, men han var inte förvånad. Männens ansikte behövde inte visas – det var bara en liten bit av deras kropp som var viktig.

»Vad gör Markus Lukas nu, då? Vet du var han bor?«

Jerry skakade på huvudet.

»Men han har lämnat branschen?«

Jerry var tyst. Per trodde att han förstod varför – på ett sätt jobbade Jerry själv inte heller kvar i sexindustrin. Fast det var förstås inte frivilligt.

»Och han hette knappast Markus Lukas, eller hur?« fortsatte Per. »Det var väl påhittat, precis som alla namn ni gav tjejerna?«

Jerry nickade.

»Vad heter han då?«

Jerrys blick var tom.

»Du minns inte vad Markus Lukas hette?«

En kort huvudskakning.

»I kontraktet«, sa Jerry.

»Okej, han hade ett anställningskontrakt«, sa Per. »Då finns väl hans rätta namn på det?«

Jerry nickade och pekade över vattnet, mot fastlandet.

»Hemma«, sa han.

»Bra, du har det hemma«, sa Per.

Han tittade ner på bilderna i tidningen, på den nakne mannen.

»Förbannad«, sa Jerry.

Per tittade en sista gång i tidningen. Han mindes året efter mötet med Regina, när han till slut hade förstått varför hans far tog ut kvinnor i skogen och fotograferade dem – att det var för att tjäna pengar på en tidning som han gav ut, en tidning som hette Babylon. Då hade Per cyklat till en tobaksaffär i andra änden av Kalmar och smugit in där för att köpa den.

BABYLON stod det med mörkröd text på omslaget, och under fanns en leende flicka som liknade Regina.

Han stoppade den under tröjan, tog hem den till sitt rum och gömde den under sängmadrassen. Sent på kvällen när Anita somnat satt han i skenet från en ficklampa och bläddrade genom tidningen.

Han såg nakna flickor, sida efter sida med leende flickor vars vita hud glänste i skenet från solen eller från studiolampor. Allihop var blonda, men flera av dem såg ut att bära peruker.

På en av bilderna upptäckte han en tunn slöja av cigarettrök som drev in från vänster – och då visste han att Jerry stod och rökte bara någon meter bort. Inne i sitt huvud kunde Per höra hur han hostade och manade modellen att sträcka på ryggen och visa upp sig så mycket som möjligt. Han hörde Jerrys röst:

»*Kom igen, är du blyg?*«

Flickan på bilderna påminde lite om Regina och Per visste att han borde bli varm i kroppen av att titta på henne, men det gick inte. Han såg bara cigarettröken.

Per huttrade till i vårvinden och var tillbaka vid stenbrottet.

»Så det enda vi vet säkert om Markus Lukas…», sa han och slog ihop tidningen, »…är att han har stora muskler.«

Han lyfte upp tidningen med tummen och pekfingret och räckte över den till sin far, utan att titta på den.

»Göm den där nu…eller släng den. Jag ska gå och väcka tvilling-arna.«

28

FÖRST VID SEXTIDEN PÅ TORSDAGSKVÄLLEN kunde Vendela byta om och ge sig ut på en joggingtur över alvaret igen. Hon tänkte på älvastenen och myntet som hon hade lagt i groparna på ovansidan, men precis som förra gången besökte hon sitt barndomshem först.

Allergin i näsan och halsen lättade lite när hon började jogga, och efter några hundra meter kom hon in i en behaglig rytm. Det tog en kvart att springa mot nordost och komma fram till den gamla bondgården.

Hon klev in på tomten och stannade.

Det stod en röd bil på gräset framför huset. En stor Volvo med takräcke. Bakluckan och två av dörrarna var öppna, liksom dörren till gården.

Familjen som ägde huset hade tydligen kommit hit för att fira påsk. Men Vendela kunde inte hjälpa det, hon var ändå tvungen att gå närmare över gräset, mot den öppna dörren i glasverandan.

Plötsligt dök en kvinna upp i dörröppningen. Hon klev ut i solen och fick syn på Vendela.

»Oj«, sa hon.

Hon var kanske tio år yngre än Vendela och såg skrämd ut.

»Hej, hej«, sa Vendela och skrattade spänt. »Jag ville bara stanna till och vila här, jag är ute och joggar ...«

»Jaha?«

»... och jag växte upp här. Min familj ägde den här gården.«

»Så du har bott här?« Kvinnan såg vänligare ut. »Kom in och titta då, om du vill. Det har nog ändrats en del.«

Vendela nickade och klev tyst över tröskeln till verandan, genom förstugan och vidare ut i köket. Hon kände igen rummen, men de verkade ha krympt sedan hon var liten. Köket hade målats om och fått trendiga bänkar och kakel. Dofterna var annorlunda också, lukten av hennes far och hans otvättade kläder var borta.

Från köket ledde en trappa upp till övervåningen. Hon gick fram till den och stannade.

»Kan jag gå upp och titta?«

»Visst, men det är inte så mycket att se.«

Vendela gick uppför trappstegen. Kvinnan följde efter henne.

»Det tog nästan fyra år innan vi orkade börja jobba häruppe«, sa hon och skrattade trött. »Men det blev fint till slut, det också.«

Vendela nickade tyst utan att le. Hon hittade inga ord, det här var svårt för henne. Men hon tog det sista steget upp från trappan och ställde sig på golvet. Det var ljust och blankskurat nu – när hon var liten hade det varit smutsbrunt och luddigt av damm.

Och här till höger var den, den blanka dörren. Den ledde till ett litet sovrum. Ett enbent bord hade funnits vid dörren, och där hade Vendela alltid ställt en matbricka på morgonen innan hon gick till skolan.

Nu var dörren till sovrummet halvöppen. Hon såg legobitar och leksaker på golvet och hörde en pojkes ljusa skratt.

Hon vände sig om.

»Ska ni vara här länge?«

»Nej, bara över påsk. Vi åker hem på måndag.«

»Jag ska vara här fram till mitten av maj«, sa Vendela och försökte låta oberörd. »Vill ni så kan jag titta till huset. Jag springer ändå förbi här ibland...«

»Vill du göra det?«, sa kvinnan. »Det vore jättesnällt, det har ju varit en del inbrott här på ön.«

Vendela såg på huset.

»Trivs ni?«

»Jajamen, vi trivs jättebra«, sa kvinnan. »Det är mysigt här.«

Vendela tvivlade på det. Gården låg i vägen för älvorna – det hade hon insett nu. Att bo här betydde bara olycka.

Fläckar av snö gömde sig fortfarande under de tätaste busksnåren, sjöarna av smältvatten på alvaret var bredare än någonsin men ångade i solen. När maj månad kom skulle de vara försvunna.

Vendela hittade allt bättre därute, och efter en kvarts löpning var hon tillbaka vid den stora stenen. Hon såg genast att älvorna hade varit där.

De gamla mynten fanns fortfarande kvar i groparna, men tiokronan som hon offrat för Aloysius var borta.

Hon var inte förvånad, bara förundrad över att de efter alla år fortfarande samlades vid älvastenen.

Hon satte sig i gräset med ryggen mot den östra sidan av stenen och andades ut. Hon hade tvekat, men nu visste hon att det var här hon skulle vara – alla andra platser hon någonsin besökt eller längtat efter försvann bakom horisonten. Här vid stenen krävde ingen något av henne, här fanns inte den Vendela Larsson som Max och resten av världen höll ögonen på.

Hon blundade, men fortsatte se bilder inne i huvudet. Hennes blick sträckte sig över alvaret mot vattnet, och hon tyckte att hon kunde se ända bort till stenbrottet och sitt eget hus bredvid det. Därinne satt hennes man Max vid sitt ena skrivbord och skrev på det näst sista kapitlet i boken *Maximalt god mat*. I det målade han upp en vardag där han själv stod för det mesta av matlagningen i hemmet, bara för att »den bästa glädjen är att ge vidare sin egen lycka till någon annan«. Så för att se ett glatt ansikte på morgonen brukade Max väcka sin fru, »min älskade V«, som han kallade henne i boken, »med en dignande frukostbricka fylld av nybakat bröd, frukter och nypressade juicer«.

Vendela visste att Max i det ögonblicket verkligen var övertygad om att det var så, trots att det nästan alltid var hon själv som gjorde frukost åt dem. Vid några speciella tillfällen hade han bjudit henne på frukost på sängen eller lagat deras middag och då hade hon trott att om hon bara berömde honom tillräckligt mycket skulle han hjälpa henne oftare i köket. Men Max matlagning hade aldrig blivit vardag.

Det spelade ingen roll nu, inte härute på alvaret.

Hon såg grannhuset i norr, det gamla huset som byggts av en arbetskamrat till Henry, och familjen som bodde där nu. Per Mörner satt på verandan ihop med sin gamle far. Hans barn var också hemma. Allt såg mycket fridfullt och högtidligt ut, men Vendela visste att skenet bedrog.

Per var en pressad och plågad själ. Han skulle må bra av att ge sig ut och springa här på alvaret.

Sedan slutade hon se i fjärran och återvände i tankarna till platsen där hon satt, till stenen och den lilla gläntan mellan enbuskarna. En kort stund var allting ljust och blankt, men plötsligt såg hon bilden av en högrest man inne i huvudet, klädd i en vit klädnad. Han stod helt stilla, utan att vika undan för hennes blick. Han log mot henne.

Älvornas kung? Nej, Vendela anade att det här var deras sändebud, en tjänare som visade att de kände till hennes närvaro. Mannen hade lägre rang och påminde faktiskt en del om Max.

Han stod lugnt kvar inne i hennes huvud och fortsatte le, som om han ville säga: *Det är du som ska ta första steget, inte jag.*

Men Vendela var inte redo att ta steget, inte än.

Hon öppnade ögonen och såg sig om. Gläntan var tom, men det prasslade borta i buskarna.

Nu huttrade hon till, som hon alltid gjorde när hon drog sig tillbaka från älvornas värld. Hon reste sig upp och tog fram tre mynt ur fickan. Hon la dem på rad på stenens ovansida, i varsin skål.

Ett mynt för Max och henne själv, ett för Aloysius hälsa och ett för grannarna vid stenbrottet. Per Mörner och de andra.

Sedan vände hon om och satte fart över alvaret igen, med långa steg mellan de blanka vattenspeglarna. Kvällssolen lyste mot henne från väster, ett varmt fyrljus som visade vägen ner till kusten.

Klockan var bara sju när hon kom hem. Tiden hade gått sakta, som den alltid gjorde i älvornas värld.

29

GERLOF SATT I TRÄDGÅRDEN. Det var långfredag, dagen då Jesus hade dött på korset, och som liten hade han tvingats fira den genom att inte göra någonting. Man hade inte fått leka, inte lyssna på radio, inte prata högt och absolut inte skratta. Allt man egentligen kunnat göra var att sitta still på en stol. Som gammal firade han den ungefär på samma sätt, med andra ord, men nu var det bara vilsamt.

Han satt och väntade på att barnen och barnbarnen skulle anlända från västkusten. Det fanns saker att göra – han hade kunder som väntade på nya flaskskepp och fick faktiskt bra betalt för dem. Men det var ju helgdag, och dessutom gick hans tankar hela tiden till bunten med Ellas gamla dagböcker.

Han borde aldrig ha börjat titta i dem.

Till slut reste han sig och gick in till garderoben för att hämta 1957 års dagbok. Han satte sig i vilostolen, slog upp en sida i mitten och fortsatte läsa.

I dag har vi den 16 juni 1957, skrev Ella med sin prydliga handstil.

I natt hade vi åska, och barnen och jag var uppe och såg på blixten. Han slog ner tre gånger ute i sundet så att det sprakade i vattnet. Gerlof sov igenom alltihop, men han är väl van vid buller och bång på sjön.

I går cyklade han upp till Långvik, köpte ett nytt fiskegarn och cyklade tillbaka för att lägga ut det, sedan gick han upp vid femtiden nu på morgonen och vittjade det, med tjugofem flundror och sex abborrar. Så i dag har vi ätit stuvad fisk, underbart gott.

I morse såg Lena och Julia en rådjurskalv hoppa över vägen och in i skogen.

I dag sålde stackars änklingen Henry Fors norr om byn sina sista två kalvar till slakt, bilen kom från Kalmar och hämtade dem klockan två, så nu är bara de tre korna kvar som hans dotter Vendela hjälper honom med. Tråkigt, men Fors behöver väl pengarna.

Jo, tänkte Gerlof, där hade Ella haft rätt om Vendela Larssons far, han hade aldrig haft så mycket pengar. Några magra kor på lika magra ängar, och så arbetet i byns lilla stenbrott som inte längre kunde konkurrera med de stora brotten. Det var inte lätt.

Han bläddrade fram till nästa sida:

I dag har vi den 27 juni 1957.

Nu är det lite sedan jag skrev, tiden går så fort och jag har så mycket att sköta om så dagarna bara går och går. Och det är väl inte alltid man har skrivlust heller.

Soligt och hett är det också, vi har fått högsommar.

Gerlof har seglat ner till Kalmar för att mäta skutan, han for i går och tog med sig flickorna som har skolledigt. Men jag trivs bra ensam häruppe i byn, i Borgholm finns ju syföreningen men saknar den inte så mycket. Det är mest en massa prat och skvaller om dem som inte är med den kvällen, så just nu kan man väl tänka att det är jag som avhandlas.

Det är fullt med fasantuppar i och omkring byn på kvällarna, men det är väl hönsen i bondgårdarna som lockar förstås. Hönsägarna tänker absolut inte låta dem träffa varann!

Den lille bytingen från betan smög fram till stugan i dag igen och fick havrekakor och lite lemonad av mig. Han har liv i varje åder och rör sig hela tiden, men säger inte mycket och ingenting om vem han är och var han kommer ifrån.

Han behöver bada. Och hans hår är så långt och okammat, jag har aldrig sett på maken.

Gerlof hörde plötsligt motorbuller, och hoppade nästan till. En bil närmade sig ute på byvägen, den saktade in och svängde vid hans tomt.

Han fick bråttom att slå ihop dagboken och gömma den under filten. Så satt han i vilstolen, lugnt och stilla, när grinden öppnades och Volvon med de båda döttrarna rullade in på tomten. Bilens dörrar öppnades.

»Hallå, morfar! Nu är vi här!«

»Välkomna«, ropade Gerlof och vinkade. »Glad påsk!«

Alla hoppade ut. Lena och hennes yngsta dotter, och så Julia och hennes två yngsta styvsöner, med väskor och ryggsäckar.

Släkten var samlad, friden var slut. Barnbarnen kramade snabbt sin morfar och gick in i stugan. Därinne knäppte de på teven eller radion – vad det än var så drogs volymen upp så att rockmusiken strömmade ut ur fönstren.

Gerlof satt kvar på gräsmattan och tänkte på sin egen barndoms långfredagar.

»Hur mår du, pappa? Är allt fint och lugnt här?«

Det var Julia som kom fram. Hon gav honom en puss på kinden.

»Här på tomten är det lugnt«, sa Gerlof. »Det är nog lugnt i hela byn ... men folket vid stenbrottet har flyttat in nu.«

»Är de trevliga?«

»Ganska trevliga.« Han tänkte på tidningen som Jerry Morner plötsligt hade slängt på bordet den kvällen. »Och ganska originella.«

»Ska vi gå och hälsa på dem?«

»Nej, jag var på fest därborta i onsdags. Det räcker.«

»Så det blir bara vi som firar påsk?«

Gerlof nickade. Han hade en ung släkting som bodde uppe i Marnäs, hans brors barnbarn Tilda, men hon hade hittat en ny man i höstas och hade fullt upp med sitt nya liv.

»Vad gör du annars, då?« sa Julia.

»Jag sitter lite och funderar.«

»På vadå.«

»Ingenting.«

Julia sträckte fram händerna mot honom.

»Vill du resa på dig?«

Gerlof log och skakade snabbt på huvudet. Han ville inte resa sig just nu.

»Jag sitter bra här.«

Förr eller senare var han tvungen att prata med döttrarna om Ellas böcker, och höra vad de visste om hennes besökare.

30

FRAM TILL DESS ATT NILLA KOLLAPSADE och hostade blod vid matbordet hade familjen Mörners påskmiddag varit mysig.

Per hade lyckats lura sig själv och inte förstått hur sjuk hon var. Men han borde ha anat något, för Nilla hade verkat trött redan på lördagsmorgonen. Hon hjälpte honom skära grönsaker efter frukost, men arbetet gick långsamt och ibland stod hon bara och tittade på skärbrädet.

»Är du trött?« sa han.

»Så där ... Jag sov inte så bra i natt.«

»Vill du lägga dig nu?«

»Nej, det är okej.«

»Du kan ju gå ut lite i dag«, sa han, »och ta en promenad längs kusten. Försök få med Jesper också.«

»M-mm«, sa Nilla lågt och fortsatte skära sallad med långsamma knivdrag.

Per höll koll på henne i ögonvrån och försökte slappna av.

Han hade lagat grunden till stentrappan på tisdagen och sedan tagit för vana att gå till kanten av stenbrottet och titta varje morgon och kväll, för att se efter om den stod kvar. Det gjorde han på påskaftonens morgon också, och stenarna låg orörda. Han skulle fortsätta bygga på den snart, så att trappan gick ända upp till kanten av klippan.

Vattenpölarna började torka upp nere i brottet. I sommar när gruset var helt torrt kunde han och Jesper göra kul saker därnere, som att spela fotboll.

Nilla också, förstås.

Han vände ryggen mot stenbrottet och gick runt huset, och stannade vid Ernsts arbetsbod. Den var en fyrkantig trälåda, två meter hög, där en del av de vindslipade plankorna fortfarande bar spår av falu rödfärg. Två små dammiga fönstergluggar fanns på kortsidorna, och en tjärsvart dörr.

En tjock kedja var dragen från dörren till en märla i väggen, men allt som höll den på plats var en stor rostig spik. Per drog bort den och öppnade dörren.

Luften i boden var torr av allt kalkstensdamm som täckte golvet. Han hade varit härinne tre somrar tidigare, när Ernsts släktingar hade fått plocka med sig det de ville ha från boden. De färdigslipade stensaker som stod längst fram vid dörren hade försvunnit då; soluren, fågelbaden och lampfötterna. Kvar fanns de ofärdiga skulpturerna, eller de som ingen riktigt visste vad de föreställde.

De stod i en skock längst in på golvet. Stenblock som hade bearbetats till uppsvällda huvudlösa kroppar eller huvuden med djupa ögonhålor och gapande munnar. Vissa skulpturer liknade inte ens människor.

Per gick inte in i boden för att titta närmare på dem, han stängde bara dörren och gick för att hämta tidningen.

»Så din far är den kände Jerry Morner?« sa Max. »Jag kände honom inte, men jag minns ju namnet.«

Per hade inte pratat med Max Larsson sedan grannfesten men nu hade de stött på varandra vid brevlådorna.

»Gör du?«

Han tog ett par steg bort från brevlådorna med tidningen i handen, men Max förstod inte vinken. Han bara log, grannar emellan, och fortsatte prata:

»Jodå. Jerry Morner, han var ju lite halvkändis på sjuttitalet, gav intervjuer ibland och ställde upp på högljudda porrdebatter i teve ... och i lumpen läste man ju de här tidningarna han gav ut.« Han blinkade mot Per. »Eller läste och lästé, det var ju mest bilder i dem.«

»Jo«, sa Per.

»Babylon hette väl en av dem«, sa Max, »och vad hette den andra? Sodom?«

»Gomorra.«

»Just det, Babylon och Gomorra. De var rätt påkostade ... Men man fick fråga efter dem i tidningsbutikerna, de hade dem aldrig framme på disken.« Han hostade och tillade: »Jag läser dem förstås inte nu. Säljs de fortfarande?«

»Nej, de är borta.«

»Videofilmerna tog väl över, och nu kommer ju internet också«, sa Max. »Saker utvecklas.«

Per sa ingenting.

»Hur hittade han modeller då?« fortsatte Max.

Per skakade på huvudet.

»Jag var aldrig inblandad.«

»Man undrar vilken sorts tjejer som ville ställa upp«, fortsatte Max.

»Ingen aning«, sa Per, men fick en bild av Reginas leende i huvudet.

»Man såg ju deras ansikten helt tydligt ... och de var ju snygga, en del av dem.«

Per ryckte på axlarna. Han hade varit trevlig så det räckte nu, grannar emellan, och började gå bort mot stenbrottet.

»Ja, de fick väl bra betalt«, sa Max bakom honom. »Blev en erfarenhet rikare.«

Per stannade och vände sig om. Han bestämde sig för att göra Barntestet. Han hade gjort det några gånger förr.

»Har du barn?« frågade han.

»Barn?« Max såg oförstående ut, innan han svarade: »Visst, jag har tre ... från mitt första äktenskap.«

»Döttrar?«

Larsson nickade.

»En. Hon heter Annika.«

»Max«, sa Per och sänkte rösten, »vad skulle du säga om du fick veta att din dotter Annika har jobbat med min far?«

»Det har hon inte«, sa Max snabbt.

»Hur vet du det? Skulle hon berätta det, tror du?«

Grannen var tyst. Per lät tystnaden fortsätta och började gå igen. Han hade kommit flera meter bort när Max vände sig om och väste bakom honom:

»Ditt svin!«

Per gick bara vidare. Han var van vid den reaktionen när han försökte göra Jerrys modeller till människor.

Men nu var förstås grannsämjan vid stenbrottet förstörd igen.

Ditt svin.

Per hade den kommentaren i huvudet när han förberedde påskmiddagen.

Jerry, Per och Nilla och Jesper – tre generationer skulle fira påsk ihop. Det var för kallt för att sitta ute på altanen, så han dukade i vardagsrummet, på matbordet framför Ernsts träkista. När han ställde ut tallrikarna stirrade han på det leende trollet som sprang in i sin grotta och undrade varför det log, och varför prinsessan satt och grät. Hade riddaren inte hunnit fram i tid för att försvara hennes dygd?

»Pelle?« sa en röst bakom honom.

Hans far hade kommit in i rummet.

»Det blir mat snart, Jerry. Du kan sätta dig ... Påskägg, det gillar du väl?«

Jerry nickade och satte sig.

»Du får så många du vill«, sa Per och fortsatte duka.

Innan han hämtade barnen vred han sig om och sa:

»Men inga tidningar på matbordet nu.«

Jerry var tyst under middagen. Tvillingarna sa inte mycket heller. Alla åt sina ägg och satt i sina egna världar.

»Gick ni ut i dag?« frågade Per.

Nilla nickade långsamt. Hon såg trött och blek ut, och rösten var låg.

»Vi gick ner till stenbrottet. Och Jesper hittade ett skelett.«

Men Jesper skakade på huvudet.

»Det var bara en liten benbit ... jag tror det var en del av ett finger.«

»Ett finger?« sa Per och såg på honom. »Ett människofinger?«

»Jag tror det.«

»Var hittade ni det?«

»Nere i en stenhög. Jag har det på mitt rum.«

»Det kommer säkert från ett djur, vi kan titta på det sedan«, sa Per och skalade sitt ägg. »Men egentligen ska man inte plocka upp benbitar som man hittar på marken, det kan finnas bakterier och ...«

Men Jesper verkade inte lyssna, han stirrade förbi Per med skräck i blicken.

»Pappa!« ropade han. »Nilla!«

Per vred på huvudet mot höger, och såg att Nilla hade släppt sitt ägg och lutade sig mot bordet bredvid honom, hennes huvud hängde och hon var på väg att falla åt sidan.

Det fanns röda stänk av blod på bordsduken. När hon hostade blev de fler.

Per vred sig längs bordet.

»Nilla!«

Han fick tag i henne innan hon föll. Hon såg på honom, men ögonlocken hängde.

»Va? Vadå?« sa hon, som om hon talade i sömnen. »Ska jag ...?«

Sedan tystnade hon och sjönk ihop. Per höll fast henne.

»Det är ingen fara«, sa han lågt. »Ingen fara.«

Men det var det, det var illa – hans dotter var plötsligt feberröd i ansiktet. Blodet dunkade i hennes arm, kände Per, och plötsligt fanns det ingen vilja i hennes tunna kropp, den blev helt slapp. Hon hade svimmat.

Hela middagen hade stannat av. Jerry satt på andra sidan bordet med sitt ägg i handen, han stirrade tomt mot dropparna på bordet. Jesper hade ställt sig upp och såg med stora ögon på sin syster.

Per bar Nilla bort till soffan. När han lagt ner henne på sidan hostade hon till och öppnade ögonen.

»Jag fryser«, sa hon lågt.

Per mindes något doktorn i Kalmar sagt om att den nya medicinen kunde släppa in infektioner i kroppen och såg bort mot Jesper.

»Nilla klarar sig«, sa han. »Men jag måste köra in henne till sjukhuset igen … Kan du vara kvar här med farfar?«

Jesper nickade.

»Och ringa mamma?«

Sjukhuset var tomt och tyst den här påskaftonen, men akutavdelningen var förstås öppen. Nilla fick lägga sig på en säng, och blev bortrullad i korridoren. Per kunde bara gå upp till hennes gamla avdelning och vänta.

Han satte sig på en stol i korridoren, han var ju van vid det. Han väntade och väntade.

Efter nästan en timme slogs dörren till avdelningen upp och Marika och nye mannen Georg kom in. Georg var solbränd och hade mörk kostym, precis som de två tidigare gånger Per träffat honom.

»Vi ska träffa doktorn«, sa Marika till Per.

Han kände inte igen läkaren som tjänstgjorde den här kvällen. Han hette Stenhammar och var yngre än den som Nilla haft tidigare, men hans blick var lika allvarlig när han tog in dem på sitt rum och såg på dem över skrivbordet.

»Jaha, jag har bra och dåliga nyheter.«

Ingen sa någonting, så läkaren fortsatte:

»De bra nyheterna är att vi har fått ner febern. Pernilla kommer upp från intensiven snart.«

»Kan vi ta hem henne i kväll?« sa Marika, trots att det här var Pers helg.

Stenhammar skakade på huvudet.

»Det är den dåliga nyheten«, sa han. »Pernilla kan inte åka hem mer … Hon måste vara kvar här nu.«

»Hur länge då?« sa Marika.

Doktorn var tyst några sekunder. Sedan började han prata, länge och väl, om den grundliga undersökningen av Nilla, om testresultaten och om vad de hade hittat. Han pratade och pratade och använde långa ord.

»Epitheli… vad hette det?« sa Per.

»Den förkortas E.H.E.«, sa Stenhammar, »och den är mycket säll-synt, en mycket ovanlig cancerform som brukar drabba mjukvävna-den. Jag förstår att det inte är någon tröst för er, men som läkare blir man ...«

»Vad innebär det för Nilla?« avbröt Marika.

Doktorn började prata igen. Efteråt kunde Per bara minnas två ord. De var orden *elakartad tumör.*

»... så det bästa är att hon blir kvar här fram till ingreppet«, sa Stenhammar och knäppte händerna på skrivbordet.

Ingreppet. Per kände hur golvet gungade till under honom.

»Så ni ska operera?«

Läkaren nickade.

»Det måste vi, enbart strålning räcker tyvärr inte ... Vi är på väg mot en vital-indikation.«

Per frågade inte vad det sista ordet betydde, men det lät inte bra.

»När då?« sa Marika lågt.

»Snart, innan tåget går.« Läkaren gjorde en paus. »Och det blir nog ingen enkel operation, tyvärr.«

»Vad är oddsen?« sa Per.

En hemsk fråga, han ville ta tillbaka den. Men Stenhammar ska-kade bara på huvudet.

»Vi slår inte vad här.«

Efteråt gick de tysta ut i korridoren. Georg gick för att hämta kaffe. Per hade inget att säga till sin exfru, men Marika såg sig plötsligt om:

»Var är Jesper?«

»Kvar i stugan.«

»Ensam?«

»Nej«, sa Per, »min far är med honom.«

»Jerry?«

Marika hade höjt rösten i den tomma korridoren. Per sänkte sin egen:

»Gerhard, ja. Han kom till oss för några dar sedan ...«

»Varför då?«

»Han är sjuk«, sa Per. »Han har fått en ...«

»Det har väl Jerry alltid varit?«

»… och han behövde hjälp«, fortsatte Per. »Men jag ska köra hem honom snart.«

»Kom inte hit då«, sa Marika snabbt. »Jag vill inte ta risken att träffa den snuskhummern någon mer gång.«

»Snuskhummer? Det är han kanske …«, sa Per lågt, »… men så vitt jag minns så var du väldigt nyfiken på Jerry och det han sysslade med när vi träffades. Du tyckte att det var spännande, sa du.«

»Jag tyckte att *du* var spännande också«, sa Marika. »Det gick över, det med.«

»Bra«, sa Per. »Ett problem mindre.«

»Det är inte jag som har problem med dig, Per. Det är du som har problem med *mig*.«

Han drog efter andan.

»Jag ska säga hejdå till Nilla.«

Marika stannade kvar i korridoren så Per gick in till Nilla en kort stund innan han åkte hem. Allt var lugnt i rummet. Hon låg i sängen under vita lakan, och slangen med dropp var förstås tillbaka i hennes arm. Han böjde sig ner och tryckte sin kind mot hennes.

»Hej.«

»Hej …«

Hon var blek nu, hennes bröst darrade i snabba andetag.

»Hur är det? Hur känns lungorna?«

»Så där …«

»Du ser bra ut.«

Hon skakade på huvudet.

»Jag kan inte hitta min svarta sten, pappa.«

»Vilken sten?«

»Lavabiten från Island … lyckostenen som mamma köpte. Jag hade den på mitt rum. Jag trodde jag stoppade den i fickan, men den finns inte där nu.«

Per mindes; det var en slät och kolsvart sten som Nilla hade låtit honom hålla, den hade passat bra i handflatan.

»Den ligger väl i huset någonstans«, sa han. »Jag ska hitta den.«

När han kom hem till stugan en halvtimme senare hade Jerry och Jesper dukat undan maten och tagit bort den fläckade duken. Men disken stod staplad i köket och Per fick ta hand om den.

I vardagsrummet rullade någon sorts amerikansk komediserie, hans far och hans son satt i soffan och tittade. Jerry verkade fångad av serien, men Jesper vred på huvudet när hans pappa kom in.

»Gick det bra, pappa?«

Per nickade och gnuggade sig i ögonen.

»Jo … Nilla fick vara kvar i Kalmar i kväll, men hon mår bättre nu.«

Jesper nickade, och fortsatte titta på teve.

Senare, tänkte Per. *Jag ska berätta om tumören senare.*

Han vände om.

»Vad ska du göra?« frågade Jesper bakom honom.

»Jag ska leta efter en sten«, sa Per lågt, »en lyckosten.«

Så kom han på något, och vände om och sa.

»Vad var det förresten du hade hittat, Jesper? En benbit?«

»M-mm. Den ligger på mitt rum, på bokhyllan.«

Per gick in på sonens rum. Han försökte strunta i röran därinne, men öppnade ändå fönstret för att vädra lite. Sedan tittade han på hyllan.

Benbiten som låg där bland Jespers böcker och spel var liten, bara fyra eller fem centimeter lång. Den var gråvit och kändes sträv under hans fingrar, som om den legat ute i många år och blivit torr och spröd.

Och Per såg att Jesper och Nilla hade haft rätt, för biten liknade faktiskt ett avbrutet människofinger.

31

Eftersom deras föräldrar var döda och de inte hade några gemensamma barn skulle Max och Vendela fira påsk ensamma i det nya sommarhuset. Det gjorde inte så mycket, tyckte hon. Påsken var ingen stor högtid.

Vendelas vuxna dotter Carolina som hon hade med Martin hade ringt och önskat glad påsk från Dubai, men skulle inte komma hem förrän till midsommar. Max hade tre barn med sin första fru, men dottern hade blivit sur på Max efter några kommentarer om hennes mor två år tidigare. Sedan hade hon fått sina två bröder på sin sida, så just nu var kontakten med fadern avbruten.

Och som styvmamma var förstås Vendela extra hatad av barnen, det visste hon. Så hade det varit hela tiden.

Hon hade plockat med sig lite björkris från den gamla bondgården och trots att hon blev snuvig av det så tog hon in det i huset, som dekoration. Mer än så behövdes inte för att skapa påskstämning.

Sedan var det middagen. Vendela var trött på att laga mat nu – både frysen och kylen var full av rester från grannfesten – men hon fick ändå fixa till någon sorts påskbord. Lite ägg, lite sill och potatis, lite vin. En bordeaux, hon hade redan öppnat vinflaskan och hällt upp ett glas till sig själv.

Dörrarna till Max arbetsrum var stängda, han hade suttit vid sitt tankebord hela dagen och ville inte bli störd. Han laddade upp inför en liten bokturné som han skulle ut på efter påsk, och dessutom hade de hundra första ombrutna sidorna av *Maximalt god mat* kommit från hans förlag nu. I går hade de skickat iväg de sista recepten till redaktören, så nu var projektet nästan färdigt. Förr eller senare skulle Max säkert komma ut och be henne läsa korrektur.

Fläkten susade, och äggen och potatisen kokade på spisen. Hennes anteckningsbok om älvorna låg på bänken, Vendela hade en penna i handen och skrev ner spridda funderingar när hon höll på med maten.

Hon tänkte på Max barn som inte ens hade ringt honom och önskat glad påsk. Det fick henne att sätta ner vinglaset och skriva i boken:

I älvornas värld finns inga bråk och konflikter, älvorna lever i fullständig harmoni. Hur är det möjligt?

Det ligger i deras vidsynthet. Älvornas stora gåva är att de kan se ur alla perspektiv samtidigt, till skillnad från många trångsynta människor, och därför aldrig blir oense om någonting. De vet sin plats i världen och ägnar sig åt viktigare saker än att bråka.

Fast en gång i tiden hade ju älvorna faktiskt krigat med trollen, krigat så att blodet flöt. Borde hon skriva om det?

En köksklocka började surra bakom henne, det var äggen som var färdiga. Hon lyfte bort den kokande kastrullen från spishällen och spolade kallt vatten i den.

Äggen var tolv stycken, vita och hårda, men Vendela skulle inte äta något av dem. Hon hade vunnit kampen mot hungern sedan hon kom till ön, och om hon bara kokade tillräckligt många ägg kunde Max inte hålla koll på om hon åt något eller inte.

Hon återvände till bänken och fortsatte skriva:

Älvorna är förstås mer själsliga än kroppsliga, de har förstått att för mycket dyrkan av kroppen inte är bra. I själen finns kärleken till resten av världen men i kroppen finns begäret till den, och när begäret tar makten uppstår en kamp mellan kropp och själ som själen ofta förlorar.

Vi människor mister lätt kontrollen över kroppen eftersom vi vill erövra så mycket med den, men älvorna gör det aldrig. Vi går runt i en trollcirkel, utan att kunna ta oss ut, medan älvorna leker på ängarna.

Vendela såg en liten rörelse i ögonvrån och slutade att skriva. Hon vred på huvudet.

»Hallå, Ally«, sa hon.

Det var Aloysius som hade kommit in i köket – utan att kollidera med nosen mot dörrkarmen, som han ofta gjorde. Han gick försiktigt fram mot henne över plastgolvet, långsamt men rakt.

»Hur mår du?« sa Vendela och log mot honom. »Glad påsk, gubben.«

Pudeln satte sig långsamt på köksgolvet med sitt stela framben sträckt åt sidan.

»Du ska få lite godis i kväll, det blir väl bra?«

Hunden slickade sig om nosen och tittade bort mot Vendela.

Det var otroligt, men Aloysius verkade faktiskt *titta* på henne. Hans blick verkade fokuserad, han såg att det var hon. Hon tog ett snabbt steg åt sidan, och såg hur hans ögon följde hennes rörelser med blicken.

Vendela släppte pennan och vände om. Hon rusade bort mot Max tankerum, utan att bry sig om den stängda dörren.

»Max, hans syn är bättre!« ropade hon och knackade hårt på dörren. »Allys syn är bättre, Max, kom ut och titta!«

32

Barnbarnen hade målat hårdkokta ägg med vattenfärg hela dagen på påskafton. Det fanns gula ägg med blå ränder och röda ägg med gröna prickar – men de flesta hade fått så många lager färg på sig att de blivit svarta.

Gerlof åt ett par av dem med mycket salt och kaviar på, men föredrog kryddad sill med potatis och knäckebröd. Han drack ett par snapsar också, smaksatta med malört plockad nere vid stranden, och noterade att ingen annan vid bordet drack sprit. Bra. (Då och då genom åren hade han varit orolig för ett av sina barn, yngsta dottern Julia, men hon hade bara mjölk i glaset den här kvällen.)

Efter äggen och snapsarna mådde Gerlof så bra att han började berätta om hur eländigt livet på ön var förr i tiden.

»*Bänkvälling*, vet ni vad det var?«

Barnbarnen skakade på huvudet.

»Det var en speciell maträtt som man åt på lördagarna«, sa Gerlof. »Receptet var enkelt ... man samlade bara en veckas matrester i ett träkärl, sedan saltade man ordentligt och kokade upp det i en gryta och åt det. Hela familjen!«

Julia skakade på huvudet.

»Du har aldrig ätit bänkvälling, pappa. Så fattiga var ni inte.«

Han rynkade pannan mot henne.

»Jag pratar om min farfar, han fick bänkvälling när han var liten. När jag själv var liten var det illa nog ... Då fanns inget kranvatten, så vattnet fick man pumpa upp i en hink ute på gården.«

»Jag minns också den pumpen«, sa Lena, »den fanns kvar på sextiotalet ... Men brunnsvattnet smakade godare än kranvattnet, tyckte jag.«

»Jo«, sa Gerlof, »men ibland var det alldeles brunt, då fick man pumpa tills det blev klart igen. Och ingen toalett hade vi, bara utedass med en stor hink som man fick tömma i en grop när den blev full. Det skvätte på benen om man inte var försiktig, och om man halkade fick man ...«

Lena la ner sin gaffel på tallriken.

»Vi äter fortfarande«, sa hon.

»Jaja«, sa Gerlof och blinkade mot barnbarnen. »Men på våren var det tvärtom, då hade vi alldeles för mycket vatten. Då kunde det bli stora sjöar ute på alvaret ... Jag minns att vi badade i dem ibland. Och en gång hittade min bror Ragnar och jag en gammal plåtbalja som vi riggade med ett lakan och sjösatte i vårfloden.« Han skrattade. »Den fick så bra fart att den välte, det var mitt första skeppshaveri.«

»Fanns det bilar?« frågade ett av barnbarnen.

»Jo«, sa Gerlof, »bilar har det funnits så länge jag kan minnas. De kom ganska tidigt till ön, långt före elektriciteten. Det fanns bilar häruppe före första världskriget, men vissa gårdar fick inte elström förrän på fyrtiotalet. Och vissa ville inte installera den, det kostade ju en del. Man använde fotogenlampor så länge man kunde.«

»Ni slapp strömavbrott«, sa Julia.

»Jo, men å andra sidan blev alla livrädda varje gång åskan gick. Folk gick in till varandra eller gick ut och satte sig i bilen tills det var över ... Det var som om vi inte var vana vid elektriciteten.«

När nästan alla ägg var uppätna lämnade barnbarnen bordet. Det blev mycket tystare, och Gerlof satt kvar med sina döttrar.

Han hade något att berätta. Något som kändes som en bekännelse.

»Jag har förresten börjat läsa er mors dagböcker.«

»De ligger väl på vinden?« sa Julia.

»Nej, de låg längst in i ett skåp. Vill ni också läsa dem?«

»Helst inte«, sa Julia.

Lena skakade på huvudet.

»Jag har sett dem ligga där, men jag har aldrig rört dem ... Det känns för privat. Skulle hon inte bränna dem? Jag har för mig att hon ...«

»Bränna? Det har jag aldrig hört«, avbröt Gerlof. Han ville inte ha sämre samvete än han redan hade, och fortsatte med sin mest bestämda kaptensröst: »*Jag* läser dem, i alla fall. Läsning av dagböcker är inte olagligt.«

Det blev tyst vid bordet. Han plockade upp det sista svartmålade ägget ur skålen och började skala det, och sedan tillade han med lägre röst:

»Hon såg konstigt folk här vid huset, visste ni det? Hon skriver om det i dagböckerna.«

Döttrarna tittade på honom.

»Såg hon små tomtar, menar du?« sa Julia. »Det gjorde ju farmor.«

»Nej, inte tomtar. Ella skriver om 'en byting' som kom förbi vår stuga ibland, när hon var ensam häruppe. Först tänkte jag att hon hade någon friare från byn på besök här, när jag var iväg till sjöss ...«

»Ingen chans«, sa Julia.

»Det tror jag inte heller.« Gerlof tittade fundersamt ut genom fönstret, mot gräset och buskarna utanför tomten. »Men jag undrar vad det var hon egentligen såg. Hon pratade aldrig om det med mig. Sa hon något till er?«

Julia skakade på huvudet. Hon gröpte ur sitt sista kokta ägg och sa:

»Mamma var lite hemlighetsfull ... hon var bra på att tiga.«

»Det var kanske ett troll från stenbrottet«, sa Lena och log. »Ernst brukade prata om dem.«

Gerlof log inte tillbaka.

»Det finns inga troll där.«

Han började resa sig från bordet. Snabbt sträckte båda döttrarna ut händerna mot honom, men han ville inte ha någon hjälp:

»Det går bra, tack. Jag ska nog gå och lägga mig snart. Ni glömmer väl inte påskmässan i morgon?«

»Vi skjutsar dig upp till kyrkan«, sa Lena.

»Bra.«

Gerlof hade fortfarande eget sovrum i stugan. När han kommit in stängde han dörren om sig och bytte till pyjamas, trots att klockan bara var nio. Han visste att han skulle sova djupt, även om alla andra var vakna och satt och såg på teve. Han hörde deras skratt och höga röster, och slöt ögonen.

Barnbarnens höga tempo från morgon till kväll gjorde honom helt slut. Hur skulle det bli när sommarlovet började? Han fick njuta av friden nu på våren, så länge den varade.

33

»ALLY?« ROPADE MAX. »ALLY, TITTA PÅ MIG.«
Max lutade sig framåt i en fåtölj i vardagsrummet. Den lilla pudeln satt i Vendelas knä på andra sidan av rummet och vred nosen mot rösten.

»Aloysius? Ser du mig?«

Vendela viskade i hans öra:

»Ally, ser du husse?«

Hunden gnydde svagt och verkade vädra med nosen, men riktade den åt olika håll i rummet.

Max suckade.

»Han ser mig inte, Vendela. Hörseln och luktsinnet är bra, men synen är borta.«

Vendela strök Ally över ryggen.

»Jo«, sa hon, »han ser mycket bättre ... han går inte in i möbler längre.« Hon kliade honom i nacken. »Och han tittar, han tittar på mig. Visst gör du det, gubben?«

Ally sträckte upp nosen och slickade henne på halsen.

Max skakade på huvudet.

»Ögon läker inte av sig själva, det har jag aldrig hört talas om. Jag tror inte att synen bara kan komma tillbaks ...«

»Jo«, sa Vendela, »*här* kan den det. Här på ön.«

»Jaså?«

Vendela släppte ner pudeln på stengolvet.

»Det är hälsosamt här«, sa hon. »Jag tror det är vattnet och jorden ... Det är så mycket kalk i marken.«

»Visst«, sa Max och reste sig från fåtöljen. Han gick mot hallen.

»Jag måste sätta sommardäck på bilen nu. Kan du göra lite kall pasta till matsäck?«

Vendela gick ut i köket och satte på pastavatten. Om ett par timmar skulle hon vara ensam i huset. Hon såg faktiskt fram emot det.

Men påskhelgen hade gått bra, de hade ätit gott och Vendela hade hjälpt Max med korrekturläsningen av kokboken. På påskdagens kväll gjorde han sig redo att lämna ön och åka på sydsvensk bokturné i fem dagar, fram till fredagen. Han skulle prata om sina tidigare självhjälpsböcker och givetvis göra så mycket reklam som möjligt för den kommande *Maximalt god mat*.

»Förväntan«, sa han. »Man måste skapa förväntan.«

Han travade runt i huset och var upprymd ena stunden och irriterad den andra, märkte Vendela, men det blev han förstås alltid när han skulle ut och möta publiken. Det var så mycket som kunde gå fel; att ingen kom och lyssnade, att hans mikrofon inte fungerade, att arrangörerna hade glömt att beställa hans böcker eller boka rum. Han var alltid mer avslappnad när han kom hem från turnéerna.

I början hade Vendela följt med honom på resorna och de hade haft mysiga middagar på olika stadshotell, men nu var det en tyst överenskommelse att hon stannade hemma.

När pastan kokade gick hon tillbaka ut i stora rummet, och stannade tvärt.

Det fanns en mjölkvit pöl på det mörka stengolvet. Vendela förstod vad som hänt och skyndade sig ut i köket för att hämta hushållspapper innan Max såg pölen, men det var för sent.

Hans rop kom när hon stod vid diskbänken:

»Vendela!«

Hon gick ut och såg oförstående ut.

»Vad är det, älskling?«

»Har du sett vad han har gjort på golvet? Din hund?«

Nu var det *hennes* hund.

»Jo, jag såg.« Hon skyndade sig ut med papper i båda händerna. »Men det är bara lite magkatarr.«

Hon böjde sig ner. Max stod med rak rygg bredvid henne och betraktade arbetet.

»Det är inte första gången.«

»Nej. Han äter ju gräs ibland, det kan vara det«, sa Vendela. »Men han har blivit friskare den sista veckan.«

Max sa ingenting, han vände bara om. Vendela torkade upp det sista på golvet och reste sig upp.

»Så där, borta!«

Ytterdörren slog igen, Max hade gått ut. Ally hade smugit undan under köksbordet och låg där med tassarna över nosen, som om han skämdes, och hon böjde sig ner mot honom.

»Gör inte om det där, gubben.«

Max hade trivts med Ally alla år när han kunnat gå långa promenader med honom, eller slänga iväg pinnar och bullar som hunden hämtade. Nu när han var lite krasslig var han tydligen inte värd någonting.

Hon skulle ge sig ut till stenen med ett nytt mynt redan i kväll. Hon skulle stanna kvar och be där – inte bara för att Aloysius skulle bli friskare, utan också för att Max skulle börja tycka om hunden som han var, ung eller gammal. Söt eller ful, frisk eller sjuk. Han var ju deras Ally.

»Det är inte kört för dig än, gubben«, sa hon när hon hällde upp den färdigkokta pastan. »Vi ska *visa* honom.«

VENDELA OCH ÄLVORNA

I OKTOBER 1957 HÄNDER NÅGOT som gör livet ännu jobbigare för Vendela på familjens lilla gård. Henry Fors intresse för stjärnhimlen går över i ren rymdfeber.

Han är inte ensam om det den här hösten.

Det börjar en lördag när Henry lyssnar på en sen nyhetssändning på transistorn och plötsligt får höra något otroligt – Sovjetunionen har skickat upp en raket med en konstgjord måne i rymden. Den svävar i omloppsbana runt jorden. Månen heter Sputnik och är ett runt klot av metall, inte ens en meter brett.

Henry sitter vid köksbordet och lyssnar spänt på radion.

»Sputnik«, säger han. »Tänka sig …«

Sedan går han ut på trappan, böjer på nacken och tittar upp mot rymden. Han står kvar en lång stund, men plötsligt kommer han in igen.

»Jag såg den!« ropar han till Vendela.

Och han får med henne ut bland skuggorna i trädgården. De står i kvällskylan och ser på natthimlen. Stjärnorna glimrar, Henry spanar och lyfter fingret mot väster.

»Däruppe!«

Vendela tittar mot den svarta rymden ovanför ön. Hon ser stjärnor, som en svagt gnistrande matta av iskristaller i allt det svarta, men Henry påstår bestämt att en av dem rör sig.

»Där! Ser du inte?«

Vendela tittar stint i flera minuter, men ger upp. I stället vrider hon på huvudet och tittar mot huset bakom sig.

Där, på övervåningen, lyser det svagt i mittfönstret. En skugga skymtar bakom glasrutan, och Vendela förstår att Invaliden har dragit fram rullstolen för att också titta på kvällshimlen.

En månad senare skickas ytterligare en sovjetisk satellit upp, Sputnik 2, som är större och tyngre och har en liten hund döpt till Lajka ombord. Men det är synd om Lajka – hon har ont om mat och inga möjligheter att överleva returen till jorden, och hon störtar i havet ihop med satelliten.

»Men hon tålde trycket och tyngdlösheten!« säger Henry. »Det betyder att människor också kommer att göra det.«

Han ser hoppfull ut. Men Vendela tänker mest på Lajka, ensam i det stora mörkret. Korna ute i lagården är i alla fall tre.

Senare på vintern lyckas amerikanerna skicka upp sin egen satellit kallad Explorer, som inte syns över norra Europa. Men Henry behöver inte se den för att veta att en tävling har börjat, en kapplöpning, och han följer den spänt i radion och tidningarna. Nästa gång han reser till Borgholm kommer han tillbaka med en populärvetenskaplig bok, *Satelliter och rymdfärder*, som han läser ur varje kväll.

»Ryssarna kommer snart att sända en raket till månen«, berättar han för Vendela. »Det tar bara hundrafemtisju timmar att nå dit. Fortare än att åka med båt till Amerika.«

Sedan går han in på sitt rum. När hon tittar in för att säga god natt sitter han med penna och papper på sängen och ritar cirklar.

»Vad ritar du?« frågar hon.

Henry tittar upp.

»Omloppsbanor.«

Hennes far har en glöd i ögonen som Vendela aldrig har sett när han arbetar på bondgården, och hon förstår att djuren och lantbruket kommer att skötas ännu sämre i fortsättningen.

När vinterstormarna kommer driver nysnön upp i meterhöga frusna vågor på alvaret. Vendela kan inte gå där längre, så i flera månader får hon ta långa omvägar till skolan.

I slutet av mars kommer solen tillbaka och hon får ett par kängor av sin far, gjorda av byns gamle skomakare Sko-Paulsson. De är dåligt sydda och läcker in vatten, men nu kan hon gå mellan de smältande drivorna på alvaret igen.

Hon kan gå till älvastenen.

Den våren plockar Vendela med sig sin mammas smycken, ett efter ett, och på väg till skolan offrar hon dem till älvorna. Hennes far verkar inte märka stölderna, han är för upptagen med att titta på stjärnhimlen och beräkna de konstgjorda månarnas omloppsbanor, när han inte jobbar i stenbrottet. Bondgården förfaller och Invaliden verkar han ha glömt bort, men det bekymrar honom inte.

Vendela lägger smyckena i skålarna på stenen, och där försvinner de. Ibland ligger de kvar några dagar, men förr eller senare är de borta. Hon ser dem aldrig mer.

När hon önskar sig saker av älvorna blir de nästan alltid uppfyllda, ibland på märkliga sätt.

Hon önskar sig en egen bästa vän i klassen, någon som bara är hennes och som inte bryr sig om doften av bondgård som hänger omkring henne.

Två dagar senare frågar Dagmar Gran om Vendela vill komma hem med henne direkt efter skolan. Dagmars familj är rik, de har en stor gård i närheten av kyrkan med flera traktorer och mer än fyrtio kor – så många att de bara benämns med nummer. Vendela kan inte göra det, hon har ju Rosa, Rosa och Rosa att ta hand om, men säger att hon kanske kan komma lite senare. Dagmar säger att det går bra.

Veckan efter det önskar Vendela att älvorna ska ordna med något annat än kokt ål till middag, för Henry har kommit över billig ål från östra kusten och har lagat det tio dagar i sträck nu.

»Det blir kyckling i kväll«, säger Henry samma kväll i köket. »Jag har just nackat en av dem.«

Efter att hon och Dagmar Gran har blivit bästa vänner vill Vendela flytta till en tom bänk bredvid Dagmar, men fru Jansson säger att det är hon som bestämmer över elevernas platser och att Vendela ska sitta vid fönstret, bredvid Thorsten Hellman som behöver någon som har en lugnande inverkan på honom.

Så nästa dag stannar Vendela till vid älvastenen och lägger en tunn liten guldkedja i en av groparna. Sedan önskar hon sig en ny lärare i folkskolan, någon som är snällare och trevligare än fru Jansson.

Tre dagar senare blir fru Jansson förkyld och stannar hemma från skolarbetet. Förkylningen utvecklas till lunginflammation som nästan tar livet av fru Jansson; efteråt måste hon åka till sanatorium på fastlandet. En ung vikarie från Kalmar ersätter henne, fröken Ernstam.

Eleverna får plocka vårblommor i dikena och lämna dem till fru Janssons man, som är skolvaktmästare. Vendela niger extra mycket åt honom och hoppas med låg röst att skolfröken ska bli frisk igen.

När hon går hem till gården den dagen vågar hon inte ens titta på älvastenen.

34

JERRY MORNERS MAGE VAR STOR OCH VIT och inte det minsta muskulös. Den hade svullnat upp av viner och ostar och groggar och konjak, år efter år. I en vecka hade den dessutom haft ett långt plåster över sig, men det drog Per bort på påskdagens morgon. I ett enda långt ryck.

Magens ägare grymtade till på köksstolen, men rörde sig inte.

»Så där«, sa Per och vek ihop bandaget. »Känns det bättre?«

Jerry grymtade igen, men såret över buken såg läkt ut, tyckte Per. Det hade fogats ihop och blivit ett rosa streck.

»Minns du hur du fick det?« frågade han.

Jerry var tyst, innan han svarade:

»Bremer.«

»Det var Bremer som höll i kniven? Han högg dig och slog dig?«

Jerry nickade.

»Bremer.«

»Okej. Men ni var ju vänner ... Vet du varför han gjorde det?«

Jerry skakade på huvudet. Han höll fast vid sin historia – det gjorde den kanske mer trovärdig, tyckte Per, men fortfarande lika märklig. Varför skulle Hans Bremer attackera sin kollega med kniv, låsa in en kvinna och sig själv och sedan tända eld på huset?

Per kunde bara hoppas på att polisen skulle gå igenom filmstudion och hitta några svar snart, och berätta om dem.

Det fanns fler gåtor att fundera över. Han hade letat efter Nillas lavasten kvällen innan och fortsatt på morgonen – men den fanns helt enkelt inte i huset. Han letade ute i bilen också, utan resultat.

Hela tiden försökte han hålla sig utom synhåll för sin far, för så fort han visade sig hördes de hesa ropen:

»Pelle? Pelle!«

När han hade tagit bort Jerrys bandage rätade Per på ryggen.

»Jerry, nu när du är frisk tänkte jag att vi skulle få hem dig. Jag ska köra ner dig till Kristianstad i kväll. Vad säger du om det?«

Hans far sa ingenting.

»Då säger vi det, Jerry. Du får sitta här och vila, så äter vi sedan.«

Någon timme efter lunch stack han ut och sprang, som ett sätt att rensa huvudet och slippa Jerry en stund.

Påskdagen var frisk och klar, med bara lätta slöjmoln över fastlandet. Han sprang norrut längs kusten, och när han hade kommit så långt att han såg den lilla ön Blå jungfrun som en svart kupol ute i sundet stannade han och tog in landskapet. Klipporna, solen, havet. I några sekunder kunde han glömma allt annat. Sedan vände han om och sprang tillbaka igen.

När han nästan var framme fick han syn på en annan löpare, i vit mössa och röd träningsoverall. Han eller hon kom springande från öster, på vägen som slingrade sig inåt land. En smal figur som närmade sig med snabba steg.

Det var Vendela Larsson.

Per stannade några hundra meter från stenbrottet och lät henne komma i fatt. Han log mot henne.

»Hallå, hur långt blev det?«

Det var märkligt, men han tyckte att hon såg lite skamsen ut när hon kom fram, som om hon kände sig upptäckt.

»Hur långt? Du menar, hur långt jag sprang?« Hon verkade tänka efter. »Jag räknar inte så noga … jag sprang ut på alvaret och tillbaka. Det är min vanliga runda.«

»Bra. Själv brukar jag springa en slinga längs kusten. Två kilometer norrut och tillbaka igen.«

Hon log. »Jag joggar nästan varje kväll. Vi pratade ju om att göra det ihop … kanske i morgon?«

»Visst«, sa Per.

Det blev tyst, så han vände om och började småjogga tillbaka mot stugan. Vendela följde med.

»Hur mår barnen?« sa hon.

Per sneglade på henne. Vad visste hon? Visste hon hur sjuk Nilla var? Han orkade inte börja prata om det.

»Det är upp ibland, och ner ibland«, sa han. »Jesper mår bra, men hans syster Nilla har ... hon har tappat bort sin lyckosten.«

»Jaså, är hon ledsen då?« sa Vendela. »Jag tyckte att hon såg lite blek ut på festen, som om hon var ...«

»Lite«, avbröt Per. »Hon är lite ledsen.«

Vendela tittade på stugan.

»Var det inomhus hon tappade bort den?«

»Hon tror det.«

Vendela stannade plötsligt på grusvägen, och blundade några sekunder. Per tittade på henne.

»Mår du bra?«

Hon öppnade ögonen och nickade. Hon började jogga igen, bort mot sin egen villa. Över axeln sa hon kort, som om det vore självklart:

»Jag tror du kommer att hitta stenen nu, den är nog på hennes rum.«

Och det var den.

När Per kom hem tittade han in i det lilla rummet där Nilla hade sovit under påsken, och då låg den där på sängen. En liten rund sten av slipad lava som syntes tydligt på det vita överkastet.

Men han hade väl tittat där? Han hade ju letat efter lyckostenen överallt.

35

»HON FRÅN FESTEN«, SA JERRY.
Han stod utanför stugan och riktade ett darrande pekfinger mot söder.

»Vadå?« sa Per.

»Filmade henne«, sa Jerry.

»Vem pratar du om?«

»Henne!«

Han fortsatte peka. Per tittade bort mot grannhuset, där ett par gestalter rörde sig på uppfarten.

»Menar du Marie Kurdin? Du såg henne på festen?«

Jerry nickade.

»Har hon varit med i dina filmer?«

Jerry nickade igen.

»Slampa.«

Per bet ihop tänderna, han hade hört Jerry använda det ordet förr.

»Säg inte så«, sa han.

»Men fräsch«, sa Jerry långsamt, som om han tyckte om ordet. »Frä-äsch slampa.«

»Sluta nu«, sa Per. »Jag är inte intresserad.«

Men trots det tittade han bort mot grannvillan.

Marie Kurdin stod ute på sin tomt. Hon höll på att packa familjens bil med ett tiotal väskor, skötbord och påsar med leksaker. Påskhelgen var slut, och nu skulle tydligen familjen Kurdin åka hem från fritidshuset.

Hur gammal kunde hon vara? Trettio år, kanske. En lång och smal småbarnsmamma. Hon rörde sig energiskt med resväskorna och ropade något ohörbart mot sin man inne i huset. Det kunde väl inte stämma, att Marie Kurdin hade spelat in filmer med Jerry? Han fick plötsliga bilder i huvudet, bilder som han inte bett om: hur Marie Kurdin låg på en säng som alla de andra, med Markus Lukas böjd över sig och Jerry som stod bredvid och rökte ...

Nej. Per skakade på huvudet och såg på sin far.

»Du inbillar dig.«

Innan de for iväg gick Per över till Vendela Larssons villa för att tacka för Nillas lyckosten – och fråga sin granne hur hon kunnat veta var den låg.

Han knackade på men ingen öppnade. Så han skrev snabbt en lapp:

Stort tack för stenen!

/Per

Så vek han ihop den och kilade in den i dörrspringan.

De var tre i bilen den här dagen. Jesper följde också med när de lämnade ön och körde över Ölandsbron – han skulle tillbaka till sin mamma och börja skolan efter påsklovet.

Marika bodde i en villa i norra delen av Kalmar och Per släppte av sonen ute på gatan, han ville inte riskera att hon träffade Jerry.

»Hittar du hem?« frågade han när Jesper hade klivit ur bilen.

Jesper nickade, utan att le åt skämtet, men böjde sig fram för att ge honom en snabb kram.

»Ha det bra i skolan«, sa Per, »och hälsa mamma.«

När Jesper hade gått in i huset vände han sig mot Jerry.

»Såg du kramen, Jerry? Vissa pappor får sådana.«

Jerry sa ingenting, så Per fortsatte:

»Då kör vi hem dig.«

»Hem«, sa Jerry.

Ett par timmar senare körde de in i Kristianstads centrum, men då hade Jerry somnat. Han sov bakåtlutad med ansiktet vänt uppåt mot biltaket och en gapande mun mellan de gropiga kinderna. Hans snarkande överröstade bilmotorn och Per satte på radion, som spelade ett gammalt skillingtryck:

I en sal på lasarettet, där de vita sängar står
låg en liten bröstsjuk flicka, blek och tärd med lockigt hår ...
Han stängde snabbt av igen.

Gatorna kändes främmande för Per, men till slut hittade han rätt och parkerade vid trottoaren, tio meter bort från porten till faderns hus. Den var stängd.

När han slog av motorn ryckte Jerry till och vaknade. Han blinkade och såg sig förvirrat om.

»Pelle?«

»Du är hemma nu«, sa Per.

»Kristianstad?«

Jerry hostade och såg längs gatan. Han skakade långsamt på huvudet.

»Nej.«

Han hade ångrat sig igen. Per suckade.

»Jo, det är tryggt och säkert här.«

Jerry skakade på huvudet igen. Han lyfte ett darrande finger och pekade.

»Vart då?«

Per fortsatte titta bort mot Jerrys port. Sedan öppnade han bildörren.

»Vänta här då«, sa han och klev ur bilen. »Jag tar en titt ... Sedan hämtar jag dig. Har du nyckeln?«

Jerry trevade i rockfickan och lämnade över den.

»Prince«, sa han.

Jerry ville ha cigaretter, men Pers enda svar var att stänga sin bildörr.

Han gick sakta bort mot porten. Jerrys lägenhet låg centralt, men inte i de dyraste delarna av Kristianstad. Huset var ett stenhus från början av 1900-talet som behövde renoveras. Under plåttaket fyra våningar upp tittade små uthuggna stenhuvuden ner på honom. De såg ut som vanskapta ugglor.

Han låste upp porten och klev in i dunklet.

Han tänkte på när han hade gått in i Jerrys villa en vecka tidigare. På röken och lågorna som slog upp från nedervåningen. På

Bremer i den brinnande sängen och en flicka som skrek på hjälp.

Härinne fanns ingen röklukt, i alla fall. Trapphuset var bara fyllt av ekon. Stentrappan vred sig i en spiral runt en cylinderformad hisstrumma, men den runda hissen såg åttio år gammal ut och var alldeles för liten, den skulle sluta sig omkring honom som en stålbur om han klev in i den.

Per föredrog att gå de tre trapporna upp till Jerrys lägenhet.

Han passerade två våningar med stängda lägenhetsdörrar och fortsatte upp till den tredje. Nedanför den stannade han.

Jerrys dörr stod på glänt.

Först trodde Per att han hade tagit fel, men när han räknade antalet våningar ytterligare en gång visste han att han kommit rätt.

Han skymtade hallen innanför dörren, men den var mörk och tyst. Inget rörde sig därinne.

Han blev stående på avsatsen en halv trappa nedanför den öppna dörren. Han lyssnade igen. Inga ljud hördes, mer än någon enstaka bil som susade förbi nere på gatan.

Per tänkte på ytterdörren i Jerrys villa som hade stått på glänt.

Varför var den här dörren också öppen? Den borde inte vara det. Tryggt och säkert, hade han sagt till Jerry, men nu tvekade han i trapphuset.

Är du rädd?

Ja, han var rädd. Lite.

Per drog efter andan, tänkte på sin judoträning och försökte hitta balansen i sin kropp, från fötterna och uppåt. Långsamt började han röra sig uppför trappan igen. Nu fick han för sig att någon stod inne i Jerrys hall och väntade på honom. Någon som höll andan och hörde honom komma, hur sakta han än rörde sig, hur tyst hans hjärta än slog.

Med försiktiga steg närmade han sig den öppna dörren.

De tre sista trappstegen tog han i en enda bestämd rörelse, en, två, tre – sedan var han framme vid lägenheten, tog tag i handtaget på dörren och drog upp den.

En dunst av cigarettrök slog emot honom ur öppningen, men det var nog en gammal lukt som Jerry lämnat kvar.

Det var dunkelt i hallen, Per sträckte in handen och tände ljuset. Sedan kikade han in.

Till en början såg allt ut som vanligt. Som vanligt? Han hade inte varit uppe hos Jerry på över tre år, och då hade han bara stannat en halvtimme. Men det hängde fortfarande en massa kläder i hallen, mockajackor och gula kavajer, och nedanför stod svarta lackskor som Jerry förmodligen inte använt på många år.

Per tog två steg in över tröskeln och lyssnade. Allt var tyst.

En stor persisk matta bredde ut sig i det stora vardagsrummet innanför hallen. Vid kanten av mattan låg en stor uppfälld resväska.

Den var tom, såg han, men det fanns fler väskor bakom den. Marockanska tygväskor, plastpåsar och slitna attachéportföljer låg utspridda på golvet – och de verkade vara öppnade av någon som sökt igenom dem, för kläder och papper låg i högar på golvet.

Per var rädd nu, men tog ändå två steg framåt och kikade in i vardagsrummet.

Ingen syntes där, inga ljud hördes.

Han klev in.

Han väntade sig att det skulle vara mer tillstökat i stora rummet än det faktiskt var. Det låg drivor av damm i hörnen och gamla apelsinskal på glasbordet, men Jerrys oljemålningar hängde fortfarande på väggarna. Per hade gett honom några böcker genom åren, och de var orörda och prydligt uppradade på bokhyllan. Hans far hade aldrig tagit sig tid att läsa.

Till vänster om ingången stod en lackad fanérbyrå, en Hauptkopia, och den var inte orörd. Per mindes den från barndomen, den hade tre lådor som alltid varit låsta, men de var öppnade nu.

Våldsamt uppbrutna. Någon hade tagit en skruvmejsel eller ett stämjärn och hackat sig igenom trät runt de svarta nyckelhålen, och sedan ryckt ut låset. Papper och dokument som Jerry haft i lådorna hade tagits ut och slängts på golvet.

Sovrummet låg innanför vardagsrummet. Persiennerna var nerdragna därinne, det var helt mörkt och lika tyst som resten av lägenheten. En målning av en naken kvinnokropp med enorma klotbröst hängde över Jerrys vattensäng.

Per tog tre steg framåt mot dörröppningen, och lyssnade igen. Han såg att sängen var obäddad, med täcket och kudden i en stor hög. Men ingen låg i den.

Lägenheten var tom.

Han vände om och gick sakta nerför trappan igen.

Ute på gatan körde bilar och bussar förbi, några meter bort kom en äldre man och kvinna gående arm i arm. Det var vardag i staden och Per försökte lugna ner sig. Han gick bort till bilen och öppnade Jerrys dörr. Hans far såg på honom.

»Prince, Pelle?«

Per skakade på huvudet. Han stod kvar bredvid bilen och stirrade bort mot Jerrys port. Den förblev stängd.

»Jerry, när du åkte iväg till Ryd från lägenheten förra helgen«, sa han, »stängde du ytterdörren?«

Jerry hostade och nickade.

»Du stängde och låste, helt säkert?«

Jerry nickade bestämt, men Per visste att han hade glömt saker förr. Efter stroken hade det nästan blivit regel att allt han sagt och gjort dagen innan var helt borta.

»Dörren stod öppen nu och en byrå är trasig … Jag tror att du har haft inbrott. Om du inte har stökat till själv däruppe?«

Jerry satt tyst med böjt huvud. Per var tvungen att bestämma något.

»Okej … vi får gå tillbaka upp och se om något är stulet. Så får vi anmäla det till polisen.«

Han böjde sig ner och hjälpte sin far ut ur bilen.

»Jerry«, sa han, »var det någon annan som hade nyckel till din lägenhet?«

Jerry ställde sig osäkert på trottoaren och verkade fundera innan han svarade med ett enda ord:

»Bremer.

36

PER ANMÄLDE INBROTTET till polisen i Kristianstad, trots att Jerry inte kunde avgöra om något verkligen hade blivit stulet ur byrån eller inte.

»Jerry, vad saknar du?« hade han frågat flera gånger. »Vad tog de?«

Men Jerry hade bara stått och tittat på högarna på byrån med förundrad blick, som om han inte längre mindes vad de var. När Per bläddrade igenom papperen som lämnats kvar verkade de mest bestå av gamla hyresräkningar och kontobesked.

Men allt annat, var fanns det? Det borde väl finnas anställningskontrakt för alla modeller som Jerry och Bremer hade filmat genom åren? Underskrivna avtal där de unga kvinnorna intygade att de inte var *för* unga, och att de ställde upp frivilligt?

Han hittade inga sådana, och såg på sin far.

»Minns du vad du förvarade här hemma, Jerry? Var det något viktigt?«

»Papper.«

»Var det viktiga papper?«

»Doku–«

Jerry tystnade, det var ett för svårt ord.

»Olika dokument? Var det från Morner Art?«

»Morner Art?«

Jerry tycktes inte längre minnas namnet på sitt aktiebolag.

När Per ringde polisen kunde han bara lämna vaga uppgifter om inbrottet. De tog emot anmälan, men kom inte för att göra någon undersökning.

»Det är helgdag i dag«, sa polismannen till Per. »Vi måste prioritera de akuta sakerna. Men tack för anmälan, vi ska hålla ögonen öppna.«

Vid niotiden ringde Per till Nilla på sjukhuset, för att säga god natt.
»Hur mår du?«
»Så där.« Hennes röst var låg men hörbar. »Lite bättre än i går …
Jag har fått dropp och en massa sprutor.«
»Bra«, sa Per snabbt. »Och jag har hittat din lyckosten.«
»Har du? Var låg den?«
»På din säng«, sa Per kort. »Du får den när vi ses nästa gång …
Något annat nytt?«
»Nä … det är bara lite nytt folk på avdelningen«, sa Nilla. »Det har kommit en kille hit. Han heter Emil.«
Hennes röst lät plötsligt gladare när hon sa namnet, så Per frågade:
»Är han i din ålder?«
»Nästan. Han är femton.«
»Bra«, sa Per. »Fråga om han vill spela fia.«
Nilla skrattade kort och bytte ämne:
»Fick du min tankebild i kväll? Klockan åtta?«
»Jag tror det … Jag fick en massa bilder i huvudet, i alla fall.«
»Vad tänkte jag på då? Vad såg du?«
Per tittade ut på himlen över staden och chansade vilt:
»Moln?«
»*Nej.*«
»En solnedgång?«
»Nej.«
»Tänkte du på dina kompisar?«
»Nä, på fladdermöss.«
»Fladdermöss? Varför då?«
»De kommer fram här vid sjukhuset på kvällen«, sa Nilla. »De flaxar fram som svarta trasor över himlen.«
»Tittar du inte på fåglarna längre?«
»Jo, på dagen. Men på kvällen när jag inte kan somna tittar jag på fladdermössen.«

Per lovade att komma och hälsa på henne nästa dag, och så sa de hejdå till varandra.

Det var väl sent att åka hem vid det laget, och Pers stuga var ändå tom. Så han stannade kvar hos Jerry.

Innan han la sig hakade han på säkerhetslåset på ytterdörren.

Lägenheten i Kristianstad var främmande för honom att övernatta i, men den långa lädersoffan hade han sovit i som tonåring, när Jerry bodde i Malmö. Nu när han kröp ner i den vaknade en del minnen.

Hans mor hade ofta varnat honom inför resorna till Jerry:

»Om han har någon kvinna behöver du inte sova där, då kan du åka hem igen ... eller också hämtar jag dig. Du behöver inte stå ut med sånt.«

»Nej då, mamma.«

Men det var klart att hans far hade haft en kvinna på besök ibland. Flera stycken, till och med. Per hade ofta undrat om han hade några okända halvsyskon någonstans i södra Sverige, det skulle inte förvånat honom.

Dörren till Jerrys sovrum hade varit stängd, men när Per låg ute i soffan hade han förstås hört sin far och kvinnorna därinne. Vid det laget var han tonåring och mindre oskuldsfull än när han mötte Regina och han visste vad Jerry gjorde, men de nätterna var ändå en plåga.

Det spelar ingen roll, hade Per tänkt. *Kärleken är inte viktig.*

Och nu? Nu tänkte han på Nilla och Jesper. Och för ett kort ögonblick såg han faktiskt Vendela Larssons stora ögon i mörkret framför sig.

Sedan somnade han.

När han vaknade var det måndag morgon, annandag påsk.

Det fanns ingen glamour i Jerrys kök. Bordet var fullt av bruna flottfläckar. Smutsiga koppar och tallrikar stod i travar på diskbänken, och allt som fanns till frukost därute var kaffe och knäckebröd. Och så Jerrys cigaretter.

Per fyllde på sin fars kaffekopp och sa:

»Jag ska åka snart, Jerry. Jag måste upp till Jesper och Nilla.«
Jerry tittade upp.

»Men inte du«, sa Per, »du ska stanna här. Du klarar dig ju här i lägenheten, eller hur?«

Han försökte låta bestämd, men det gick inte. Per såg sig om i det smutsiga köket och kunde inte bestämma sig för vad han skulle göra med sin far.

Åk hem, tänkte han mot spegelbilden i köksfönstret. *Han skulle ha struntat i dig, om du hade varit gammal och sjuk.*

Men Per kunde inte. Det var inte bara det gamla löftet till Anita, eller att Jerry slarvade med maten och hälsan och behövde hjälp – det var det här med reservnycklarna också. Det här med mordbranden och det möjliga inbrottet.

Om Jerry skulle bo här måste Per få polisen att bevaka hans våning, för innan dess kändes den inte säker.

Om Hans Bremer hade haft en nyckel till lägenheten, och om någon hade stulit den från honom och tagit sig in här under påsken för att stjäla något – då skulle den personen kunna återvända.

Till slut hade Per tagit med sig Jerry till Öland igen, trots allt. Han hade packat en väska med rena kläder och låst lägenheten noga, och så hade far och son satt sig i bilen igen och kört iväg mot Östersjön.

De hade stannat till i Kalmar och Per hade gått upp till Nilla på sjukhuset, men hon sov. Sömnen var djup och verkade fridfull. Han satt en stund i tystnaden vid hennes säng, såg på hennes bleka ansikte och kände att han ville dela sig i två delar: en halva som vakade här i rummet dygnet runt – en annan del som reste sig och inte kom tillbaka förrän hon var frisk. Han älskade sin dotter, men att se henne ligga här i sjukhussängen var outhärdligt. Han ville bara gå tillbaka ner till bilen.

Han kunde skylla på Jerry, att hans far behövde mer hjälp av honom än Nilla. Men Per var inte hjälpsam – han var bara feg.

Per och Jerry fortsatte till Öland och kom tillbaka till stenbrottet sent på eftermiddagen på annandag påsk. Nu fanns inga barn att oroa sig för i stugan. Knappast några grannar heller. Per såg att Kurdins villa var igenbommad.

De andra grannarna, paret Larsson, verkade fortfarande vara kvar. Han mindes löftet att springa med Vendela den här kvällen, och såg faktiskt fram emot det.

När han hjälpte Jerry in i stugan frågade Per:

»Din och Bremers firma, Morner Art ... hur blir det med den nu?«

»Bremer«, sa Jerry och skakade på huvudet.

Per trodde att han förstod.

»Ja, Hans Bremer är ju borta ... så du avvecklar väl den nu, Jerry, en gång för alla?«

Hans far nickade.

»Var det vad den här Markus Lukas ville, när han hörde av sig till dig?« sa Per. »Var det att du skulle sluta filma?«

Jerry såg förvirrad ut, och svarade inte.

»Jag kan hjälpa dig avveckla Morner Art«, sa Per. »Jag kan ta hand om det praktiska ... Kontakta bolagsverket och din bank och alla andra.«

Jerry var fortfarande tyst, men Per tyckte att hans haka rörde sig i en kort nickning. Och han hoppades – han hoppades verkligen – att det var slut med Jerrys bolag nu.

Inga fler tidningar, inga filmer.

Inga fler besök i granskogen.

37

När max hade åkt på sin lilla bokturné var Vendela för första gången helt ensam i villan, och plötsligt verkade den ännu större än förut. För stort – vardagsrummet med sitt höga tak och tjocka bjälkar påminde henne om Henrys lagård. Hennes steg ekade ensamt när hon gick över stengolvet. Men hon hade hängt upp gamle Gerlofs valknop på dörren till köket och log för sig själv varje gång hon såg på den.

Aloysius var förstås också kvar och var bra sällskap i villan. Och frisk! Det var helt fantastiskt – när Max hade åkt reste sig Ally ur korgen och gick runt flera varv på nedervåningen, utan att krocka med en enda möbel. Och Vendela tyckte att han tittade på henne hela tiden nu, utan att hon behövde ropa. Ändå var hon inte förvånad, för det var ju precis det här hon hade önskat sig. Snart skulle hon sätta sig ner med boken om älvorna och berätta om Allys tillfrisknande, från början till slut.

Men först skulle hon springa längs kusten med Per Mörner.

»Hej«, sa Per när hon öppnade.

»Hej«, sa Vendela.

»Är du redo?«

»Absolut.«

De gav sig iväg från stenbrottet sida vid sida, och föll snabbt in i varandras rytm och andning när de sprang, jämsides med den nergående solen.

Kylan drev in från havet och upp över stranden och klipporna. Solen färgade himlen mörkröd.

De ökade farten när de kom ut på grusvägen, och Vendela kände sig stark, hon höll samma snabba takt som Per. Hon hörde hur han andades djupt och lugnt och närheten till hans långa kropp gav hennes egen ny energi, det kändes som om hon skulle kunna springa ända upp till grannbyn Långvik.

Men efter tre eller fyra kilometer vred Per på huvudet och frågade:

»Vill du vända?«

Hon såg att han var trött nu.

»Visst. Det här räcker.«

De stannade och stod kvar ovanför stranden någon halvminut, och såg ut över det mörkblå sundet som var helt tomt på båtar. De sa inget men drog in andan nästan samtidigt. Sedan började de springa söderut igen, i jämn takt.

Först när de hade kommit tillbaka till stenbrottet började de prata.

»Jag måste fråga en sak«, sa Per och drog efter andan på grusvägen. »Det här med stenen ... Min dotters lyckosten från Island. Hur gjorde du det?«

»Jag?« sa Vendela och andades ut. »Jag gjorde ingenting.«

»Men du visste ju var den skulle finnas ... på hennes säng.«

Vendela nickade och sa:

»Ibland känner man bara på sig saker.« Hon ville byta ämne, så hon frågade: »Så din familj har åkt nu?«

»Min far är här. Mina barn har åkt till Kalmar.«

»Min med ... alltså min man. Jag och min lilla hund är kvar, Aloysius. Han höll sig undan på festen i onsdags, men nu är han här. Vill du träffa honom?«

»Visst.«

Per följde med fram till hennes dörr.

Vendela öppnade och kastade en sista blick omkring sig, österut mot alvaret och västerut mot stenstranden.

»Vi bor mellan trollen och älvorna«, sa hon.

»Gör vi?« sa Per.

»Min pappa Henry sa till mig att trollen bodde nere i stenbrottet, och älvorna bodde ute på alvaret. Och när de möttes så slogs de så att blodet flöt.«

»Jaså?«

»Jo, det finns spår av striden nere i stenbrottet. Blodspår.«

»Blodläget, menar du?« sa Per. »Tror du på det?«

Han såg fundersamt på henne, hon skrattade till.

»Kanske … men inte på troll.«

Nu log han, som om de delade ett skämt.

»Och älvorna, då?«

»Jo«, sa Vendela och slutade plötsligt le, »de kanske finns. Men de är vänliga varelser, de hjälper oss.«

»Gör de?«

»Ja.« Och hon fortsatte, utan att tänka efter: »Det var de som hjälpte till att hitta din dotters lyckosten.«

»Jaså?« sa Per.

»Jag bad dem om det, och de visade en bild av var den skulle ligga.«

Per sa inget, men Vendela märkte att han sneglade på henne. Hon borde inte ha babblat om älvorna, men nu var det gjort.

Tystnaden blev lång och lite obehaglig, så hon vände sig om:

»Ally!«

Efter några sekunder hördes tassande steg, och så kom den gråvita pudeln försiktigt fram till dörröppningen.

»Hej på dig«, sa Per.

Ally lyfte huvudet, men kunde inte fokusera blicken på deras gäst. För att Per inte skulle märka något böjde sig Vendela fram och kliade hunden i nacken.

»Tack för turen«, sa Per bakom henne och hon vände sig om:

»Tack själv. Ska vi ta en i morgon också?«

En rak och rättfram fråga, och hon hade inte ens skrattat nervöst när hon ställde den.

Per såg lite tveksam ut, innan han nickade.

När Vendela hade stängt dörren efter Per började telefonen ringa ute i köket. Hon stod kvar i hallen bredvid Ally. Hon anade vem det var och visste inte om hon ville svara.

Den drillade fram två signaler, tre, fyra – och på den femte var hon framme vid köksbänken och lyfte luren.

»Hallå?«

»Var har du varit?« sa en mansröst. »Jag har ringt tre gånger.«

Det var förstås Max.

»Ingenstans«, sa Vendela snabbt. »Ute på alvaret.«

»Ute och joggat?«

»Just det.«

»Ensam? Skulle du inte springa med grannen?«

Vendela mindes inte ens att hon hade nämnt det, men Max mindes och var förstås tvungen att ta upp det. Hon förstod inte hans kontrollbehov. Hon var tyst några sekunder, innan hon ljög fram ett svar:

»Jag sprang ensam.«

»Är det några andra kvar i byn?«

»Jag vet inte ... det är säkert några stycken. Jag har mest varit inne.«

»Okej ... jag har i alla fall ringt.«

Det blev tyst. Det hördes tassande steg i köket och Ally kom ut bredvid henne. Vendela knäppte med fingrarna och pudeln lyssnade intensivt för att hitta fram till henne.

»Hur har det gått med föredragen då?« frågade hon.

»Så där.«

»Mycket folk?«

»En del. Men de köper inte så mycket böcker.«

»Det blir nog bättre«, sa hon.

»Något annat?« sa han lågt.

»Vadå?«

»Har du tagit några tabletter i dag?«

»Bara två«, sa Vendela. »En i morse och en efter lunch.«

»Bra«, sa Max. »Jag måste lägga på nu. Jag ska äta middag med arrangörerna.«

»Okej. Sov så gott.«

När Vendela lagt på undrade hon varför hon fortsatte ljuga om pillren. Hon hade inte ätit ett enda piller på flera dagar. Löpningen var mycket viktigare nu.

38

Efter påsk blev allt plötsligt som vanligt igen i Gerlofs lilla trädgård, när hans barn och barnbarn hade åkt hem.

De sista torra fjolårslöven hade fallit från hasselbuskarna runt tomten, och Gerlof kunde se små ivriga skuggor som hoppade omkring inne i snåren. Det var bofinkarna, nyanlända flyttfåglar som antingen skulle stanna kvar i byn hela sommaren eller bara vila några dagar innan de fortsatte över Östersjön mot Finland och Ryssland. Han kunde höra dem också – finkarnas körsång lät som klingande bjällror.

Det hade blivit några grader varmare i luften, vinden var svag och Gerlof kunde fortsätta pyssla med sina flaskskepp ute på gräsmattan. John Hagman hade gett honom en gammal och väl torkad mahognybit som han tänkte använda till att bygga en fullriggare. De hade haft sin storhetstid på världshaven långt innan han själv blev skeppare, men han hade alltid varit svag för dem.

Han kunde fortsätta läsa Ellas dagböcker också, i smyg. Då och då hittade han en anteckning om hennes besökare.

Ja, i dag har vi den 5 augusti 1957.

Mycket fisk den här veckan. I torsdags stekte vi kotletter av en gädda som Gerlof fångat med spjut mellan stenarna vid stranden, och i dag på morgonen fick jag en abborre av snickare Andersson.

Hade kräftkalas i lördags kväll också. Men Gerlof var nere i Borgholm på hamnmöte så jag och flickorna hade kalas själva.

Bytingen verkar känna på sig när det är fritt fram. Han har hållit sig borta ett par veckor, men i dag kom han och stod vid stenmuren när jag

kom ut, och jag fick hämta mjölk och kakor. Då kom han fram och jag
kände stanken, den här dagen var det värre än förut, det är väl värmen.
Bada borde han, tänkte jag, varför kan han inte bada? Men bytingen bara
log och jag låtsas som ingenting.

Som vanligt sa han inte ett knyst, bara åt och knaprade i sig. Och så
försvann han mot norr igen, utan ett tack.

Han är så skygg och hoppar till för minsta ljud, så jag förstår att det inte
är meningen att han ska vara här. Han vill komma och gå obemärkt. Där-
för säger jag inget om honom, inte till någon.

Gerlof slutade läsa. Han tittade mot byvägen i norr och tänkte på att
Ellas besökare verkade ha kommit därifrån vid varje besök.

Vad låg norrut? På femtiotalet hade det legat lite gårdar och sjö-
bodar däruppe. Annars var det bara gräs och buskar. Och stenbrottet
förstås. Det låg ju närmast, på andra sidan vägen.

Han tänkte börja läsa igen, men då klingade det till i grinden av
en besökare.

Det var inte hemtjänsten som kom, det var Per Mörner. Han vin-
kade och Gerlof vinkade tillbaka. De hade inte setts sedan förra
veckan, på grannfesten.

»Jag är tillbaka«, sa Per när han kom fram på gräsmattan.

»Jag visste inte ens att du har varit borta«, sa Gerlof. »Har du kört
din far till fastlandet?«

»Det var tänkt så«, sa Per lågt, »men det kom saker emellan …
Han är kvar här, jag tar hand om honom.«

Han hade sänkt blicken när han sa det.

»Det är väl bra«, sa Gerlof. »Då kan ni umgås.«

»Visst«, sa Per, utan att se glad ut.

Det blev tyst i trädgården ett tag, innan han plötsligt frågade:

»Vet du förresten något om blodet borta i stenbrottet?«

»Blodspår?« sa Gerlof. »Det har jag aldrig sett.«

»Inte spår«, sa Per, »mer som ett rött lager som man kan se i klip-
pan … Ernst pratade om blodläget.«

»Jaså det?« Gerlof skrockade till. »*Blodlejet*, som stenhuggarna sa.
Det är inte blod, det är järnoxid. Det bildades när Öland låg under

vatten och stenbrottet var en del av havsbottnen. Då lyste solen ner genom vattnet i Östersjön och havsbottnen oxiderade. Sedan reste sig ön ur vågorna och järnoxiden stelnade och blev ett berglager ... Det var faktiskt före min tid, men jag har läst att det gick till så.«

»Men trodde stenhuggarna att det var blod?«

»Nej då, men de hade en massa namn på stenlagren i berget.« Gerlof lyfte handen och räknade på fingrarna: »Hårdläget som låg överst och var fyllt av sprickor, det bröt man bara loss och skyfflade undan. Och sedan klisterläget som var hårt och svårbrutet. Efter det var de nere vid godläget som var den bästa och finaste kalkstenen, det var den de bröt och sålde. Och under det, på vissa ställen, fanns blodläget.«

»Var det bra sten därnere?«

»Nej, tvärtom«, sa Gerlof. »När de var nere vid blodläget hade de gått för långt.«

Per nickade och sa:

»Då vet jag ... Det finns alltid en enkel förklaring.«

Gerlof sneglade på Ellas dagbok på bordet.

»Oftast, i alla fall.«

39

Per började jobba igen på tisdagsmorgonen.
»Hej, jag heter Per Mörner och ringer från företaget Intereko, som sysslar med marknadsundersökningar. Har du tid att svara på några frågor?«

Till och med när han rabblade frågorna tänkte han på annat. Han funderade en del på Vendela Larsson och hennes prat om troll och älvor. Hon var märklig, men han kunde inte sluta tänka på henne.

Telefonen på köksbordet ringde vid tiotiden, när han just hade avslutat sitt tolfte samtal om tvål. Minnet av det märkliga anonyma samtalet som kommit till stugan efter påsk fick honom att tveka med handen ovanför luren, men till slut svarade han.

I luren hördes en bestämd mansröst:

»Per Mörner?«

»Ja.«

»Det här är Lars Marklund på polisen i Växjö. Vi har pratats vid förut ...«

»Jag minns det.«

»Bra, det gäller förstås fortfarande den här villabranden i Ryd. Vi skulle gärna vilja komplettera det första förhöret som gjordes den kvällen.«

»Ni vill prata med mig?«

»Med din far också«, Marklund verkade bläddra bland papper, »... Gerhard Mörner. När skulle det gå bra för er?«

»Min far är tyvärr inte mycket att prata med«, sa Per.

»Är han sjuk?«

»Han fick en stroke förra året. Det har påverkat talförmågan, han minns bara enstaka ord.«

»Vi vill gärna ställa lite frågor ändå«, sa polisen. »Finns han på sin hemadress?«

»Nej, han är här på Öland.«

»Okej ... vi hör av oss.«

»Men vad gäller det egentligen?« sa Per. »Vad vill ni veta?«

»Vi har bara lite fler frågor ... Brandundersökningen är klar nu.« Han gjorde en paus och tillade: »Och obduktionerna.«

»Vad har ni kommit fram till då?« sa Per.

Men polismannen hade redan lagt på.

Jerry sov fortfarande, i alla fall låg han kvar i sängen. Per gick in, fick upp honom och fick honom att klä på sig. Det verkade gå saktare och saktare för varje dag, vänsterarmen hade ingen kraft alls och Per fick hjälpa till att stoppa in den i skjortärmen.

»Nu är det frukost«, sa han.

»Trött«, sa Jerry.

Per lämnade honom vid köksbordet med kaffe och smörgåsar.

Själv gick han ut i solen och den klara kalla luften, för att fortsätta undersöka Ernsts arbetsbod.

Han öppnade dörrarna på vid gavel så att ljuset föll på skulpturerna därinne. De var en märklig grupp – som en stor trollfamilj, eller vad de nu var. Och omkring dem längs väggarna fanns Ernsts alla redskap: spett, hammare, yxor och borrar. En hel arsenal.

Om Jerry hade haft andra intressen tidigare i livet så var sömnen det enda han hade nu. Han sov länge på morgonen och efter den sena frukosten ville han gå och lägga sig igen. Men Per gick inte med på det, han fick på sin far rocken och skorna och tog med honom ut till kanten av stenbrottet.

»Här«, sa Per och pekade, »här håller jag och Jesper på och bygger en trappa ... det går att använda den, om man går försiktigt.«

Han höll stadigt i Jerrys arm när de tog sig nerför den smala rampen – det var nätt och jämnt att de kunde gå i bredd, och några av stenarna kändes obehagligt vingliga under deras skor. Men blocken låg kvar.

»Inte så illa, va?« sa Per när de kom ner.

Jerry hostade bara till svar. Han såg sig om på den stora grusplanen.

»Tomt«, sa han.

Per höll ett halvt öga på honom, men började arbeta på trappan igen. Skottkärran stod kvar, och han fyllde den med grus och körde fram den för att lasta av och med hjälp av spaden bygga upp rampen längs klippväggen och göra den stadigare.

När fem lass grus var tömda vred han på huvudet, och såg på sin far.

»Vad gör du, Jerry?«

Jerry hade ställt sig en bit bort vid den närmaste grushögen, med ryggen mot honom. Han bara stod där med böjd nacke och Per förstod först inte vad han höll på med, ända tills han insåg att Jerry fumlade med sin gylf.

»Nej, Jerry!« ropade han.

Fadern vred på huvudet.

»Va?«

»Du kan inte göra det härnere … Du får gå upp till huset!«

Men det var för sent. Han kunde bara stå och titta på tills Jerry var färdig och drog upp gylfen.

Trollen störs om man häller ut vatten, tänkte Per. Sedan gick han fram och tog tag i faderns arm.

»Vi har toalett i huset, Jerry. Använd den nästa gång.«

Jerry såg oförstående på honom, och sedan stelnade han plötsligt till och tittade förbi Per, ut mot havet. Han blinkade.

»Bremers bil«, sa han.

»Va?« sa Per.

Jerry lyfte sin friska arm och pekade bort mot kustvägen som ringlade fram mellan stenbrottet och havet.

Per vred på huvudet och såg att det stod en bil därborta. En mörkröd bil som hade kört fram långt nog vid sidan av vägen för att ha uppsikt över hela stenbrottet. Han hade inte sett den anlända, men

215

var rätt säker på att kustvägen hade varit tom när han och Jerry gått nerför trappan från huset.

Per kisade mot bilen, som var nästan mitt i solljuset.

»Varför tror du det ... att den är Bremers?«

Jerry var tyst, men fortsatte att stirra.

»Okej. Jag går bort till den«, sa Per.

Han gick med långa steg över den enorma grusplanen. Bilen stod kvar, och när han kom närmare skymtade han en man som satt böjd över ratten och kikade ner mot honom. En orörlig gestalt som verkade ha någon sorts mössa på huvudet.

När han var ett hundratal meter bort från kustvägen startade bilmotorn.

»Hallå!«

Han ropade och vinkade, utan att veta vem han vinkade till, och ökade farten.

»Vänta!« ropade Per.

Men den mörkröda bilen började röra sig. Den backade, svängde runt på vägen och gasade iväg söderut, och den var fortfarande för långt bort för att han skulle kunna se någon nummerskylt, eller ens vilket märke det var.

Motorljudet dog bort, Per fick vända om igen. Han var andfådd när han var tillbaka vid östra änden av stenbrottet.

Jerry såg frågande på honom.

»Bremer?«

»Nej«, sa Per.

»Markus Lukas?«

Per skakade på huvudet och drog efter andan. Ingen från Jerrys värld fick komma hit. Per bodde ju här, och Jesper och Nilla.

»Det var nog en turist«, sa han. »Ska vi testa trappan nu?«

Polisen från Växjö ringde Per igen vid tretiden, när de kommit tillbaka in i stugan.

»Jag har kollat tider nu«, sa Marklund, »och jag tänkte att vi kunde mötas på halva vägen ... Kan ni komma in till Kalmars polishus i slutet av den här veckan?«

»Okej.«

»Så kan vi ses till exempel på fredag klockan två?«

»Visst. Men saker är lite osäkra just nu, så jag vet inte ... jag kanske måste till sjukhuset.«

»Är din far så dålig nu?«

»Nej. Det är inte min far som är akut sjuk. Det är min dotter.«

»Jag förstår ... men kan vi säga fredag ändå, så ringer du om det inte går?«

»Visst«, sa Per. »Men kan du berätta varför vi ska komma? Har ni hittat något i huset?«

»En del.«

»Var det Hans Bremer som låg på övervåningen?«

Polisen tvekade.

»Personerna är identifierade.«

»En man och en kvinna, enligt tidningarna«, sa Per. »Och branden var väl anlagd?« Han fick inget svar, så han fortsatte: »Du behöver inte säga något, jag såg ju en läckande dunk nere i studion. Och hela huset stank bensin.«

Det var fortfarande tyst i luren, innan polisen svarade:

»Som sagt, vi vill gärna prata lite mer med din far om vad han såg när han kom till huset ... och vad du såg därinne.«

»Är vi misstänkta för något?«

»Nej. Inte du, Per. Du hade ingen tid att rigga branden.«

»Så ni misstänker min far? Eller Bremer?«

Polismannen var tyst igen, innan han suckade.

»Vi misstänker inte Hans Bremer. Han kan inte ha attackerat din far, eller satt igång branden.«

»Varför inte?«

Marklund tvekade, innan han svarade:

»Därför att Bremer var bakbunden när han dog. Det var kvinnan också.«

40

»HEJ DÅ, ALOYSIUS. SES SNART!«
Vendela stängde dörren och gick ut på grusplanen. Hon
sträckte upp armarna mot himlen, tänjde kroppen och försökte gripa
tag i de höga fjädermolnen som svävade däruppe. Sedan joggade hon
bort till Mörners stuga och såg att Pers far satt ute på stenaltanen,
nersjunken i en vilstol.

Hon knackade på. Det dröjde någon minut, sedan öppnade Per
dörren – men bara på glänt, som om han var osäker på vem besökaren
var. Hon tyckte att han såg lite orolig ut, eller till och med rädd.

»Är du redo?« sa hon.

Han tittade på henne.

»Skulle vi springa i dag också?«

Vendela nickade snabbt.

»Vi sa det i går. Har du ångrat dig?«

Han verkade minnas nu.

»Nej, jag kommer. Om fem minuter … jag ska ta in Jerry bara.«

Det lät som om han pratade om ett husdjur, tyckte Vendela.

Tio minuter senare hade Per väckt sin far och fått in honom på
soffan. Vendela såg att Jerry fortfarande halvsov – hans son la en filt
över honom och lät honom fortsätta med det.

När Per hade fått på sig overallen och löpskorna gav de sig iväg.

»Samma runda?«

»Det blir bra«, sa Vendela.

De sprang inte lika fort den här dagen, och med ett lugnare tempo
gick det lite lättare att prata.

»Fick inte din far vara ute i dag?« sa Vendela.

»Jo, men inte när jag är borta«, sa Per. »Jag måste ha lite koll på Jerry ... han kan sticka iväg.«

De fortsatte springa, med långa steg och lugna andetag. Det kändes lika bra som förra gången. När de hade lämnat husen bakom sig vred Vendela på huvudet och sa:

»Du säger aldrig 'pappa'.«

Per skrattade, eller om det var en flämtning.

»Nej. Vi har lagt bort titlarna.« Han drog efter andan och frågade: »Och du ... sa du alltid 'pappa' till din pappa?«

»Till Henry?« sa Vendela. »Jo, jag sa nog 'far' till och med.«

»Men du tyckte om honom?«

»Jag vet inte«, sa Vendela, och tittade bort mot stenbrottet. »Han åkte ner hit varje morgon och kom hem på kvällen. Jag tror han trivdes mycket bättre här än på bondgården ... han tyckte om att hugga ut och jobba med den allra rödaste kalkstenen.«

»Menar du blodläget?« sa Per. »Jag vet vad det är nu.«

»Vad det *är*?«

»Jag vet hur blodläget bildades.« Han drog efter andan och fortsatte: »Jag pratade med Gerlof Davidsson, och han sa att det var en geologisk ...«

Vendela avbröt honom:

»Jag vill inte veta.«

»Varför inte?«

»Det tar bort något ... det tar bort magin.«

Det blev tyst. Bara skornas skrapande över marken hördes, och Pers djupa andetag. Vendela vek plötsligt av mot öster, in på en av de mindre grusvägarna som ledde upp till landsvägen. Det var bara en impuls, men Per följde med.

»Vart ska du?«

»Jag ska visa en sak«, sa hon och fortsatte springa.

Hon ledde honom fram på vägen mot sitt barndomshem, och stannade vid grinden. En vecka hade gått sedan det senaste besöket där. Gräset i trädgården hade blivit lite längre och grönare, men huset var tomt. Ingen Volvo stod på gården. Den lyckliga familjen som bodde där hade åkt hem till stan.

Per hade också stannat, han drog efter andan och såg sig om.

»Vad är det här för ställe?«

Vendela öppnade grinden och sa:

»Min barndom susar här.«

»Jaså?«

»Det var här jag växte upp«, sa Vendela och gick in i trädgården.

Per verkade tveka, innan han följde efter henne.

»Hur var det, då, att bo här?« sa han. »Var det en bra barndom?«

Vendela var tyst, hon ville inte säga för mycket. Och hon ville inte tänka på korna.

»Det var lite ensamt«, sa hon till sist. »Jag hade inga kompisar i närheten, de bodde uppe i Marnäs. Jag hade min far som sällskap, och så hade jag ...«

Hon tystnade och blev stående framför den övervuxna grunden som visade var den lilla lagården hade legat.

Sedan tittade hon upp mot huset, mot det mittersta fönstret på övervåningen, och för ett ögonblick väntade hon sig att få se två stirrande ögon däruppe. Ett ansikte bakom rutan, en lyft hand och ett lågt skratt.

Kom upp till mig, Vendela.

Men rummet bakom rutan var mörkt och tomt.

VENDELA OCH ÄLVORNA

När älvorna har gjort fru Jansson så sjuk att hon inte kan arbeta mer under läsåret får hennes vikarie, fröken Ernstam, bli kvar hos klassen. Vendela tycker mycket om henne och de andra eleverna gör det också. Hon kommer från Kalmar och har nya idéer om undervisningen. Fröken Ernstam känns ung och *modern*, hon kliver ner från katedern ibland och går runt i klassrummet, och hon vägrar spela tramporgel.

En vecka efter att hon har tagit över lärartjänsten berättar fröken Ernstam att klassen ska göra en vårresa till Borgholm nästa fredag, det blir besök i hamnen och på slottet, men även tillfälle att gå i affärerna vid torget. Resan blir en sorts uppmuntran innan de börjar förbereda sig för de stora läxförhören före skolavslutningen.

Det går ett surr av förväntan genom klassen, men Vendela förblir tyst.

Hon kan förstås inte åka med. Korna måste ju tas omhand och dessutom ska man ha två kronor med sig i respeng. Det är ingen förmögenhet, men hon har inte det och tänker inte be sin far om extra pengar. Hon vet att han inte har några, det har han sagt flera gånger.

Men på bara en vecka ordnar det sig faktiskt med reskassan ändå, för på tisdagen får Vendela låna två femtiooringar av bästa vännen Dagmar och på torsdagen – ännu ett mirakel – går hon hem förbi Marnäs kyrka och ser plötsligt en blänkande tvåkrona som någon tappat i gruset. Och då har hon plötsligt pengar så det räcker och blir över.

Det enda bekymret som finns kvar nu är Rosa, Rosa och Rosa.

Med mynten i handen stannar hon till vid älvastenen. Hon blir stående och tittar på groparna i den.

De är tomma, förstås.

Vendela lägger en femtioöring i en av skålarna och önskar att hon slipper leda hem och mjölka korna nästa dag. En enda ledig dag om året, det är väl inte för mycket begärt?

Hon står kvar en kort stund vid stenen och tittar på det lilla myntet. Efteråt minns hon inte vad hon tänker på – om hon kanske önskar sig något mer.

Kanske ett bättre liv? Önskar hon sig bort från bondgården, bort från pappan och Invaliden på övervåningen och bort från ön? Bort till en annan värld utan plikter, där pengar inte är något problem?

Vendela minns inte. Hon lämnar slanten i skålgropen och går hem över gräset, utan att se sig om. Hon kommer hem och går ut till ängen, och korna lyfter huvudena när de ser henne. Rosa, Rosa och Rosa ordnar sig på rad och börjar lunka mot grinden, och Vendela lyfter käppen. Men hon slår inte med den i dag, för hon är full av tankar. Hon går bakom korna och undrar hur hennes önskan ska uppfyllas.

Den natten vaknar hon plötsligt av att korna råmar i mörkret. De låter skräckslagna, och blandat med det hörs ett märkligt knastrande genom fönstren.

Vendela sätter sig upp i sängen, och känner en doft av rök. Genom rullgardinen ser hon ett fladdrande sken över gårdsplanen. Ett gult ljus runt ladan som bara växer och växer och får resten av gården att smälta ihop med den mörka skogen. Hon hör fötter dunsa uppför trappan och ett rop:

»Lagårn brinner!«

Det är Henrys röst. Hon hör hans steg över golvet, och så slås dörren upp.

»Det brinner! Du måste ut!«

Vendela kommer upp ur sängen, han drar i henne och släpar och bär henne nerför trappan och ut i den kalla natten. Hon hamnar i det fuktiga gräset och ser sig förvirrat om; det är då hon ser att lagården är helt övertänd. Lågorna pressar sig ut genom väggarna och skickar upp virvlande gnistor mot natthimlen. Elden har redan börjat slicka gaveln på huset.

Henry står över henne, han är barfota och klädd i bara nattskjortan. Han vänder sig om.

»Jag måste hämta Jan-Erik!«

Han störtar tillbaka in i huset.

»Jan-Erik?«

Hon får inget svar.

Korna fortsätter råma, högre och mer utdraget än hon någonsin hört – de kommer inte ut.

Lågorna slingrar sig över marken, de klättrar upp över ladan och slår mot varandra under taket som röda bränningar, och Vendelas ben känns förlamade. Hon kan inte röra sig. Hon sitter kvar på gräset och ser sin far komma tillbaka ut ur huset med ett stort bylte av filtar i famnen.

Henry släpper ner byltet på gräset.

Vendela hör väsande andetag. Två armar viker undan filtarna, ett ansikte med vita ögon blinkar till, och så ler en mun med vita tänder mot henne.

Det är Invaliden som sitter där i gräset, bara en meter ifrån henne. De sitter och stirrar på varandra, och allt som hörs är knakande och brakande ljud när lagårdens tak börjar rasa in.

I skenet från elden ser Vendela att Invaliden inte alls är gammal. Invaliden är en ung pojke, kanske fem eller sex år äldre än hon själv. Hans ben är långa och normala.

Men han är sjuk. Han har tjockt slem i luftrören, hör Vendela, och något är fel med hans hud – ansiktet är rött och svullet även när elden inte lyser på det, han har långa levrade sår på kinderna och i pannan, som om ett djur har rivit honom. Han är röd och sårig på överkroppen också. Och ändå ler han.

Mellan två och tre år – så länge har Invaliden bott på gården utan att Vendela har vetat vem han var. Kan han prata? Förstår han svenska?

»Vad heter du?«

Han öppnar munnen och skrattar till, men svarar inte.

»Jag heter Vendela. Och du?«

»Jan-Erik«, säger han till slut med en så låg och dov röst att den knappt hörs genom elden. Han fortsätter skratta.

»Vem är du?«

»Jan-Erik«, säger han.

Henry springer fortfarande runt på gården – ibland som en tydlig gestalt framför flammorna, ibland helt osynlig i mörkret. När elden sträcker ut sig och griper tag i gaveln på boningshuset pumpar han hinken full med vatten och ger sig sedan upp på övervåningen för att blöta ner virket och slå bort alla gnistor.

Vendelas förlamning bryts, hon börjar röra sig. Hon gör en enda sak rätt den här kvällen; hon går fram och drar upp den rangliga grinden till hönsgården bredvid ladan. Hönor och kycklingar flaxar ut i en enda röra på gårdsplanen, följda av tuppen. De samlas i en tät skock i mörkret, utom fara.

»Ring kåren!« ropar Henry.

Vendela springer in i köket och ringer larmnumret till Borgholms brandkår. Hon kopplas vidare till Kalmar och det tar lång tid att nå fram och förklara var det brinner.

När hon kommer ut igen sitter Invaliden kvar på gräset, och Henry rusar fortfarande fram och tillbaka mellan lagårn och vattenpumpen.

Men allt är för sent. Elden dånar både på loftet och längs väggarna runt djurstallarna, och till slut saktar Henry ner stegen. Han drar in andan i en tung suck.

Vendela kan bara stå på gårdsplanen och höra hur råmandet inifrån lagården tystnar.

Grillat kött, det luktar grillat nötkött i natten.

Vendela känner värmen från elden, men fryser ändå. Hon vill inte stanna kvar härute.

»Far … ska du komma in?«

Han verkar inte höra henne först, sedan skakar han på huvudet och svarar lågt:

»Det är inte eldens fel.«

Vendela förstår inte vad han menar.

Efter nästan en timme dyker brandkåren upp med två bilar från Borgholm, men de kan bara hindra elden från att sprida sig. Lagården går inte att rädda.

Flera timmar efter midnatt, när brandmännen har åkt men röken fortfarande ligger tät över gården, sitter Henry kvar i kylan ute på trappan. Han har burit tillbaka Invaliden till hans rum, men själv går han inte in. Vendela går ut till honom en sista gång.

»Vem är Jan-Erik, pappa?«

»Jan-Erik?« säger Henry, och verkar tänka efter, innan han svarar: »Det är ju min son ... din bror.«

»Min bror?«

Han ser på henne över axeln.

»Har jag inte sagt det?«

Vendela tittar på honom. Hon har hundratals frågor, men ställer bara en:

»Varför slipper han gå i skolan?«

»Det får han inte«, säger Henry. »De sa att det var bortkastad möda. Han är obildbar.«

Sedan fortsätter han stirra ut i mörkret.

Vendela går tillbaka in och lägger sig. Hon ligger raklång och stel i sängen.

Kanske är Henry vaken hela natten, för när han väcker sin dotter klockan sju nästa morgon är han klädd i samma kläder.

»Skola«, säger han bara, och tillägger: »Du fick sova längre i dag ... Du slapp ju mjölkningen.«

Först när Vendela hör hans ord känner hon röklukten i rummet, och då minns hon branden under natten. Sedan minns hon Invaliden. Jan-Erik.

Henry går ut ur rummet, men stannar i dörren.

»Du ska inte vara orolig för hur det ska bli nu. Jag har både försäkringsbrev och kvitto på premien, så det ordnar sig.«

Sedan kommer Vendela ihåg en sista sak: det är skolresa den här dagen. Klassen ska ta tåget till Borgholm.

Hon kan följa med. Hon har ju pengar till resan, och korna är inget bekymmer längre.

En timme senare vandrar hon över det tomma alvaret, men tar en vid sväng förbi älvastenen och tittar rakt fram. Hon vill inte se den mer, men frågorna kommer ändå.

Vad önskade hon egentligen när hon stod där vid stenen dagen innan? Hon kan knappt förstå vad hon har gjort, och vill inte tänka på vad älvorna har gjort för henne.

Klassen samlas för att gå iväg till tågstationen med leenden och surrande röster. Vendela ler inte, och pratar inte med någon. Hon känner fortfarande rökdoften i näsan.

Hon åker med klassen på tåget mot Borgholm och sitter i en kupé med Dagmar och de andra flickorna, men känner sig ändå som om hon är kvar på alvaret. Helt ensam. Och hon minns ingenting av besöket i Borgholm, i skuggan av allt som hänt under natten glider den dagen bara förbi.

När hon kommer hem efter skolresan, tre timmar efter att korna skulle ha mjölkats, är det fullt av folk på gårdsplanen.

Polisen är där – två konstaplar från Marnäs går runt och inspekterar brandplatsen. Boningshusets ena gavel är svartbränd av elden, och lagården är borta. Allt som finns kvar är stengrunden. Den ser ut som en avlång bassäng fylld av aska, med brända bräder och takpannor som sticker upp ur det grå täcket. Tre kroppar ligger med stelt utsträckta ben under täcket av aska, och över hela gården hänger stanken av bränt kött.

Rosa, Rosa och Rosa. Men Vendela vill inte tänka på deras namn nu.

Grannarna har också samlats. Folk från Stenvik och ännu längre bort kommer för att titta på änklingen Henrys nerbrunna lada och en del av dem har faktiskt med sig smörgåsar och mjölk till den stackars familjen. Henry ler och tackar sammanbitet och Vendela niger med heta kinder. Sedan smyger hon undan. Hon går in i det tomma köket och uppför trappan, men när hon försiktigt känner på dörren till Invalidens sovrum är den låst.

»Jan-Erik? Det är Vendela.«

Inget svar, inte ens ett skratt. Allt är tyst bakom dörren.

Hon går ner igen och tittar ut genom köksfönstret.

En av männen som kommit till gården från Stenvik är lång och smal och ser sig tankfullt omkring. Han pratar lite deltagande med hennes far, och sedan står han bredvid ladan när poliserna plötsligt ropar på Henry.

Vendela ser genom fönstret hur hennes far visar runt dem i ruinerna och pekar ut kornas kroppar.

Poliserna tittar. Henry går in i huset till Vendela, som fortsätter stirra ut genom fönstret. Hon ser den långe mannen från Stenvik komma fram efter en stund och prata med polisen, peka mot lagården och neråt mot något på marken.

Konstaplarna lyssnar och nickar.

»Jag vet inte vad de håller på med därute«, muttrar Henry vid bordet. »De pratar ihop sig om något.«

Han tittar på Vendela.

»Du får stötta mig«, säger han. »Om det blir frågor.«

»Frågor?«

»Om det blir problem. Det gör du väl, stöttar din far?«

Vendela nickar.

Någon halvtimme senare i skymningen kommer konstaplarna uppför trappan och tar stanken av brandrök med sig in i köket. De sätter sig tungt vid bordet och ser på Henry.

»Berätta vad du vet, Fors«, säger den ene.

»Jag vet inte mycket.«

»Hur började det?«

Henry lägger händerna på köksbordet.

»Jag vet inte, det bara började. Jag har alltid otur, alltid. Det är något eländigt med den här platsen.«

»Så du vaknade av att det brann?«

En av konstaplarna pratar, den andre sitter bara tyst och stirrar på Henry.

Han nickar.

»Vid midnatt. Och dottern också.«

Vendela vågar inte ens titta på polisen, hennes hjärta vill bulta sig ut ur bröstkorgen. Nu är det skumtimme, och älvorna dansar i ring på ängarna.

»Vi tror det startade på två platser«, säger den pratsamme konstapeln.

»Jaså?«

»Jo. Både i östra och västra gaveln. Och det är ju lite konstigt, för det har ju regnat en del. Marken är ju fuktig.«

»Någon har tänt ljus där«, säger den andre konstapeln. »Vi har hittat klumpar av stearin i leran.«

»Jaså?« säger Henry.

»Du kände fotogendoft också«, säger den förste konstapeln.

»Jo«, säger den andre. »Det gjorde jag.«

»Får vi se dina skor, Fors.«

»Skor? Vilka skor?«

»Allihop«, säger polisen. »Alla skor och stövlar du äger.«

Henry tvekar, men poliserna tar ut honom i förstugan och går igenom alla hans skor. De lyfter dem en efter en och Vendela ser att de studerar sulorna.

»Den här kan det vara«, säger den förste konstapeln och håller upp en stövel. »Vad tror du?«

Den andre nickar.

»Jo, det är samma avtryck.«

Hans kollega ställer stöveln framför sig på köksbordet och ser på Henry.

»Har du något bränsle hemma, Fors?«

»Bränsle?«

»Fotogen, kanske?«

»Ja, det är väl möjligt …«

»En dunk?«

Vendela hör sin far och tänker på hur elden ringlade iväg som en orm – hur den liksom sökte sig fram över marken och upp längs väggarna runt lagården, som om den visste vart den skulle.

»En kanna«, säger Henry lågt. »Någon halvfull kanna fotogen har jag väl någonstans.«

Konstaplarna nickar.

»Jag tror det är klart«, säger den förste till den andre.

»Jo.«

Det blir tyst. Men då rätar Henry på ryggen, drar in andan och säger ett enda ord:

»Nej.«

Konstaplarna ser förvånat på honom när han fortsätter:

»Det är inte klart. Jag har inget med branden att göra ... Fotogenen kan vem som helst ha hällt ut. Jag var inne hela kvällen, tills branden började. Det kan min dotter här intyga, på heder och samvete.«

Plötsligt tittar männen på Vendela. Hon blir alldeles kall.

»Jo«, säger hon till slut och börjar ljuga, rakt framför poliserna: »Pappa var inne ... Han sover i rummet bredvid mitt och jag hör alltid när han går ut, men det gjorde han inte.«

Henry pekar på stöveln som står på köksbordet framför poliserna.

»Och den där, den är inte min.«

»Den stod i din förstuga«, säger den förste konstapeln. »Vems är den annars?«

Henry är tyst några sekunder, innan han går fram till trappan.

»Kom med upp«, säger han. »Jag ska visa er något.«

41

GERLOF GJORDE SITT BÄSTA för att få nya tomflaskor som små skepp kunde segla in i – han drack ett glas vin till maten varje kväll. Men modellbyggandet hade nästan helt legat nere efter påsk och fullriggaren var fortfarande inte påbörjad. Nästan all tid gick åt till att sova, sitta i solen på gräset – och att ägna sig åt Ellas dagböcker.

Han läste dem regelbundet, en sida i taget, och så funderade han på dem.

I dag har vi den 18 september 1957.

Jag riktigt skäms för att jag inte tar mig så mycket tid att skriva ner ett par rader, men nu ska det bli av. Ja, det har hänt så mycket, vi har varit på begravning för Oskar Svensson i Kalmar, och så har jag haft födelsedag, 42 år.

I söndags var vi på min systerson Birgers konfirmation i Gärdslösa kyrka, det var mycket högtidligt med kyrkoherde Ek som ställde svåra frågor.

Gerlof tog tåget ner till skutan i går och gav sig av mot Stockholm i morse och flickorna har cyklat till Långvik, så jag är ensam igen i stugan och det kan ju också vara skönt ibland.

I dag är det mulet och har blåst upp till höstkuling över Östersjön på förmiddagen. Jag vet att Gerlof reder ut det i vågorna, men Gode Gud att det går honom väl. Det är minst två månader kvar för honom på skutan.

Nu sitter jag ute på verandan och skriver. När flickorna hade åkt gick jag ut här och hittade något märkligt på det nedersta trappsteget: det var ett smycke som låg på stenen. En rosformad brosch som såg ut som om det var silver, men silver kan det väl ändå inte vara? Den kommer nog från den lille bytingen, jag vet inte vad jag ska göra med den och det känns inte bra.

När Gerlof hade läst klart den sidan funderade han en stund. Sedan reste han sig och gick in i stugan.

Ellas gula smyckeskrin hade han behållit i alla år, det låg i byrån inne på hans rum under hans gamla urblekta skeppsflagga. Han tog fram det, öppnade locket och stirrade ner i en röra av armband, ringar och örhängen. Och några broscher som behövde putsas. En av dem var formad som en ros, med en liten röd sten i mitten.

Gerlof plockade försiktigt upp rosen.

Hade han någonsin sett Ella bära den? Han trodde inte det.

42

JERRY OCH MARIKA stod orörliga och stirrade på varandra i sjukhusets korridor.

Per stod bredvid men ville gärna vara någon annanstans. Kanske på andra sidan av sundet – ute på en lång löptur med Vendela Larsson. Men nu var han här.

Han och Jerry hade kommit ut ur hissen på sjukhuset fem minuter tidigare, och då hade hans exfru väntat där.

»Hej, Jerry«, sa Marika lågt. »Hur mår du?«

Marika hade träffat Jerry en enda gång förut, men det var för länge sedan, året innan tvillingarna hade fötts. Hon hade mött Pers mor Anita flera gånger innan dess och det hade gått jättebra, och insisterat på att få träffa hans pappa också. Så när de var i närheten av Kristianstad en helg hade hon och Per åkt in till centrum och ringt på Jerrys lägenhet.

Per hade önskat att ingen var hemma.

Men Jerry hade öppnat klädd i en morgonrock av mörkblå siden med leopardmönstrade kalsonger under, och bjudit Marika och honom på toast med löjrom till lunch. Massor av mousserande vin också, förstås. När de gick hade han gett dem de senaste numren av Babylon och Gomorra som present – allt för att förstöra romantiken.

Efter det hade Marika inte velat träffa Jerry mer.

Och nu, fjorton år senare, stod de här framför varandra. Per var osäker på om Jerry verkligen kände igen hans förra fru. Han bara blängde på Marika, men det gjorde han förstås på alla numera.

»Jerry pratar inte så mycket längre«, sa Per. »Men annars mår han rätt bra. Eller hur?«

Hans far nickade bara, och såg stint på Marika.

»Har du varit inne hos Nilla?« sa Per.

»Ja ... hon är rätt glad i dag.« Hon såg på honom. »Jag måste gå, doktorn ville träffa mig nu ... kan du också komma med?«

Per skakade på huvudet. Han var rädd för alla nyheter om Nilla.

»Inte i dag.«

»Det kan vara viktigt«, sa Marika.

»Alla möten om Nilla är viktiga«, sa Per snabbt. »Jag kommer tillbaka snart, men Jerry och jag är tvungna att göra en sak nu. Den är också viktig.«

»Kan ni inte skjuta upp den?«

»Nej ... Vi har ett möte.«

Han ville inte säga att det var med polisen. Marika nickade, men såg inte glad ut.

»Vi ses«, sa Per och fortsatte in på avdelningen.

Nilla satt klädd i pyjamas och drack något ur ett glas, med rak rygg och korslagda ben i sängen. Hon nickade mot sin pappa när han kom, men fortsatte dricka. Per tittade på den märkliga ljusröda vätskan i glaset och frågade:

»Vad dricker du?«

»Morotsjuice«, sa Nilla.

»Har du köpt den själv?«

Hon tog en klunk till och skakade på huvudet.

»Har fått den av Emil ... hans mamma pressar den åt honom, och blandar i olika vitaminer som ska göra honom frisk. Men han gillar den inte.«

»Men det gör du?«

»Den är okej ... och så slipper han dricka den.«

Utanför hördes en sjuksköterskas skarpa röst fråga en patient vad han gjorde ute i korridoren. Patienten svarade mumlande, ohörbart.

»Jaså? Men då provar vi med ett bäcken«, sa sjuksköterskan och så försvann hennes klapprande steg bort i korridoren.

»Ska du stanna?« sa Nilla. »Mamma kommer tillbaka snart, hon skulle bara gå bort på ett möte.«

Han skakade på huvudet.

»Jag hinner inte, farfar väntar härute.«

»Vad ska ni göra då?«

»Ja ... vi ska bara åka runt lite i Kalmar.«

Han ljög för sin dotter, precis som för Marika.

Marika var borta när Per kom tillbaka ut till hissen. Jerry hade satt sig på en stol och höll mobilen mot örat. Han knäppte av samtalet innan Per kom fram.

»Vem pratade du med?« sa Per när de åkte ner i hissen. »Var det någon som ringde?«

Jerry såg ut genom rutan.

»Bremer«, sa han.

»Han är död, Jerry.«

»Bremer ville prata.«

»Jaså?«

Per vred på Jerrys telefon och tittade på displayen. OKÄNT NUMMER igen.

De gick tillbaka ut i bilen. Per satte sig bredvid sin far och stängde dörren.

»Gör mig en tjänst, Jerry«, sa han när han startade motorn, »och säg inte till polisen att Hans Bremer har ringt ... De kan tro fel saker om dig, då.«

Jerry svarade inte. Han var tyst någon minut när de körde genom Kalmar, men när de passerade en liten spelbutik med igenmålade fönster följde han den med blicken. Sedan öppnade han munnen och sa plötsligt två ord som Per inte hann uppfatta.

»Va?« sa Per. »Vad sa du, Jerry?«

»Moleng Noar.«

»Moleng ... Vad är det?«

Jerry log för sig själv.

»Malmö.«

»Moleng Noar i Malmö?«

Jerry nickade.

»Det låter som en kinarestaurang«, sa Per. »Eller är det en person, Jerry ... En kines du kände i Malmö?«

Jerry skakade på huvudet.

»Cindy«, mumlade han plötsligt. »Suzie, Christy, Debbie ...«

»Var det ett ställe där du träffade flickor i Malmö?«

Hans far nickade bara, han log för sig själv och sa inget mer på hela vägen genom staden.

Kalmars polishus var en stor gul tegelbyggnad med smala fönster. Den låg strax norr om stadskärnan och täckte ett halvt kvarter.

Jerry tittade på polisskylten utanför entrén och ryckte till. Han tvärstannade.

»Det är ingen fara«, sa Per lågt. »De vill bara prata med oss.«

Han anmälde dem hos kvinnan i receptionen och slog sig ner med Jerry på en plastklädd soffa. Framför dem hängde en affisch mot illegal spritförsäljning, med en flickas sorgsna ögon och texten VET DU VAD DIN DOTTER GÖR I KVÄLL?

Det vet jag, tänkte Per.

Polisinspektören som han hade pratat med, Lars Marklund, kom ut i receptionen efter några minuter. Han var civilklädd, i jeans och grå polotröja.

»Välkomna«, sa han och skakade hand. »Vi tänkte göra så att vi pratar med dig ensam först, Per. Så tar vi in Gerhard efter det.« Han såg på Jerry och pekade på en soffa innanför receptionen. »Du kan sitta här så länge, Gerhard.«

Jerry såg plötsligt orolig ut. Han försökte resa sig, men Per böjde sig ner mot honom:

»Sitt bara här, Jerry, det är ingen fara ... Jag kommer snart.«

Hans far verkade tänka efter, och nickade.

Marklund ledde bort Per till ett kalt litet rum med bara ett skrivbord täckt av olika mappar.

»Sätt dig ... Så ni kommer från Öland?«

Per satte sig på andra sidan bordet.

»Det stämmer.«

»Det är vackert där ... jag har alltid velat skaffa hus på Öland. Är det dyrt?«

»Det kan det nog vara ... jag vet inte. Jag har ärvt min stuga.«

»Så bra.« Polismannen lyfte en penna mot ett block och såg på Per. »Okej ... kan du bara berätta med egna ord exakt vad du såg utanför och inuti villan den dagen? Alla detaljer är viktiga.«

»Om branden, menar du?«

Per sneglade ner på skrivbordet, och såg att Marklund hade satt armbågen på någon sorts tekniskt protokoll, och en skiss över nedervåningen på Jerrys villa. Per såg pilar och kryss på ritningen, och orden FEM RIKTADE BRANDHÄRDAR! skrivna med blyerts.

»Visst, berätta allt om branden«, sa Marklund. »Berätta hur du upptäckte den, när du gjorde den upptäckten och från vilken plats i huset. Och om du såg någon skadegörelse innan branden, och hur du tyckte att elden utvecklades.«

Per drog efter andan. Han började berätta hur han kom till Jerrys villa för att hämta sin far, och hittade honom knivskuren. Och hur han gick tillbaka in i huset och upp till övervåningen, och in i det rökfyllda rummet där sängen brann. Och hur han tyckte sig se en manskropp där, och sedan höra en kvinnas höga rop från ett annat rum – innan elden plötsligt verkade närma sig från flera olika håll och han fick kasta sig ut.

Sanningen och inget annat, så vitt han mindes den. Det tog ungefär en kvart.

»Det är allt jag vet«, sa han när han var klar. »Jag var inne i huset, men jag hade inget med brandorsaken att göra.«

»Ingen har påstått det heller«, sa Marklund och skrev något i sitt block.

Per lutade sig fram.

»Men vad vet ni om den? Den var väl noga förberedd?«

Marklund var tyst.

»Normalt kommenterar vi inte det ... men du såg ju själv en perforerad bensindunk, och ett bilbatteri. Vad tyder det på?«

»Planering«, sa Per.

Marklund nickade.

»Teknikerna har hittat pappersrester vid brandhärdarna i huset... rester av dokument.«

Per tänkte på den öppna dörren till Jerrys lägenhet.

»De kan ha varit modellkontrakt«, sa han. »Från folk som var med i Jerrys och Bremers filmer och tidningar. Har ni pratat med några av dem?«

»De är inte lätta att hitta«, sa Marklund. »Vi har inte lyckats än.«

»Nej, de dolde ju sina riktiga namn«, sa Per och tillade: »Behöver ni hjälp? Jag kan leta efter …«

Polisen skakade snabbt på huvudet.

»Det är vårt arbete.«

Per tittade trött mot taket. Otack, världens lön.

»Men vi tror att den döda kvinnan i villan var en tidigare modell«, sa polismannen.

Per såg på honom.

»Jaså? Vad hette hon?«

»Vi går inte ut med namnet än.« Marklund gjorde en notering, och fortsatte: »Berätta om din far … Hur länge har han haft det här speciella yrket? Och vad gjorde han innan dess?«

»Jerry har aldrig sagt så mycket om det«, sa Per. »Men jag vet att hans far var pastor och att Jerry tidigt stack hemifrån och blev bilhandlare i början på femtiotalet. Han var säkert bra på det … Och några år senare köpte han ett vykortsförlag och började trycka erotiska bilder. De sålde bra. Så på sextiotalet startade han sin första tidning, Babylon, som trycktes i Danmark och sedan smugglades in i Sverige i små motorbåtar.« Han tystnade och tillade: »Men sedan blev det ju lagligt med svensk porr i början på sjuttiotalet. Då bildade han aktiebolag och anställde folk, och sålde tidningar över hela Europa.«

»Så då började din fars storhetstid, kan man säga?« Marklund antecknade igen, innan han tittade upp. »Och personerna han anställde, vad vet du om dem?«

»Ingenting. En kille som var med mycket kallades Markus Lukas, men det låter ju också påhittat.«

»Och Bremer då?« sa Marklund. »Vad vet du om Hans Bremer?«

»Inte mycket.«

»Har du träffat honom?«

Per skakade på huvudet.

»Jag vet bara lite saker som min far har berättat genom åren ... att de började jobba ihop i slutet på sjuttiotalet, och att Bremer bodde i Malmö. Att han jobbade snabbt och effektivt och att Jerry var nöjd med honom.«

Marklund skrev vidare, och sa:

»Vi vet nog lite mer om Bremer än du.«

»Som vadå?«

»Det kan jag inte gå in på i detalj, men Bremer var invecklad i olika saker nere i Malmö. Det här med filmandet var nog bara en av hans sysslor ... Vi håller på och undersöker de andra nu.«

»Så han var en gangster?«

»Det sa jag inte. Men kom de bra överens, Bremer och din far?«

»Jag tror det, de jobbade ju ihop i många år. Och Jerry åkte ju upp till villan innan den brann för att träffa honom.«

Marklund läste i sina papper och sa:

»Men de bråkade den dagen, eller hur?«

»Jerry påstår det. Han säger att det var Bremer som skar honom med kniven, om jag förstår honom rätt ... Men om Bremer var bunden och inlåst måste det ju ha varit någon annan.«

»Såg du någon?«

Per tvekade. *Markus Lukas*, tänkte han.

»Jag vet inte ... jag tyckte att jag såg någon springa in i skogsbrynet, när branden hade brutit ut. Det fanns en skogsväg där, och bilspår på marken ... tror jag.« Han tvekade igen, men fortsatte: »Så jag fick för mig att Bremer hade haft sin bil parkerad i skogen, och att någon stack iväg med den när villan var övertänd.«

»Jaså?« Marklund läste i sina papper och sa: »Varför tror du att Hans Bremer hade en bil?«

Per tittade på honom.

»Det hade han väl? Min far fick skjuts med Bremer ibland. Bremer måste ha hämtat honom vid busstationen före branden. ... Har ni hittat alla hans nycklar förresten?«

Marklund tittade i sina papper igen.

»Hans nycklar? Skulle han ha en massa nycklar?«

»Jag vet inte ... Men någon gick in i min fars lägenhet när han var på Öland efter branden, och bröt upp en byrå där. Vi upptäckte det i påskas, och min far sa att Bremer hade nycklar till hans lägenhet. Jag har polisanmält det.«

»Ett inbrott?« Marklund gjorde en notering. »Då får jag kolla vad som har hänt med det.«

»Bra«, sa Per.

Det blev tyst. Marklund såg på klockan och sa:

»Har du något du vill tillägga?«

Per funderade. En del av honom ville fortsätta prata och berätta om att han fortfarande hörde den instängda kvinnans rop eka i bakhuvudet – blandade med ropen från Regina i skogen. Men det här var inget terapisamtal.

Sedan kom han på något:

»En sak, kanske … Min far och jag har fått några konstiga samtal efter branden.«

»Från vem då?«

»Jag vet inte. Det har varit anonyma samtal.«

»Okej, men det kan gå att få fram nummer ändå … Vi kan försöka.«

Marklund gjorde ytterligare några noteringar, och nickade.

»Då tror jag att vi är klara här.« Han såg på Per. »Tack ska du ha. Du får gärna gå ut och hämta Gerhard nu.«

Per reste sig. Han tänkte på Nilla och frågade:

»Hur lång tid tar det?«

»Inte så länge … Kanske tjugo minuter.«

»Okej … men Jerry pratar inte så mycket, som sagt.«

När han lämnade rummet tittade han på klockan och upptäckte att han själv hade blivit förhörd i en dryg halvtimme. Jerry hade förmodligen somnat därute.

Men när han kom ut i receptionen satt hans far inte och sov i soffan, han satt inte där alls. Soffan var tom.

Per tittade på den några sekunder, sedan kollade han de båda toaletterna i det lilla kapprummet. De var också tomma.

Kvinnan i receptionen såg upp när Per kom fram.

»Den gamle mannen?« svarade hon. »Ja, han gick iväg.«

»Gick iväg?«

»Jag tror att han fick syn på någon ute på gatan, och gick ut.«

»När då?« sa Per.

»Det var inte så längesen, jag vet inte ... en kvart kanske.«

Per vände om och tog tre steg ut ur polishuset.

Han kom ut på gångbanan och såg sig omkring, blinkande i solskenet. Några bilar susade förbi på gatan till höger om honom, men inga människor syntes till.

Jerry var borta.

43

KALMAR VAR EN LABYRINT. Per hade alltid tyckt att det var lagom stort och lätt att hitta där, men just nu framstod staden som ett virrvarr av vägar och gångbanor.

Jerry syntes ingenstans.

Per sprang fram till de breda vägkorsningarna på varsin sida av polishuset utan att upptäcka honom och sedan runt hela kvarteret. Han slog på sin mobil och försökte ringa Jerry. Inget svar.

Efter det gav han upp och återvände till receptionen. Lars Marklund stod och väntade innanför dörren. Han tittade på klockan och frågade:

»Något problem?«

»Min far är borta«, sa Per med andan i halsen. »Jag måste leta efter honom, med bilen.«

Han vände om igen, men Marklund ropade efter honom:

»Vänta! Du kan inte bara rusa iväg … Vi får efterlysa honom.«

Per stannade och kom tillbaka, han var tvungen att lugna ner sig.

Marklund tog fram ett block, och tillsammans gick Per och han igenom Jerrys utseende, längd och klädsel.

»Bra«, sa Marklund och slog ihop blocket. »Vi går ut med det här till våra radiobilar.«

Per satte fart mot gatan igen, bort till bilen. Han startade motorn, men körde inte iväg. Han höll i ratten som en frälsarkrans och försökte tänka efter – vart skulle Jerry kunna gå? Till en bar? Till buss-stationen?

Det var ingen idé, han skulle få leta på måfå.

Han svängde ut på gatan och började söka, kvarter efter kvarter. Han svängde vänster, sedan vänster igen, och sökte genom gatorna runt polishuset. Han mötte flera bilar och såg grupper av skolbarn på väg hem och mammor med barnvagnar, men ingen Jerry.

Han körde norrut, mot motorvägen, och då började telefonen spela i hans jackficka. Han saktade ner farten och drog fram den.

»Hallå?«

»Var har du varit, Per? Jag har ringt flera gånger.«

Det var Marika. Per kände sitt dåliga samvete som en tyngd över axlarna, men fortsatte spana ut genom vindrutorna.

»Hos … jag har varit på ett möte.«

Han ville fortfarande inte berätta om polisförhöret, och Marika frågade inte heller.

»Du måste komma till sjukhuset«, sa hon bara.

»Jag hinner inte just nu, Marika«, sa Per och såg sig omkring. Fortfarande ingen Jerry. »Jag kommer snart, men just nu måste jag …«

Hon avbröt honom:

»Jag har pratat med Stenhammar.«

»Stenhammar?«

»Det är Nillas läkare, Per. Minns du inte det?«

»Jo … Vad sa han då?«

Det var tyst i luren.

»Vad är det, Marika?«

»Det är en tumör«, sa hon lågt. »En speciell sort … Den växer inte fort, men den måste bort.«

Per saktade ner bilen, han blundade.

»Okej«, sa han. »Men det visste vi ju, eller hur?«

Marikas röst var lika låg:

»Den sitter vid ådern.«

Per förstod inte.

»Vid ådern?«

»Ja. Den har lagt sig runt stora kroppspulsådern. Aortan.«

»Vad betyder det?«

Marika var tyst igen. Sedan fortsatte hon med ännu lägre röst:

»Ingen vågar operera.«

»Men ... det måste de«, sa Per.

Marika svarade inte.

»De *måste*«, sa Per.

»Georg och jag satt en halvtimme hos Stenhammar«, sa Marika. »Han har pratat med flera kärlkirurger, men han säger att ingen vill göra det.«

Men det måste de, tänkte Per. *Annars finns ju inget hopp.*

»Marika, jag är ute och kör, jag måste göra en sak för Jerry ... Men jag ringer tillbaka snart.«

Hon svarade något, men han knäppte av mobilen.

Per ökade farten igen. Han måste hitta Jerry. Han skulle tänka på allt det andra sedan, men först måste han hitta Jerry.

Inget hopp för Nilla, tänkte han. *Men det måste finnas hopp.*

Han såg tomt ut genom vindrutan. Nilla ...

De måste ju operera!

Han var på väg ut ur staden nu, Han passerade en bensinstation som följdes av gräsmattor på båda sidor om vägen, och en viadukt över den. Det var färre bilar här.

Snart började motorvägen. Det var lika bra att vända om.

Per tittade upp mot viadukten över vägen, hundra meter bort – och där på andra sidan broräcket såg han en mörk personbil. Den hade stannat på vägbanan. Passagerardörren öppnades, och någon klev ut ur den.

En gammal man med böjd rygg och grå rock. Per såg plötsligt att det var Jerry.

Bilen backade, Jerry stod kvar. Han verkade se sig om, vilset och förvirrat. Så började han lufsa framåt.

Per tryckte på bromsen och stannade bilen – han hade hittat Jerry nu, men kunde inte nå honom. Han var på fel vägbana. Hur skulle han köra för att komma upp på viadukten? Det här var nya kvarter för honom.

Till slut började han backa. Han skulle just börja köra runt och svänga upp på uppfarten till motorvägen, i strid mot alla trafikregler, när han såg att bilen som släppt av Jerry hade slutat backa. Den började köra framåt i stället.

Den ökade farten, såg Per. Det var en röd bil, kanske en Ford – var det bilen från stenbrottet? Föraren bar keps och var bara en mörk skugga bakom vindrutan.

Bilen kom upp på viadukten bakom Jerry, men i stället för att sakta ner och hålla sig mot mitten av vägen körde den fortare.

Per var hundra femtio meter bort, kanske två hundra. Han stannade sin bil och öppnade dörren för att ropa:

»Jerry!«

Men Jerry fortsatte gå, med sänkt huvud mot vinden. Per klev ur bilen och kupade händerna:

»Pappa!«

Jerry verkade höra honom. Han vred på huvudet, men då var bilen bakom honom bara tio meter bort. Den stannade inte. Tvärtom, den gasade.

Jerry blev en trasdocka i kollisionen.

Bilens front slog undan hans ben och lyfte upp honom från marken. Per kunde bara titta på och se Jerrys kropp flyga uppåt över motorhuven, och sedan framåt som en suddig skugga, med utsträckta armar och fladdrande rock.

Hans far snurrade runt i luften och landade tungt.

»Jerry!«

Bilen hade saktat ner efter kollisionen, Per såg att framrutan hade spruckit.

Han lämnade Saaben med öppen dörr och började springa mot slänten, upp mot bron. Skorna halkade i gräset.

Jerry lyfte långsamt huvudet från asfalten. Han blödde, men var vid medvetande. Sedan sjönk hans huvud ner igen.

Bilen som kört på honom stannade vid vägrenen tio eller tolv meter framför honom – föraren vred på huvudet, såg Per, han tittade bakåt – och sedan gasade bilen iväg igen. Fortare och fortare.

Den smet från olycksplatsen.

Per halkade i gräset. Han kämpade sig uppför branten och grävde i jackan efter mobilen – innan han mindes att den låg kvar nere i Saaben.

Han tog ett språng över vägräcket och kom ner med fötterna på

244

vägbanan, två meter från Jerry, samtidigt som bilen som kört på honom svängde ut på motorvägen.

Per lutade sig över kroppen på asfalten.

»Jerry?«

Så mycket blod. Det rann från pannan och näsan, in mellan de krossade tänderna.

»Pappa?«

Faderns ögon var öppna, men hela ansiktet var sönderskrapat och Per fick inget svar. Han såg sig förtvivlat om för att få hjälp av någon.

Den röda bilen gasade söderut och försvann på motorvägen. Det sista Per såg var hur föraren sprutade vatten över vindrutan.

44

»D ET VAR DET VÄRSTA JAG VARIT MED OM«, sa Max. »Det slår allt.«

»Tänk inte på det«, sa Vendela.

Efter att hon hade satt Max i en fåtölj och gett honom ett glas whisky började hon massera hans nacke och axlar. Hon lutade sig fram och sa lågt:

»Max ... det finns de som har det värre.«

Han tog en klunk whisky, slöt ögonen och suckade.

»Jo, men det var samma inkompetens vart jag än kom ... Väganvisningar som inte stämde och hotellrum med hårstrån i badkaret, och så lokalradion som hade glömt bort att de hade bokat in mig på intervju. De hade *glömt* det!« Han skakade på huvudet. »Och på varje ny scen satte de en jävla strålkastare rakt i ögonen på mig. Jag *såg* inte publiken!«

»Var det några bra ...«, började Vendela men Max avbröt henne, han var inte klar:

»Och alltid bara en torr macka innan jag skulle upp på scen, trots att det står i kontraktet att jag ska ha middag. Jag fick inte ens ett glas vin ... Vatten och bröd, det skulle jag klara mig på hela föreläsningen.«

»Men publiken då?« sa Vendela. »Det kom väl mycket folk?«

»Runt tre hundra per kväll«, sa Max lågt. »Jag hade hoppats på fem hundra ... det var inte helt fullsatt någonstans.«

»Men det är ju ändå bra siffror«, sa Vendela, »och det blir ännu bättre när kokboken kommer ut.«

Max tömde whiskyglaset och reste sig.

»Någon post?«

»Bara några brev«, sa Vendela, och följde efter honom ut i köket.

Hon såg sig om efter Aloysius, men hunden hade knappt visat sig sedan hans husse kom hem. Ally kände av när Max var på dåligt humör.

Max lyfte upp posten och började bläddra igenom den.

»Har det hänt något annat här, då?«

»Inte mycket«, sa Vendela. »Jag har planterat lite mer murgröna på framsidan och fortsatt med syrenhäcken. Och så har jag planterat tre klotrobinia-träd på baksidan.«

»Bra, det skyddar från insyn.«

»Ja, jag tänkte det.«

Max lyfte en lapp från köksbänken.

»Vad är det här?« frågade han.

Vendela såg att han höll i lappen från Per Mörner.

»*Stort tack för stenen ... Per!*« läste Max. Han såg på Vendela. »Vilken sten? Vilken Per?«

Hon stirrade tillbaka och visste inte vad hon skulle svara.

»Det var grannen som lämnade den«, sa hon, »Per Mörner, du vet ... Hans dotter hade tappat bort en lyckosten. Jag hjälpte dem att hitta den.«

»Jaså? Var låg den då?«

»Utanför deras stuga«, sa Vendela och flackade med blicken.

Det var en lögn, men hon kunde inte berätta sanningen, att hon hade bett älvorna om hjälp.

»Så du har träffat grannen«, sa Max. »Är det därför du inte har svarat i telefon?«

Vendela blinkade och sa inget. Vad skulle hon svara?

Max fortsatte:

»Vad har du och Per gjort då, när ni har träffats?«

»Ingenting ... inte så mycket«, sa Vendela snabbt. »Men han gillar också att röra på sig, så vi har varit ute och joggat lite. Längs kusten.«

»Jaså«, sa Max, lugnt och långsamt. »Ni har rört på er.«

»Just det.«

Hon bet ihop käkarna för att inte skratta nervöst.

45

JERRY OCH HANS BARNBARN NILLA låg båda på Kalmar sjukhus nu, men på olika avdelningar. Per tillbringade hela helgen med att gå mellan faderns och dotterns rum och sitta vid deras sängar.

Det var en tung vandring – och varje gång fick han passera förlossningsavdelningen där blivande och nyblivna föräldrar hela tiden kom och gick. När de öppnade dörren strömmade ljudet ut av ljusa röster och glada rop från småbarn som just blivit storasyskon, blandat med späda skrik från nyfödda.

Per gick snabbt förbi.

På Nillas avdelning var det olidligt tyst. Sjuksköterskorna gick försiktigt genom korridorerna och pratade lågt med varandra.

Innan doktor Stenhammar gick hem för helgen hade han gett Per och Marika en tid och ett datum för Nillas operation: klockan tio på morgonen den första maj. Det var optimistiskt, för ännu hade ingen kärlkirurg anmält sitt intresse för att utföra den.

Nästan två veckor kvar, tänkte Per. *Gott om tid.*

Persiennerna var nerdragna i hennes rum. Hon låg i sängen med sin lavasten och sina hörlurar.

Han satt bredvid henne, höll hennes hand. De talade lågt.

»De säger att de ska hitta någon«, sa hon. »Så då gör de väl det.«

»Det är klart«, sa Per. »Och det kommer att gå jättebra … Du kommer hem snart.«

Leendet kändes stelt igen, men han hoppades att det såg lugnande ut.

»Jag måste gå bort till farfar nu«, sa han.

»Hälsa honom.«

Hon var mer förstående än sin mor. Efter att Per hade knäppt av mobilen i örat på henne talade Marika knappt med honom. De hade mötts en enda gång på lördagen, i dörren till Nillas rum, men då hade hon bara kastat en blick på honom.

»Tråkigt med Gerhard«, sa hon när hon gick förbi. »Hoppas det går bra.«

Hoppas du verkligen det? tänkte Per mot hennes rygg när hon fortsatte in till dottern, och sekunden senare skämdes han för det.

Jerry vaknade inte upp.

Hans sjukrum var litet och hade nerdragna persienner som förvandlade solskenet utanför till små glödande punkter. Per satt i dunklet bredvid honom under lördagen och söndagen, långa timmar där inte mycket hände. Undersköterskorna kom och gick vid sängen och bytte hans dropp. De tittade till honom, klappade hans hand och gick ut igen.

Jerry hade röntgats och gipsats på fredagskvällen och låg med halva ansiktet och högra armen och benet täckta av bandage. Det som syntes av ansiktet under bandagen var sårigt och blåslaget, men Per visste att de svåraste blödningarna fanns inne i huvudet.

Han hade flyttats från akuten till intensivvårdsavdelningen, och sedan från intensiven till ett eget rum på en vårdavdelning. Det kunde ha varit hoppingivande, men det var tvärtom – det fick Per veta av en sjuksköterska.

»Hoppas inte på mirakel«, sa hon bara.

Jerry hade flyttats till ett eget rum eftersom det inte fanns mycket att göra. Han låg i dvala, muttrade för sig själv och öppnade ögonen ibland. Den mesta tiden sov han bara.

Per satt vid sängen och mindes att Jerry inte hade dykt upp när hans mor Anita låg döende med förstörda njurar fem år tidigare. Han hade inte ens ringt. Tre dagar före sin död hade hon fått ett Krya på dig-kort av honom med posten. Per hade slängt det utan att visa henne.

Sedan försökte han komma på när han hade stått sin far som närmast under de nästan femtio år de hade känt varandra. Som barn?

Nej. Inte som vuxen heller. Han kunde inte minnas en enda stund av närhet – så kanske var det den här stunden.

Jag borde säga något om hans liv nu, tänkte Per. *Jag borde säga vad jag tycker om honom. Häva ur mig allt och må bättre efteråt.*

Men han sa ingenting. Han bara väntade.

När han gick ner för att äta lunch på lördagen såg han en löpsedel från en kvällstidning i tidningskiosken:

DUBBEL-
MORD
I PORR-
STUDIO

Så nu var nyheten ute till slut. Sex och våld i samma rubrik, det var toppen för en rubrikmakare. Per köpte tidningen, men fick inte veta något nytt. Det stod bara att polisen utredde en mordbrand med två döda i en fastighet som ägdes av »den ökände porrdirektören Jerry Morner«. Bredvid artikeln fanns en svartvit bild från sjuttiotalet på en leende Jerry som höll upp ett nummer av Babylon mot kameran. Det stod inget om att han låg på sjukhus – bara att han inte var anträffbar för en kommentar.

Polisinspektör Marklund kom till sjukhuset vid tretiden på söndagen, och Per mötte honom utanför dörren till Jerrys rum.

»Jag är på väg hem till Växjö«, sa polismannen lågt. »Hur är det med honom? Har han sagt något?«

»Han har inte vaknat än … de tror att han har hjärnskador.«

Marklund nickade bara.

»Har ni hittat honom?« sa Per.

»Inte än, men vi letar längs motorvägarna och har hittat en del däckspår. Bilen måste ju ha fått plåtskador, så vi kollar verkstäderna också. Och letar vittnen.«

Per kastade en blick mot sjukrummet.

»Det måste ha varit någon som Jerry kände ... Han klev ju ur bilen när jag fick syn på honom. Så han måste ha följt med frivilligt från polishuset.«

»Kände du igen föraren?«

Per skakade på huvudet.

»Såg du nummerskylten?«

»Jag var för långt bort, den var ovanför mig på bron. Jag såg att det var en mörkröd personbil ... jag tror att jag såg en likadan köra förbi vår stuga på Öland, för några dagar sedan.«

Marklund tog fram ett block.

»Minns du några detaljer?«

»Inte mycket ... Skylten var nog svensk och och jag tror att det var en Ford Escort, några år gammal.« Han såg trött på polisen. »Hjälper det?«

Polismannen slog ihop sitt block.

»Man vet aldrig.«

Men Per förstod att det inte gjorde det.

Jerry sjönk allt längre ner i dvalan, men ögonen rörde sig ibland bakom ögonlocken. Han andades med svaga andetag och mumlade lösryckta ord. Det lät som en lång rad svenska namn, många av dem kvinnor:

»Josefine, ja ...«

»Amanda ...«

»Charlotte?«

»Susanne, vad vill du?«

Pers mor Anita nämnde han aldrig, och inte Regina heller.

Allt eftersom dagen gick blev hans andetag svagare och svagare, men mitt i mumlandet kom andra namn och ord som Per kände igen:

»Bremer ...«

»... Moleng Noar ...«

»... och Markus Lukas, så sjuk ....«

Vid åttatiden på söndagskvällen, när Per nästan hade slumrat till, tittade Jerry plötsligt på honom med helt klar blick och viskade:

»Pelle?«

»Jag är här«, sa Per. »Det är ingen fara, pappa.«

»Bra, Pelle ... Bra.«

Det blev tyst. Per lutade sig närmare.

»Vem var det?« frågade han. »Vem körde bilen?«

»Bremer.«

»Det kan det inte ha varit.«

Men Jerry nickade bara. Sedan slöt han ögonen igen.

Han gick bort strax efter nio på söndagskvällen, med en knappt hörbar suck. Väsningarna som Per hade hört ända sedan han var liten upphörde med en stilla utandning, och hans kropp slutade kämpa.

Per satt bredvid sängen och höll Jerrys hand när det hände, och satt kvar även efteråt när rummet var helt tyst.

Han satt så, utan mor och far, i flera minuter. Han försökte komma på någon som behövde veta att Jerry var borta, någon han skulle ringa – men han kom inte på en enda person.

Till slut gick han ut för att hitta en doktor.

46

PER KOM HEM TILL CASA MÖRNER en timme efter midnatt, efter att ha sett sin fars kropp flyttas över till en bår och rullas bort av en vaktmästare.

Det sista en av nattsköterskorna hade gjort i Jerrys rum var att gå fram till fönstret och dra upp det på vid gavel, så att gardinerna fladdrade när nattkylan svepte in.

Sköterskan vände sig om mot Per och gav honom ett kort generat leende.

»Jag brukar göra det efteråt«, sa hon. »Jag släpper ut själen.«

Per nickade. Han såg bort mot fönstret och kunde nästan se Jerrys ande sväva bort genom natten, som en skimrande silverboll utanför sjukhuset. Skulle den sjunka ner mot marken eller sväva upp mot stjärnorna?

När han hade lämnat Kalmar körde han långsamt tillbaka över Ölandsbron. Hela vägen norrut på ön kastade han snabba blickar upp i backspegeln. Ett par gånger såg han strålkastare närma sig i hög fart och då grep han hårdare om ratten, men båda bilarna körde förbi.

Nere vid stenbrottet var det nästan helt svart – bara ett par entrélampor lyste vid villorna. Per körde fram till sin lilla stuga, klev ur bilen och lyssnade, men allt var tyst. Ett svagt sus från vinden, inget annat.

Sedan hörde han hur telefonen började ringa inne i köket.

Han började sakta gå mot huset, och signalerna fortsatte.

Markus Lukas, tänkte han. *Du sitter i en håla någonstans och undrar om du lyckades döda min far.*

Han låste upp dörren och följde ringandet ut i köket. Han tittade på telefonen i några sekunder, sedan lyfte han luren.

»Hallå?«

Ingen röst hördes, bara ett ekande ljud. Ett rytmiskt rop i bakgrunden.

Det var ett inspelat ljud, insåg Per, och han hade hört det förr i sin telefon. På skärtorsdagen hade någon ringt och spelat upp exakt samma ljud mitt på dagen.

Och han förstod vad det var för ljud han lyssnade till nu – det var en flickas rop. Ett ljudspår från en av Jerrys filmer.

Per höll hårt i luren.

»Prata med mig«, sa han. »Varför gör du det här?«

Inget svar kom – filmljuden bara fortsatte. Han lyssnade och blundade.

»Du behöver inte spela upp det där … Jerry är borta nu«, fortsatte han. »Du dödade honom.«

Han höll andan och lyssnade efter ett svar, men allt som hördes var ljuden från filmen i ytterligare några sekunder, och sedan ett klickande. Samtalet var slut.

Han la långsamt på luren och såg sitt eget bleka ansikte speglas i köksfönstret.

Vad var budskapet han nyss hade fått? Var det att Markus Lukas tänkte fortsätta? Att inte jaga Jerry för det han gjort, vad det än var – utan hela familjen Mörner? Faderns gamla synder som drabbar barn och barnbarn …

Han gick tillbaka ut i natten. Ut till Ernsts arbetsbod.

Trollen stirrade på honom från hyllorna längs väggen när han klev in och började bära ut stenverktygen.

Hammare, sågar, spett, släggor och träklubbor – massor av bra vapen. I lampljuset från stugan såg Per att många av verktygen var slitna och trubbiga, men några var vassa. Det fanns en stor vedyxa som såg helt livsfarlig ut. Han höjde den framför sig.

Vill du hämnas? Kom hit bara, tänkte han. *Kom hit så ska du få se om jag vill offras för något som min far gjorde …*

Han tog in sina vapen i stugan, låste om sig och spred ut dem i rummen. Yxan la han bredvid sängen. Så släckte han och låg i mörkret, stirrade upp i taket och tänkte på Markus Lukas, mannen med bortvänt ansikte.

Till slut somnade han.

Fyra timmar senare vaknade han av att solen var på väg upp. Han lyfte på huvudet, blinkade och såg den stora vedyxan inom räckhåll nere på golvet. Han mindes.

Hans far hade mördats och hans dotter var svårt sjuk.

Världen var kall och tom.

Han låg kvar i sängen någon timme utan att kunna somna om, och till slut gick han upp och åt frukost. Han tittade på telefonen, men den var tyst.

Till slut tog han själv upp luren och ringde de nödvändiga samtalen efter en anhörigs död: till en begravningsbyrå, till Jerrys bank och till prästen i kyrkan där begravningen skulle hållas.

Sedan satte han sig och stirrade ut genom fönstret, och väntade på att något skulle hända. Men han var tvungen att göra någonting under tiden. Han tog fram frågeformulären.

Det gick förstås inte att arbeta just nu, han orkade inte – så han började fuska. Han fyllde själv i formulären, ett efter ett. I början var det trögt, men efterhand gick det förvånansvärt lätt att mana fram människor i huvudet som hade sett reklamen för en speciell tvål och funderade på att köpa den. Några av dem, som »Peter i Karlstad« och »Christina i Uppsala«, var helt säkra på att de skulle göra det. De var övertygade om att just den här tvålen skulle ge deras liv en mening.

Om Per inte hade mått så dåligt skulle han ha fnittrat.

Att hitta på egna svar gick mycket fortare också – på bara några timmar hade han gjort tre dagars arbete. Och rädslan för Markus Lukas hade börjat sjunka undan.

Efteråt gick han in i Jerrys sovrum och såg sig om. Hans far hade inte bott där så länge och det fanns få spår av honom, inte ens en doft. Ett par slitna flanellbyxor hängde över en stol och Jerrys portfölj låg kvar på sängen.

Per gick fram och öppnade den. Han hade hoppats på att det

skulle finnas något viktigt i den, men allt som fanns var några mediciner mot högt blodtryck och två små fjädrande handtränare som Jerry hade fått för att hålla igång musklerna efter stroken.

Och så det gamla exemplaret av Babylon.

Han öppnade tidningen och såg på serierna av foton i den. Men han studerade inte de unga flickorna – bara mannen som kallades Markus Lukas i bildtexterna och som aldrig visade sitt ansikte. På bilderna verkade han vara runt trettio år. Tidningen var tolv år gammal, alltså var Markus Lukas i fyrtioårsåldern nu.

Per såg på hans bakhuvud och försökte tänka sig Markus Lukas bakom ratten i en bil. Var det den här mannen som hade dödat hans far?

Plötsligt såg han något han inte sett förut: en arm stack fram i en av bilderna. Den pekade på det nakna paret på sängen, och den bar två klockor runt handleden. En i guld och en i stål.

Det var Jerrys hand. Per tittade på den, länge.

Telefonen ringde två gånger på måndagskvällen. Det första samtalet var en reporter på en kvällstidning som på något sätt hade fått reda på att Jerry var död och att Per var hans son. Han hade hört att Jerry dött i en bilolycka »under mystiska omständigheter« och ställde en lång rad frågor om det, men Per gav inga svar.

»Ring polisen«, sa han bara.

»Tänker du ta över nu?« sa reportern. »Ska du driva porrimperiet vidare?«

»Det finns inget imperium«, sa Per och la på luren.

Det andra samtalet kom från Marika.

»Hur mår du, Per?«

Det lät som om hon verkligen ville veta. Han suckade.

»Det är som det är.« Han gjorde en paus. »Jag är lessen att jag inte har varit så mycket hos Nilla ... Det ska bli bättre.«

Marika kommenterade inte det.

»Jag har nyheter«, sa hon.

»Bra eller dåliga?«

»Bra«, sa hon, men hon lät ändå inte hoppfull när hon fortsatte: »En kärlkirurg har hört av sig från Lund, en vän till doktor Stenhammar. Stenhammar säger att han vill operera runt Nillas aorta. Han tycker att det är 'en utmaning', sa han … så han vill göra ett försök.«

Ett försök, tänkte Per och kände en tung kyla i magen.

»Bra«, sa han.

»Han kan inte lova någonting. Det sa Stenhammar flera gånger.«

I vissa länder i Afrika dör barnen som flugor, tänkte Per, *som flugor. Det blir bara en notis i tidningen.*

»Är du orolig?«

»Det är klart, Marika.«

»Jag med, men jag har ju Georg … Vill du att Jesper kommer på besök, och bor hos dig ett tag?«

»Nej«, sa Per lågt. »Han kan vara kvar hos dig.«

Han kastade en blick på sig själv i det mörka köksfönstret – på de trötta och rädda ögonen – och visste att Jesper inte skulle kunna komma tillbaka hit till stugan. Inte förrän trollet var dräpt.

47

DEN BLOMSTERTID NU KOMMER, tänkte Gerlof. Med vitsippor, vallmo och nattviol. Och snart dags för syrenen att blomma.

Det var en frisk och ljummen vårdag, med en dryg vecka kvar till maj. Öns tunna jord var fuktig men torkade snabbt i solen och Gerlof kände på luftens dofter att allt stillastående vatten i kärren och mossarna runt byn hade börjat dunsta bort. På ett par veckor hade hans gräsmatta gått från blekgult till ljusgrönt och börjat bli tät och frodig.

Våren var nästan över för den här gången. Om några veckor var det sommar, i alla fall försommar.

»Våren på Öland kommer häftigt och varar kort«, som någon hade skrivit. Men Gerlof var tacksam att han hade kunnat sitta och se den både anlända och försvinna bort från första parkett, härute på gräsmattan, och inte bakom tredubbla fönster på Marnäshemmet.

Allt var tyst och stilla. Han hade satt ut en stol för besökare i gräset, men inga hade kommit de senaste dagarna. John Hagman var nere och målade om köket hos sonen i Borgholm och bybon Astrid Linder hade inte kommit tillbaka från Spanien. Hela Stenvik hade faktiskt känts tom på folk den här veckan, men Gerlof hade sett Per Mörners gamla bil svänga in på vägen mot stenbrottet.

Trevligt, Gerlof hoppades att han skulle komma över. De rika husägarna på andra sidan vägen var han inte så förtjust i, men Per var alltid trevlig att prata med.

När Gerlof satt i sin stol ute på gräsmattan någon timme senare dök faktiskt Per upp ute på vägen och öppnade grinden.

Men hans granne såg trött ut den här onsdagen. Han kom långsamt gående över gräset och satte sig i besöksstolen med en kort hälsning.

»Hur är det?« frågade Gerlof.

»Inte så bra.«

»Har det hänt något?«

Per satte sig och såg ner i gräset.

»Min far är död ... Han dog på sjukhuset i söndags kväll.«

»Hur då?«

»Han blev påkörd.«

»Påkörd?«

»Ihjälkörd i Kalmar, av en smitare.«

»En olycka?«

»Jag tror inte det.« Per suckade. »Det var en smitningsolycka. Men Jerry måste ha känt föraren, för han lockade med sig min far till en folktom väg. Sedan mejade han ner honom och försvann.«

»Och vem var det?«

»Vem som ville ta livet av honom?« Per var tyst. »Jag vet inte ... Det har hänt några saker, hans studio brann ner för några veckor sedan. Det var anlagt, en mordbrand.«

Gerlof nickade.

»Så han var inte omtyckt.«

»Nej, inte speciellt. Inte ens av mig ... Jag har ofta låtsats att jag var faderlös, speciellt när jag var yngre.« Han log bistert. »Nu är jag det.«

»Hade han några andra barn?«

»Inte som jag vet.«

»Saknar du honom?«

Per verkade tänka efter.

»Prästen frågade om det i dag, inför begravningen. Jag visste inte vad jag skulle säga. Det var rätt svårt att tycka om Jerry, men jag ville att *han* skulle tycka om mig ... Det var viktigt, av nån anledning.«

Det blev tyst i trädgården.

»Min mor tyckte om honom«, fortsatte han lågt. »Eller, det gjorde hon kanske inte ... men det var viktigt för henne att jag höll kontakten med honom. Jag skulle skriva och ringa flera gånger om året, när han fyllde år och så. Jerry själv hörde aldrig av sig ... men efter hans stroke var jag tydligen bra att ha. Då började han ringa mig oftare.«

»Det här lite speciella yrket han hade«, sa Gerlof. »Att fotografera kvinnor och män utan kläder. Blev han rik på det?«

Per såg ner på sina händer.

»Förr, tror jag ... inte nu. Men förr rullade pengarna in.«

»Pengarna«, sa Gerlof. »De kan, som Paulus skrev, få folk att göra onda saker ...«

Per skakade på huvudet.

»Jag tror det är borta alltihop. Jerry hade stor talang för att håva in pengar, men han gjorde av med dem också. Hans sista tidningar kom för flera år sedan, innan han blev sjuk. På slutet hade han inte ens råd med en bil.«

»Jerry Morner«, sa Gerlof, »var det hans riktiga namn?«

»Nej, han hette Gerhard Mörner ... Men han tog ett nytt namn när han blev porrdirektör. Alla verkar göra så i den branschen.«

»De gömmer sig bakom det«, sa Gerlof.

»Ja, tyvärr«, sa Per och såg ner i gräset. »Jag skulle gärna vilja prata med några som kände Jerry, som jobbade med honom och som fortfarande lever, men inte ens polisen kan hitta någon ...«

Gerlof nickade tankfullt. Han tänkte på tidningen som Jerry Morner lagt upp på bordet under grannfesten, och sa:

»Jag ska se vad jag kan göra.«

Per lyfte huvudet.

»Vad *du* kan ...?«

»Jag ska forska lite«, sa Gerlof. »Vad hette de där tidningarna som din far gav ut?«

Samma kväll som Per Mörner hade besökt honom ringde Gerlof till John Hagman nere i Borgholm. Han småpratade först, som de brukade göra, men efter några minuter tog han upp sitt riktiga ärende:

»John, du nämnde någon gång att din son hade en bunt tidningar under sin säng, som han tog med när han flyttade till Borgholm. Du beskrev dem, det var en speciell sorts tidningar. Minns du dem?«

»Jo«, sa John. »Och han skämdes inte heller. Jag försökte prata med honom, men han sa att alla killar läser dem.«

»Har Anders kvar de tidningarna?«

John suckade. Han suckade ofta över sin son.

»Det har han nog, någonstans.«

»Tror du att han vill låna ut den bunten till mig?«

John var tyst några sekunder.

»Kan fråga«, sa han.

Någon kvart senare ringde John tillbaka:

»Jo, han har några kvar ... och han kan åka och skaffa fler om du vill ha.«

»Var då?«

»Han kände till någon lumpbod i Kalmar som säljer gamla tidningar, alla möjliga sorter.«

»Bra«, sa Gerlof. »Be honom gärna om det, jag kan betala. Det är två sorters tidningar jag gärna vill få tag på.«

»Vilka då?«

»Babylon och Gomorra.«

»Den där Morners tidningar?«

»Just det.«

John var tyst ett tag.

»Jag ska tala med Anders«, sa han. »Men du är säker?«

»Säker?«

»Du är säker på att du vill ha de här tidningarna? Jag har ju sett dem som Anders hade och de är väldigt ... väldigt avslöjande.«

Skam och förundran, tänkte Gerlof.

»Jag kan tro det, John«, sa han. »Men det är nog inte värre än att tjuvläsa någons dagbok.«

48

FEM MINUTER EFTER ATT HAN hade höjt rösten mot Vendela kom Max tillbaka in i vardagsrummet och pratade lågt, nästan i viskningar. Näven som han hade skakat mot henne vände han nu som en utsträckt hand mot sig själv, mot sitt eget bröst, och blev den inkännande psykologen:

»Jag är inte arg på dig, Vendela, du får inte tro det«, sa han. Han andades ut och tillade: »Jag känner mig bara lite besviken. Det är de känslorna jag har just nu.«

»Jag vet, Max ... Det är ingen fara.«

Vendela hade lärt sig efter tio år att hans irritation och svartsjuka gick i cykler och alltid blev värre när en bok började bli klar.

Själv höll hon sig lugn. Det var fredag kväll – och Sankt Markus afton, en viktig dag enligt folktron:

»Max, jag tror jag ska ge mig ut och springa lite«, sa hon, »så kan vi prata sedan.«

»Måste du det? Om du stannar hemma kan vi ...«

»Jo, det blir bäst.«

Vendela gick in i badrummet för att byta om. I spegeln fick hon en snabb skymt av sig själv; trött i själen och hungrig i kroppen, med rynkor av oro i pannan.

Hon tänkte på de lugnande tabletterna, men öppnade inte ens skåpet.

När hon kom tillbaka ut satt Max i en fåtölj vid fönstret och drack sin fredagswhisky, som var lite större än torsdagswhiskyn. Aloysius låg i andra änden av rummet och höll öronen riktade mot sin husse.

Max sänkte glaset och såg på henne.

»Jogga inte«, sa han lågt. »Kan du inte vara hemma i kväll?«

»Jag *ska* vara hemma, Max.« Vendela drog åt skosnörena och rätade på ryggen. »Efter den här rundan. Den tar bara en halvtimme …«

»Stanna här.«

»Nej, men vi ses snart.«

Max svepte sin whisky och tittade bort mot Aloysius. Sedan reste han sig och tog ett par steg över golvet.

»Jag ska börja fundera på en ny bok i helgen.«

»Jaså, redan?« sa Vendela. »Om vadå?«

»Den ska heta *Maximalt känsloliv*. Eller kanske ännu bättre: *Maximala relationer*.« Han log mot henne. »Relationer är väl viktigast av allt? Vem vi är med, vad vi gör med dem. Du och jag. Du och jag och andra. Du och andra.«

»Jag och andra … vad menar du?«

»Du och grannen i lilla stugan på prärien.« Han nickade mot norr och fortsatte: »Per Mörner, du och han har ju en nära relation.«

»Max, det är inte sant.«

Han kom två steg närmare. Vendela såg att hans tinningar blänkte av svett, som om hettan inför ett åskväder höll på att byggas upp bakom hans panna. Blixten skulle snart slå ner.

»Vad är inte sant?« sa han och torkade sig med fingrarna runt munnen. »Jag har ju sett det själv.«

»Vi har inte gjort något.«

»Ni har ju joggat?«

»Jo, men …«

»Och gräset på prärien är väl torrt nu? Torrt och mjukt? Man kan *ligga* ner i det, bakom någon stenmur.«

»Sluta nu, Max«, sa hon. »Du är tjatig.«

»Är jag?«

»Ja. Du älter det här med mina springturer … men det är för att du egentligen tänker på en annan sak.«

»På vadå?«

»Du vet ju det … Jag tror att du tänker på Martin.«

»Nej!«

Max tog ett snabbt steg mot henne och Vendela backade undan.

263

Säger jag fel ord nu så klipper han till mig, tänkte hon.
»Jag går ut, Max«, sa hon lågt, »tills du lugnar ner dig.«
Hennes man sänkte axlarna ett par centimeter.
»Visst«, sa han lågt. »Stick iväg, bara.«

Vendela sprang. Med långa steg löpte hon bort från sagoslottet som hon hade drömt om en gång i tiden. Bort från Max. Hon ville vika av mot Mörners stuga och knacka på för att få prata med en sansad man, men den såg igenbommad ut. Hon hade varken sett Per eller hans sjuke far på hela veckan, och familjen Kurdin var inte här heller.

Hon gjorde en vid sväng västerut och sökte sig ut på alvaret. Men så här långt söderut var det svårt att hitta rätt, hon stoppades hela tiden av stenmurar som hon inte kände igen, eller av vassa snår och taggtråd, och det dröjde innan landskapet öppnade upp sig framför henne.

I solnedgången syntes att alvaret hade börjat blomma. Den gulbruna marken hade sugit upp vattnet och fått en mörkblå nyans från axveronika, backtimjan och fältsippa, med enstaka maskrosor som knallgula prickar. Vackert.

Men det fanns en stillhet i grönskan som kändes olycksbådande. När Vendela stannade för att hämta andan bland alla blommor slöt hon ögonen och önskade alla omkring sig en lycklig och fridfull Sankt Markus afton. Men hon kände ingen värme och vänlighet strömma tillbaka. Hon såg inga bilder, allt var mörkt.

Älvorna mådde inte bra.

49

GERLOF SATT PÅ GRÄSMATTAN i solskenet när Carina Wahlberg kom på besök på fredagseftermiddagen. John hade varit på besök på morgonen och lämnat en rejäl bunt tidningar till honom – gamla nummer av Babylon och Gomorra med revor och fläckar – och nu bläddrade han igenom dem.

Gerlof höll i tidningarna med fingertopparna, för de flesta luktade inte så gott.

Husläkaren hälsade glatt på honom från grinden och han vinkade åt henne.

»God dag, doktorn« sa han.

Hon log mot honom och kom närmare – men stannade tvärt när hon såg tidningarna.

»Jag kom för att kolla din hörsel«, sa Wahlberg och tittade på tidningsbunten. »Synen är det inget fel på, ser jag. Ska jag återkomma?«

Gerlof skakade på huvudet.

»Du kan komma hit. Sätt dig.«

»Jaså? Men du är ju upptagen.«

Han tittade upp från tidningen, utan att le.

»Det är inte som du tror«, sa han.

»Jag tror ingenting.«

»Det är inte *så*, i alla fall. Jag är åttiotre och min sista flickvän Maja uppe på Marnäshemmet var ungefär lika gammal, innan hon blev för sjuk för att umgås med mig ... Jag har inte tittat på unga flickor de senaste tjugofem åren.« Gerlof tänkte efter och tillade: »Eller senaste tjugo, i alla fall.«

»Varför tittar du i de där då?« sa Wahlberg.

»För att jag måste.«

»Jaså?«

»Jag gör en undersökning.«

»Visst.«

Doktor Wahlberg gick inte, hon kom fram till Gerlof och satte sig. Han bläddrade genom tidningarna, en efter en, och fortsatte prata:

»Jag försöker hitta något som är speciellt med de här flickorna, men jag vet inte riktigt vad jag letar efter. Alltihop känns bara väldigt trist.«

Wahlberg tittade på bilderna, utan att se det minsta glad ut.

»Jag ser i alla fall en sak som inte är bra«, sa hon sedan, »ur min synvinkel.«

»Vadå?«

»De har inga skydd.«

»Skydd?«

»Preventivmedel«, sa Wahlberg. »Männen borde ha kondomer på … på sig. Men det har de väl aldrig i sådana tidningar.«

Gerlof tittade på henne.

»Så du har sett dem förr?«

»Jag har varit skolläkare. Unga killar köper dem och får helt fel idéer, de tror att de här fantasierna är verkliga.«

Gerlof såg ner på bilderna. Han nickade tankfullt.

»De har inget skydd, det stämmer … Men du har fel.«

»Om vadå?«

»Om att det är fantasier«, sa Gerlof. »Det är ju verklighet för dem som blir fotograferade.«

Wahlberg reste sig.

»Jag ska gå in och dosera dina mediciner nu, Gerlof.« Hon vred sig om och tillade: »Jag ska ge dig ett gott råd: släng de där tidningarna så snart du kan. Jag tror inte du vill att dina döttrar ska hitta dem.«

»Du menar, när jag är död?«

Hans doktor log inte.

»När någon har gått bort i sin stuga eller på äldreboendet«, sa hon, »då kan man hitta sådana tidningar, gömda under madrasser och i

266

byrålådor. Det händer oftare än du tror. Och det är alltid lika trist om det är ett barn eller barnbarn som hittar dem.«

Gerlof nickade.

»De är faktiskt inte mina«, sa han, »men jag ska hälsa ägaren det.«

När doktor Wahlberg hade gått satt Gerlof kvar och fortsatte att bläddra i Babylon och Gomorra. Det fanns ingen variation, det var bara sida upp och sida ner med foton på blonda flickor i olika sexuella ställningar – han var förvånad över hur tjatigt det kändes efter ett tag. Trist och deprimerande. Men han tittade ändå.

Vid en av bilderna stannade han plötsligt. Det var ett färgfoto som såg ut som de flesta andra: en bild på en av de muskulösa männen, naken bland skolbänkar i ett litet klassrum. Mannen var tillsammans med en ung kvinna. Enligt den korta bildtexten hette hon Belinda och beskrevs som »en stygg svensk skolflicka som får veta sin plats«.

Gerlof var ganska säker på att hon inte hette Belinda. Men han tittade ändå länge på bilden, och till slut tog han upp sina glasögon och höll dem nära tidningssidan, som ett förstoringsglas.

Efter någon minut la han ner glasögonen, tog med tidningen och reste sig sakta för att gå in till telefonen.

Han ringde till Per Mörner på Ernsts gamla nummer, men ingen svarade där. Då ringde han Mörners mobil.

»Mörner.«

Han lät fortfarande trött. Gerlof harklade sig.

»Det är Gerlof, Gerlof Davidsson i Stenvik. Kan du prata?«

»En kort stund ... jag är på väg till min dotter på sjukhuset. Har det hänt något?«

»Kanske«, sa Gerlof. »Jag har tittat i din fars tidningar.«

»Jaså? Hur fick du tag på dem?«

»Åh, kontakter«, sa Gerlof, som inte ville peka ut vare sig John Hagman eller hans son.

»Vad tyckte du, då?«

Gerlof plockade upp exemplaret av Babylon och tittade på framsidan, utan att bläddra i tidningen.

»Många blonda peruker och sorgsna ögon«, sa han. »Och det är väldigt grovt. Väldigt grova bilder.«

»Jag vet«, sa Per och lät ännu tröttare. »Men det är så det ser ut, och vi män köper det.«

»Jag är för gammal«, sa Gerlof.

»Jag har aldrig gillat det«, sa Per. »Jerry gillade sådana bilder och filmer, men inte jag. Inte i någon ålder. Men de köps ju av någon.«

»Och de här männen på bilderna, vilka är det?«

»Männen?« sa Per. »Det är bara en man ... han heter Markus Lukas, eller kallas det.«

»Nej, det är olika män. Minst två. Deras ansikten syns aldrig, men kropparna är annorlunda.«

»Jaså?«

»Och de har inget skydd, heller. Inga kondomer.«

»Nej, det stämmer. Jerry tyckte väl att det såg fel ut, töntigt – du är observant, Gerlof.«

Gerlof suckade.

»Varför gör de det, de här flickorna? Vet du det?«

»Varför? Det kan inte jag svara på«, sa Per. »Många av dem mår nog inte så bra ... men jag vet inte.«

Han tystnade, så Gerlof fortsatte:

»Jag har i alla fall hittat en av dem.«

»En vadå?« sa Per.

»En flicka, i en av tidningarna. Du sa ju att du ville hitta någon, och prata med henne.«

»Du menar ... en flicka som du känner igen?«

»Jag kände igen hennes tröja.«

»Har hon en tröja på sig?« sa Per.

»Den ligger slängd över en stol i bakgrunden«, sa Gerlof. Han fortsatte: »Den flickan kommer nog från Kalmar. Jag vet inte vad hon heter, men jag tror att du kan hitta henne.«

50

PER VAR PÅ VÄG TILL NILLA, men hade stannat till i Borgholm och var på väg in på biblioteket när Gerlof ringde om sitt fynd i en av Jerrys tidningar. Det lät lovande, men själv skulle Per leta efter Markus Lukas i telefonkatalogerna på biblioteket. Det namnet fanns inte i någon av södra Sveriges kataloger, så han började söka efter namnet som Jerry hade sagt i bilen, *Moleng Noar.*

Namnet lät asiatiskt, som en kinesisk restaurang. Han bläddrade i Gula sidorna för Malmö, men hittade inga restauranger som hette så.

Hans Bremer hade bott i Malmö, mindes han. Han bläddrade genom delen med alla nummer till privatpersoner, kom fram till B och hittade *Bremer, Hans* med adressen Terränggatan 10 B.

Per skrev upp adressen, och fortsatte sedan att fundera över namnet. *Moleng Noar.*

Han tog pennan och testade olika stavningar på namnet:

Molang-noor
Mu-Lan Over
Moo Leng Noer

– men utan att hitta några sådana namn i katalogen.

Eller det kanske var ett franskt namn, som en variant på Moulin Rouge? Han prövade att skriva med en fransk stavning:

Moulin Noir. Den svarta väderkvarnen.

Han började bläddra genom katalogen igen, och hittade faktiskt det namnet. Moulin Noir var en nattklubb i Malmö, öppen från klockan två på eftermiddagen till fyra på natten: SHOW VARJE HALVTIMME! stod det i annonsen.

En sexklubb. Det kunde inte vara något annat.

Hade Jerry ägt den också? Det var inget han hade berättat för Per, men han skulle inte bli förvånad.

Per skrev upp adressen. Han skulle åka till Malmö nu, men först skulle han stanna till vid sjukhuset. Det var sex dagar kvar till operationen.

Per kom inte in till Nilla – hon hade sköterskor inne på sitt rum för ytterligare provtagningar. Han fick sitta och vänta tills de var klara.

Väntrummet var inte tomt, det fanns en person till där. En kvinna i sextiofemårsåldern satt med böjt huvud i soffan mittemot hans egen, med en hopvikt ylletröja i händerna. Det var inte första gången han väntade med någon annan, men det var alltid lika jobbigt – båda visste varför den andre personen satt där i soffan men ingen ville eller orkade erkänna det.

De var anhöriga, och de väntade på besked. Kanske hade kvinnan mittemot honom tagit en paus från alla små och stora symtom som svävade runt inne i sjukrummen.

Per borde sjukskriva sig för vård av sjukt barn – om han hade orkat skulle han ha gjort det. Men Marika var sjukledig nu, hade hon sagt, och han visste inte om båda föräldrarna kunde få ersättning samtidigt. Det fanns säkert någon regel om det. Under tiden fick han fortsätta fuska sig fram på sitt jobb.

Kvinnan i den andra soffan såg plötsligt på honom.

»Är du Nillas pappa?«

Per tittade upp och nickade.

»Jag är Emils mormor ... han har pratat om Nilla.« Hon log lite spänt. »De har visst blivit vänner.«

»Just det ...« Trots att Per var rädd för svaret frågade han: »Hur går det för Emil?«

Kvinnan slutade le.

»De säger inte så mycket ... vi bara väntar.«

Per nickade igen och satt tyst.

Alla väntade. Det fanns inget att säga.

Till slut fick han komma in.

Nilla låg i dunklet med händerna knäppta runt sin lavasten, hon lyfte en hand från täcket mot honom. Det var nog inbillning, men Per tyckte att armarna som stack ut ur sjukhusrocken hade blivit benigare, att hennes bröst hade sjunkit ihop.

»Hur är det?«

»Så där.«

»Har du ont någonstans?«

Nilla såg ner på sin svarta sten.

»Inte just nu ... inte så mycket.« Hon suckade och fortsatte: »Men jag är trött på det onda. På smärtan ... och att läkarna och sköterskorna alltid vill att jag ska beskriva den. De frågar hela tiden var den sitter, och hur den känns: Är den huggande, eller stickande eller krampaktig? Det är som ett prov jag ska göra, men jag är dålig på det.«

»Det är inget prov«, sa Per. »Du kan svara som du vill.«

»Jag vet, men när jag säger att smärtan är som ett mörkt moln ovanför mig som växer och suger i sig det vita molnet som jag sitter på så slutar de lyssna ... det är för konstigt för dem.«

Det blev tyst.

»Nilla, jag måste åka iväg ett tag«, sa han.

»Vart då? Är det nåt med farfar?«

Per skakade på huvudet. Han hade fortfarande inte berättat för Nilla att hennes farfar var död. Det fick vänta.

»Jag ska ner till Malmö ... och göra en sak. Men jag kommer tillbaka i morgon kväll.

51

I MALMÖ VAR DET BARA EN VANLIG HELGDAG i storstaden. Bilarna svängde runt i rondellerna, färjorna gick till Danmark, folk var lediga och gick med barnvagnar i vårsolen längs vattnet.

Det hade tagit nästan fyra timmar för Per att köra dit från Kalmar. Han rullade in i centrum vid tretiden och parkerade några kvarter bort från centralstationen, där timavgiften var lite lägre. Sedan letade han sig fram till bakgatan där Moulin Noir låg.

Det var inget ställe som gjorde någon större reklam för sig självt, bara en liten sprucken skylt ovanför ingången med texten MOULIN NOIR – SEXSHOP & NIGHTCLUB. Skyltfönstren var igenmålade med svart färg och dessutom täckta med järngaller, och Per gissade att porrmotståndare brukade samlas här ibland med plakat och ruttna ägg. Men nu var hela gatan tom.

Han blev stående några meter från dörren där någon hade skrivit OBS! 18-ÅRSGRÄNS! på en vit lapp. Trots att han inte kände någon i Malmö kollade han en extra gång att ingen såg honom.

Snuskgubbe, tänkte han. Sedan rätade han på ryggen och gick in.

Innanför fanns en lång och smal butikslokal, lika stilla och tyst som gatan utanför. En skarp citronlukt från ett rengöringsmedel hängde i luften, men plastgolvet som Per klev in på såg ändå smutsigt ut. På hyllor längs väggarna stod rader av filmer och inplastade tidningar, men inga nummer av Babylon eller Gomorra. Tomrummet efter Jerrys tidningar var fyllt sedan länge av hans kollegor.

På glasdisken på andra sidan rummet stod en gammal kassaapparat av plåt, och bakom den på en hög barstol satt en kvinna och filade naglarna. Hon var i trettioårsåldern, klädd i en åtsmitande svart klänning och höga blanka läderstövlar. Hennes blick var svart av kajalfärg och hennes hår var mycket långt och glänsande rött, men det såg ut som en peruk. Per antog att det mesta var fejkat på det här stället.

Bakom disken fanns en trappa ner i källaren, som slutade i ett pärldraperi. Därifrån kom dunkande musik och en kvinnas utdragna stön, men ljuden lät metalliska och burkiga som från en film. Det var nästan exakt samma ljud som han hade hört spelas upp i telefonen ett par gånger – men han visste fortfarande inte vem som hade ringt, eller varför.

Per gick fram till kvinnan. Hon sänkte nagelfilen och log mot honom.

»Hej«, sa han.

»Hej, älskling«, fick han till svar. »Vill du gå ner i syndens näste?«

»Kanske. Vad kostar det?«

»Fem hundra.«

Det var tre hundra kronor mer än Per hade på sig.

»Fem hundra«, sa han, »bara för inträdet?«

»Inte bara det, älskling«, sa kvinnan, och nu log hon ännu bredare. »Du får en stor *surprise* därinne.«

»Jaså, det får jag. Är den värd fem hundra?«

Hon blinkade mot honom.

»Killar brukar tycka det.«

»Har du jobbat länge här?«

»Ganska länge«, sa hon. »Ska du …«

»Hur länge då?«

Han försökte ställa frågor i samma bestämda ton som Lars Marklund, polisen. Kvinnan slutade le.

»Ett halvår. Ska du betala?«

»Vem äger den här klubben?«

Hon ryckte på axlarna.

»Några killar.« Hon sträckte fram en hand med långa röda naglar. »Fem hundra, please.«

Per tog fram sin plånbok ur jackan, som ett lockbete, men öppnade den inte.

»Jag vill gärna prata med en av ägarna.«

Kvinnan var tyst.

Till slut öppnade han plånboken och tog upp de två hundra kronor han hade i den, ihop med en papperslapp. *Ring mig!*, skrev han under sitt telefonnummer och undertecknade med *Per Morner, (Jerry Morners son).*

Han räckte över lappen och hundralapparna.

»De där får du«, sa han, »och du behöver inte ens släppa in mig. Men ge lappen till en av ägarna ... till den som har varit här längst.«

Kvinnan tog emot sedlarna, men såg uttråkad ut igen.

»Jag får se ... jag vet inte om han kommer i kväll.«

»Lämna den när han kommer«, sa Per. »Gör du det?«

»Visst.«

Hon stoppade snabbt på sig pengarna, och vek ihop lappen och la den bredvid kassaapparaten. Så satte hon sig till rätta på den höga stolen, rättade till hårsvallet i peruken och verkade ha glömt att Per existerade.

Han tog ett steg åt sidan, lyssnade på musiken och sneglade mot trappan. Han tänkte på Regina igen, och fick för sig att hon väntade på honom i källaren. Kanske satt Jerry och Bremer också därnere, två lik med cigarrer i munnen och händerna på hennes lår. Om han bara betalade i kassan skulle han kunna se efter.

Men han vände om och gick ut på gatan igen.

Ett rum på ett lågprishotell väntade honom vid motorvägen norr om staden, men innan Per åkte dit körde han förbi Terränggatan. Det var en plötslig ingivelse – han ville bara se var Hans Bremer hade bott.

Terränggatan var en dyster plats även i vårsolen, tyckte han. Nummer 10 var ett grått femvåningshus vid en lika grå och sprucken gata. Vid trottoaren stod en gammal skåpbil med en släpvagn efter sig, halvfull med flyttkartonger.

Namnet BREMER fanns fortfarande kvar vid ingången till 10 B och dörren var öppen. Låset verkade vara trasigt.

Det luktade illa i det ekande trapphuset, som om någon hällt ut

gammal mjölk över golvet. Per gick uppför trappan till andra vå-
ningen. Dörren med Bremers namn stod på glänt, det hördes slam-
rande ljud därinnanför.

Han drog upp den och kände en ännu surare doft.

»Hallå?« sa han.

»Vad är det?« sa en trött röst.

Det var en medelålders kvinna, gråhårig i förtid. Hon stod i dörr-
öppningen till köket och tittade på honom med korslagda armar.
Bakom henne fanns en tonårig pojke med bakvänd keps. Han höll på
att koppla ur en gammal teve ur väggen och linda ihop kablarna.

Pers huvud var plötsligt tomt, vad ville han egentligen?

»Hej, jag tänkte bara titta in«, sa han. »Jag var ... kompis med
Hans.«

Kvinnan såg ännu tröttare ut.

»Jaså? Suparkompis, då?«

»Nej«, sa Per och slutade ljuga. »Vi var väl inte kompisar egentli-
gen ... men han och min far brukade jobba ihop. Och jag var i
närheten, så jag tänkte bara se var han bodde.«

Kvinnan verkade inte lyssna på hans förklaringar. Hon bjöd inte
in Per, men vände sig om och gick in i lägenheten – så han följde
efter och frågade:

»Var du hans fru? I så fall beklagar ...«

»Hasse var aldrig gift«, avbröt kvinnan. »Jag är hans lillasyster,
Ingrid ... Det ska flytta in nytt folk här vid valborg, så vi håller på
och tömmer den.«

Det var inte så mycket att tömma, tyckte Per när han klev ut ur den
trånga hallen. Det fanns ingen säng i sovrummet, bara en madrass,
och de gulmålade väggarna var kala. Bremer verkade ha lagt all tid
och energi på att göra filmer och tidningar ihop med Jerry, och ingen
tid alls på inredning.

Hans syster hade gått ut i köket och börjat plocka ner bestick och
kastruller i en flyttlåda. Det var lika tomt som sovrummet; ett
rangligt köksbord och två stolar stod vid fönstret, och på kylskåpet
hängde några solblekta vykort. Inga filmer eller tidningar fanns att
se – inget som kunnat avslöja vad Bremer hade sysslat med.

»Du!«

Han såg upp, det var Ingrid som pekade mot honom.

»Du kan hjälpa till och tömma skåpen«, sa hon. »Kan du göra det?«

»Nej, jag måste nog ...«

»Jo, en liten stund, det kan du göra. Sedan kan du hjälpa Simon med kartongerna.«

Så Per fick ställa sig på en stol och börja samla tallrikar ur skåpen och trava dem i kartongerna. Upp och ner, hela tiden.

När han lyfte bort en trave sopptallrikar från nedersta hyllan fick han syn på en gul lapp som låg bakom dem. Per plockade upp den. Det var en liten klisterlapp som förmodligen hade torkat ut och fallit ner från insidan av skåpdörren. På lappen fanns fyra telefon-nummer skrivna med darrig blyerts, med varsitt namn framför sig:

Ingrid
Cash
Fontenen
Daniele

Det första numret var väl till systern. Något av de andra borde ha varit till Jerry, men han kände inte igen dem.

»Är du klar där?« sa Ingrid bakom honom.

»Nästan.«

Han stoppade lappen i fickan och fortsatte med tallrikarna.

När han var klar i köket fick han börja bära kartonger, och det fanns faktiskt en hel del prylar i lägenheten, visade det sig. Det tog nästan en timme att få ut allt.

Bremers syster pratade inte mycket under flytten, och Per sa inget heller.

»Vet du hur din bror dog?« frågade han bara när de var färdiga och stod i solen nere på gatan.

Systern torkade sig i pannan.

»Polisen sa att det var en brand ... Han hade åkt iväg för att träffa någon skum typ och så brann huset ner.«

»Var det något bråk däruppe?«

»Bråk? Det tror jag inte, de satt väl och söp och rökte, antar jag …
Det var vad Hasse brukade göra.«

En smågangster, invecklad i många olika saker – så hade polisen beskrivit Hans Bremer för Per. Han frågade:

»Men … hade han några ovänner?«

Bremers syster skakade på huvudet.

»Det frågade polisen också … Ovänner hade han inte. Men utnyttjad blev han, det vet jag.«

»Hur då?«

»Han lånade ut pengar, hjälpte alltid till … Hans var för snäll, och han hade inga riktiga kompisar, bara suparkompisar. Har man inga vänner kan man väl inte ha ovänner?«

Per var inte säker på det, men frågade bara:

»Hette någon av hans vänner Markus Lukas?«

»Markus Lukas? Nä, inte som jag vet.«

»Hans och Markus Lukas jobbade ihop, har jag hört … Din bror jobbade väl rätt mycket?«

Ingrid skakade på huvudet igen.

»Hans jobbade så lite som möjligt … Han sa alltid att han hade massor av pengar på gång, men det blev aldrig något med det.«

Per nickade. Han förstod att systern inte hade haft en aning om vad Bremer hade sysslat med, han hade ljugit för henne.

Tystnad och lögner. Allt hade varit som det brukade vara runt Jerry.

52

MAX VAR RÖD I ANSIKTET, han såg ut som om hjärtinfarkten var
nära.

»Han är tretton år, Vendela!«

»Max, vad spelar det för roll hur gammal han är?«

»Tretton! Han är som en åttioåring!«

»Och? Han är åttio år och *frisk*.«

Bråket på måndagskvällen mellan Vendela och Max hade bara
handlat om Aloysius, om hans hälsa. Den hade de grälat om flera
gånger förr, men deras diskussioner gick i cirklar och de hade tröttnat
på alla andra ämnen.

»Han är *inte* frisk!«

»Jo, Max … han är uppe på benen mycket mer, och han går
bättre.«

»Han är *blind*!«

När replikerna började upprepa sig hade de tystnat och gått runt
varandra över det ekande stengolvet. Max hade stängt in sig i sitt
tankerum och Vendela hade valt köket. Aloysius hade hållit sig un-
dan när de grälade, men tagit hennes parti genom att tassa efter
henne och nosa runt hennes ben.

Så här skulle man inte göra, det hade hon sagt till Max många
gånger. Man skulle aldrig bara störta iväg från ett bråk utan att reda
ut det. Han hade hållit med och skrivit in det rådet i en av sina
böcker.

Vendela torkade bort några brödsmulor från den rostfria bänken
och suckade tyst.

De kom inte vidare nu, insåg hon. Antingen fick de ge upp eller också börja gå i terapi – men problemet var ju att Max var gammal psykolog och visste bäst. Han hade alltid vägrat att gå till andra terapeuter, han trodde inte på dem.

Hon tog fram sin anteckningsbok och en penna på köksbänken, och började skriva med rafsande rörelser:

Ibland kan känslan av sorg och meningslöshet vara total för oss människor. Varför drabbas vissa av mer olycka än andra? Varför blir vi hela tiden missförstådda och illa behandlade? Ingen vet.

Men älvorna känner också av sorgen ibland, de lider fruktansvärt och kan uppleva smärta som är ännu djupare än den vi människor känner.

Det viktigaste deras lidande kan lära oss är att...

Ja, vad kunde älvorna lära oss? Vendela stod stilla och funderade, med pennan i handen, men kom inte på någon fortsättning.

Hon slog snabbt igen boken och gick ut i badrummet, men tog ingen lugnande tablett. Hon drack ett glas vatten, kände sig lite mättare och längtade till alvaret.

Hon började byta om till träningskläder.

Fem minuter senare var hon klar. Hon klappade Aloysius och öppnade ytterdörren.

»Snart tillbaka!« ropade hon.

Inget svar kom från tankerummet.

Hon sprang raka vägen till älvornas klippblock den här måndagskvällen, med långa löpsteg och hårt knutna nävar. Hon snubblade till några gånger på grästuvor och dolda stenar, men höll sig på benen. Till slut var hon framme.

Vendela hade inga pengar eller smycken med sig. Hon hade inget att offra nu, men ville ändå vara här. Hon hade sprungit hit fyra dagar i sträck nu, härute var hon ifred för Max.

Hon la handflatorna över stenen och försökte slappna av. Inuti hennes huvud ekade höga röster, minnet av grälen.

Men den här kvällen fanns ingen tröst att få.

Allt hade blivit ännu värre sedan hon var här senast, och sorgen hängde tung i älvornas rike. Vendela såg tydliga bilder i sitt huvud när hon blundade: älvornas kung satt och grät på sin stentron för den sjuka drottningens skull, blått blod rann ur hans ögon.

Vendela kände att ingen hade tid med henne.

Hon vände om och sprang västerut igen.

När hon kom tillbaka till huset var det släckt i fönstren. Audin var borta och ytterdörren låst. Max måste ha kört iväg någonstans, men reservnyckeln låg under en av blomkrukorna. Vendela låste upp och klev in i hallen.

»Hallå?« ropade hon.

Ekot från ropet dog ut i huset, och inget svar kom. Vendela hade inte väntat sig något svar från Max, men det värsta var att Aloysius inte skällde eller kom tassande över stengolvet.

»Ally?«

Inget svar, men när hon kom ut i köket satt en klisterlapp på kylskåpet med en textad hälsning:

Har åkt hem –

Tar med Ally till veterinären för undersökning, hör av mig.

Puss o kram // Max

Vendela tog ner lappen och slängde den.

Hon gick runt i huset, tittade i alla rum tills hon var säker på att Ally inte fanns någonstans. Sedan satte hon sig i stora rummet och stirrade genom de stora fönstren, ut på det tomma stenbrottet.

Max hade åkt hem till Stockholm och tagit deras hund med sig. Vendela kunde inte göra någonting.

Hon blundade.

Hon hörde ljudet av en koskälla, och Jan-Eriks fnittrande skratt.

VENDELA OCH ÄLVORNA

H ENRY FORS har tagit med sig stöveln och leder konstaplarna uppför trappan. Vendela smyger tyst efter dem, med onda aningar.

»Kom in här, så ska ni få se vem som äger den här.«

Så går han fram till den enda stängda dörren på övervåningen och drar upp den, utan att knacka.

»Här är han ... min son Jan-Erik.«

Vendela ser konstaplarna följa efter Henry in i rummet. Alla tre samlas runt figuren som sitter på sin filt klädd i samma smutsiga kläder som han bar kvällen innan. Jan-Erik böjer på nacken upp mot dem. Sedan fnittrar han och tittar bort mot Vendela. Hon vill säga något, men öppnar inte ens munnen.

»Är han sjuk?« frågar en av poliserna.

»Sjuk och sjuk. Han är sinnesslö.« Henry fortsätter peka, som om han förevisar en märkvärdighet: »Vi har haft honom här ett par år nu ... han var på anstalt förut, men jag tog hem honom av ren vänlighet.« Han gör en paus och tillägger: »Det var nog ett misstag.«

»Så det är hans stövel?« säger den förste polisen.

»Jodå, jag kan visa.«

Henry går fram till sin son, tar tag i ett av hans ben för att sträcka ut det och dra på honom stöveln. Den verkar passa, trots att Vendela vet att det är hennes fars stövel.

»Jaja«, säger polisen och tittar mot rullstolen. »Men kan han gå?«

»Jodå«, säger Henry. »Doktorn på anstalten sa att han *kan* gå. Men han gör det bara när ingen ser.«

»Visa oss«, säger konstaplarna.

Henry böjer sig ner och hugger tag i Jan-Erik under armarna.

»Kom nu.«

Sedan lyfter han honom från filten, rakt upp.

Jan-Erik fortsätter fnissa. Han står upprätt, med en tjock strumpa på ena foten och stöveln på den andra.

Henry ger honom en stöt i ryggen.

»Gå nu, pojk. Gå med dig!«

Jan-Erik står kvar några sekunder, och tittar på poliserna. Sedan tar han ett kort steg framåt på golvet, sedan ett till.

»Men varför skulle han tända eld på gården?«

»Varför?« säger Henry. »Vem vet, det är obegripligt ... han är en månvarelse.«

Den förste polisen tittar fundersamt på den andre.

»Vad tror du ... kan sådana här åtalas?«

»Ingen aning. Hur gammal är han, Fors?«

»Sjutton år.«

»Då går det kanske ...«, säger polisen. »Vi får kontrollera det.«

Vendela mår illa. Hon öppnar munnen:

»Nej!«

Alla stannar till och tittar på henne, och nu är hon tvungen att fortsätta:

»Det var mitt fel. Det var jag! Jag hatade korna ... jag gick ut på alvaret och bad om att de skulle försvinna! Jag bad ...«

Älvorna, tänker hon säga, men hon vågar inte. Det blir nog bara värre då.

Konstaplarna ser först häpna ut, sedan ler de mot varandra. En av dem blinkar.

»Brottsliga familjen«, säger han.

Konstaplarna kliver förbi Vendela och ut ur rummet.

Det blir mycket tyst i gården när konstaplarna har gett sig av. Henry tiger och Vendela vill inte prata med honom. Ryktet måste gå om polisens misstankar, för redan nästa dag kommer ingen på besök till familjen Fors – grannarna verkar till och med ta omvägar runt gården för att slippa se den.

Veckorna efter branden blir det fler polisförhör. Till slut slår lagen fast att både Henry Fors och hans son är misstänkta för brott: Jan-Erik för att ha bränt ner lagården och Henry för att ha hållit tyst om detta dåd för att få ut försäkringspengarna.

»Det var inte Jan-Erik«, säger Vendela till sin far. »Det var du.«

Henry rycker på axlarna.

»Det passar bättre så här … Din bror är ju sinnesslö, de kan inte straffa honom.«

Trots allt som hänt fortsätter Henry hugga sten. Han går med rak rygg ner till kusten varje morgon och kommer hem på kvällen. Vendela vågar inte fråga vad han gör där hela dagarna, för några kunder har han knappast längre.

Själv fortsätter hon vandra fram och tillbaka till skolan, men nu är både vägen dit och timmarna där en lång plåga. Hon är inte Vendela Fors längre, bara en del av »mordbrännarfamiljen«, och på rasterna sitter Dagmar Gran i en ring med de andra flickorna i klassen utan att titta på henne.

Efter ett par veckor av tyst väntan kallas både Jan-Erik och Henry till rättegång vid tinget i Borgholm.

Henry tar på sig den svarta söndagskostymen och kammar sig noga. Han tar fram rena kläder åt sin son och går upp på övervåningen.

Han höjer rösten. Vendela förstår att Jan-Erik vägrar gå. Till slut kommer Henry ner med sonen i famnen. Jan-Erik klamrar sig fast vid sin far.

»Nu går vi upp till tåget«, säger Henry.

Vendela står i förstugan och ser att hennes bror har fått ny skjorta, men han är lika smutsig i ansiktet.

»Borde Jan-Erik inte tvätta sig?«

»Jo, men de tycker mer synd om honom så här«, säger Henry och går ut genom dörren.

Själv får hon vara kvar hemma. Hon sätter sig i köket och stirrar tomt framför sig.

Sent på kvällen återvänder Henry och Jan-Erik med en dom från tingsrätten: Henry får åtta månader i fängelse för försäkringsbedrägeri. Straffet ska avtjänas på fängelset i Kalmar.

Vidare – nu när Henrys ekonomiska läge är som det är – väntar försäljning av bondgården och alla inventarier på exekutiv auktion.

»Så går det«, säger han när han har burit upp Jan-Erik och kommit ner till Vendela i köket. »Gud ändrar och donar för oss hela tiden. Det får man vänja sig vid.«

Han bär ett bistert leende när han ser på henne över köksbordet, som om slutet för hans bondgård är goda nyheter.

»Och Jan-Erik?« frågar Vendela. »Får han också fängelse?«

»Nä.«

»Blir han fri?«

Henry skakar på huvudet.

»Det gick inte som jag hoppades … han ska upp till Norrland.«

»Norrland?«

»Salberga heter det. Det är ett sinnessjukhus för asociala.«

»Hur länge då?«

»Inte vet jag … Det blir väl tills de släpper ut honom.«

Tystnaden sänker sig i köket, innan Vendela frågar:

»Och jag?«

Hon väntar sig att få höra att hon ska lämnas ensam kvar på gården, innan Henry svarar:

»Du ska också till Kalmar. Du får bo hos din faster och fortsätta skolgången där.«

»Om jag inte vill, då?«

»Det måste du«, säger Henry.

Vendela är tyst. Har hon stått ute vid älvornas sten och önskat sig det, att få komma till storstaden? Önskade hon att allt skulle sluta så här?

Hon minns inte, hon har önskat sig alldeles för mycket.

Veckan kommer när den lilla familjen ska skingras. Henry ska börja sona sitt straff, Vendela ska till sin faster och Jan-Erik ska hämtas i Kalmar av två vårdare. Dagen före är en söndag i mitten av maj, dyster och mulen.

284

På morgonen packar Henry en resväska till sig själv och en ryggsäck till Jan-Erik. Han kokar kaffe och dricker det. Sedan blir han sittande i köket och tittar tyst ut på rektangeln av aska ute på gården. Vendela sitter lika tyst på andra sidan bordet och ser på sina tunna händer.

Hennes far är rastlös. Han reser sig upp vid tiotiden och lyfter upp kaffepannan, innan han verkar minnas att han redan druckit. Då vänder han sig mot Vendela.

»Jag går och jobbar ... det får vara som det vill med vilodagen.«

»Ska du till stenbrottet nu?«

»Jo. Jag kommer tillbaka i kväll«, säger Henry, »när din faster och farbror kommer hit. De tar med oss till Kalmar, alla tre.«

Så går han iväg mot sitt arbete nere vid kusten, kanske för sista gången. Men Vendela hör honom börja sjunga vid grinden:

Farväl, du vilda väg jag red på solig hed! Jag har en annan häst.
Jag följer sjömäns skick och sed, och landar blott som gäst.

Sången försvinner i fjärran. Vendela sitter kvar i köket och känner sig ensammast i världen.

Men hon tänker inte vänta på faster Margit och farbror Sven. När Henry har försvunnit mot havet går hon in i hans rum och fram till det stängda skåpet. Hon sätter sig på knä och plockar ut skrinet.

Det sista stora smycket som finns kvar från hennes mor är ett guldhjärta på en tunn silverkedja. Vendela plockar upp det och lägger det i fickan.

Sedan kliver hon uppför trappan till övervåningen.

Allt är tyst där. Bara en entonig radioröst läser väderleksrapporten inne hos Jan-Erik.

Vendela öppnar dörren till hans rum, utan att knacka.

Han ligger på golvet och lyssnar på radion på den blodiga filten, och verkar vänta på henne. Han ler.

Vendela sätter sig på knä framför honom och ser in i hans havsblå ögon.

»Far är borta, Jan-Erik«, säger hon, långsamt och tydligt. »Han har gått ner till stenbrottet, där han brukar vara.«

Jan-Erik blinkar.

»De ska hämta dig också, och mig med ... men vi ska inte vänta på dem. Förstår du det?« Vendela pekar ut mot alvaret. »Vi ska gå till älvorna.«

Han ler mot henne.

»Kom då.«

Men Jan-Erik sitter kvar på filten och sträcker upp armarna mot henne. Han *vill* bli buren, inser hon. Det finns ingen tvekan hos honom, men hon känner den härskna lukten i rummet och håller upp fingret.

»Du får bada först.«

Hon drar ut badbaljan i köket, pumpar upp flera hinkar vatten och värmer det på vedspisen. Sedan bär hon sin bror nerför trappan till köket. Det går ganska lätt, han är mager och knotig.

Jan-Erik skrattar nervöst när han sänker ner sig själv i badvattnet. Det blir gråsvart efter bara några minuter. Vendela låter honom tvätta kroppen själv men hjälper honom med ansiktet. Hon tvålar in en kökshandduk, gnuggar honom försiktigt och löser upp allt stelnat var och levrat blod.

Därunder finns läkta rivsår och självsprickor, men huden ser friskare ut än hon har trott. Jan-Erik börjar se mänsklig ut.

När han är torr klipper hon hans naglar. Han verkar inte ha några egna rena kläder, så hon lånar av Henry och viker upp dem så att de ska passa.

»Nu går vi.«

Vendela bär honom ut ur huset, och känner hur han lägger sin haka på hennes axel. Hon går upp för att hämta rullstolen och när han satt sig i den rullar de iväg på kostigen.

Hon talar lågt till sin bror:

»Älvorna ska hjälpa oss, Jan-Erik ... Det är bättre hos dem.«

Jan-Erik ler bara. Han lutar sig bakåt i stolen och drar upp benen när hon tar tag i handtagen och knuffar till.

Vendela väljer vägen mellan träden så att ingen ska se dem. Här har hon gått bakom korna med kokäppen så många gånger.

Först när de har kommit långt ut på ängen och är flera hundra meter från huset tänker Vendela på att hon borde ha tagit med sig mer än bara en gåva till älvorna. Hon borde ha haft mat och filtar också, men nu är det för sent.

Hon skjuter rullstolen framför sig över gräset. Marken är fuktig, men rullstolens hjul är stora och den rör sig sakta framåt.

De fortsätter genom den sista grinden och kommer ut på alvaret.

Vendela går med sin bror under den väldiga blå himlen, bort mot stråken av vatten i fjärran. Mellan alvarets stora sjöar med den sjunkande solen i ryggen. Rakt mot de orörliga enbuskarna.

»Snart är vi framme«, säger hon.

Hon ser älvastenen, böjer sig fram och spänner benmusklerna för att få fart de sista hundra metrarna.

Men då tar det stopp. Hon har kommit för nära en av sjöarna med smältvatten, där gräset är dyblött och jorden lös och lerig. Rullstolen lutar åt höger.

De stora hjulen har sugits ner i leran och fastnat.

Jan-Erik sitter kvar i stolen till en början, men när Vendela sliter och drar utan att få loss den lyfter han sig upp från sätet och ställer sig bredvid den.

Vendela hoppas att han ska röra sig och börja gå, men han står kvar. Han småler åt hennes kamp med rullstolen.

Hon ger upp och lämnar kvar den. På nytt sträcker hon ut armarna mot sin bror och lyfter upp honom, trots att hennes egna ben knappt har någon kraft kvar.

Så börjar de röra sig igen, bort mot cirkeln av enbuskar.

Hon släpar Jan-Erik den sista biten fram till älvastenen, meter för meter. Samtidigt som hon svettas och spänner sig är kroppen som hon håller i helt avslappnad – han har lagt hakan på hennes axel igen.

De kommer in bland enbuskarna, där marken är torr och hård, och Vendela gör ett sista förtvivlat ryck för att få fram Jan-Erik till stenen. Han sätter ned skorna i gräset och går de sista stegen.

Till slut sitter han med ryggen mot det skrovliga blocket.

Vendela tittar på ovansidan och ser att alla kvarngropar i stenen är tomma.

Älvorna har varit här, alldeles nyss.

Hon stoppar handen i sin ficka och känner silverkedjan mellan fingrarna. Hennes mors sista smycke. Hon lägger det i en av groparna.

Ta hand om honom, tänker hon. *Om mig med. Gör oss friska och utan synd.*

Hon andas ut. Sedan sjunker hon ner i gräset bredvid sin bror och ser solen gå ner mellan enbuskarna.

Vinden susar. De sitter tysta bredvid varandra, och Vendela väntar. Fåglarna slutar kvittra omkring dem, en efter en, och det blir bara kallare och mörkare.

Ingenting händer. Ingen kommer. Jan-Erik rör sig inte, men själv börjar hon huttra i sin tunna klänning.

Till slut, när kvällen har kommit och luften är isande kall, kan hon inte sitta kvar längre. Hon reser sig och ser på sin bror.

»Jan-Erik, vi måste gå ... vi måste hämta mat och varmare kläder.«

Han ler och sträcker upp armarna mot henne, men hon skakar på huvudet.

»Jag orkar inte. Du måste gå själv.«

Men han bara tittar på henne och sitter kvar vid stenen.

Vendela börjar backa. Hon vänder om.

»Vänta, Jan-Erik. Jag kommer tillbaka.«

53

KRONANGYMNASIET I KALMAR var en rödbrun samling hus som bredde ut sig över ett halvt kvarter. Per kom dit på väg från Malmö någon halvtimme före lunch, när lektionerna fortfarande pågick. Han gick genom långa tomma korridorer och uppför en trappa till skolexpeditionen.

I det första rummet han kom till satt en ung kvinna som knappast hade jobbat där femton år tidigare, men när hon såg honom frågade hon snabbt:

»Kan jag hjälpa dig med något?«

»Kanske det«, sa Per. »Jag letar efter en gammal elev som jag tror gick här på skolan, i början på åttiotalet.«

»Vad heter hon?«

»Det är det jag inte vet. Men jag har en bild på henne …«

Han tog fram och visade fotot på den blonda flickan som Gerlof Davidsson hade hittat i Babylon – men inte i naken helfigur. Han hade klippt ut hennes ansikte ur tidningen och klistrat upp bilden på ett vitt ark.

»Jag har ärvt en gammal stuga på Öland«, fortsatte han, »och den här bilden låg i ett skåp ihop med en dagbok och en massa brev och andra papper. Jag skulle gärna vilja hitta henne och lämna tillbaka dem.«

Han såg på kvinnan, för att se om raden av lögner fungerade. Hon tittade noga på bilden och frågade:

»Hur vet du att hon har gått här på vår skola då?«

Ljug så lite som möjligt, tänkte Per.

»Jo, det vet jag … för det fanns andra bilder på henne med en skoltröja härifrån.«

Det sista var sant, för det var en skoltröja från Kronanskolan som Gerlof hade upptäckt i bakgrunden på en av bilderna i Babylon. Den hade hängt till synes glömd över en stol, med texten KRONANSKOLAN 1983–84, som ett av få tecken i Jerrys värld på att flickorna inte bara var fantasivarelser.

»Okej«, sa kvinnan, »du ska nog prata med en av våra mattelärare, Karl Harju. Han har varit här sedan sjuttiotalet.«

Hon reste sig och följde med Per ner till de tomma korridorerna igen, fram till ett stängt klassrum.

»Du kan vänta här, det är rast snart.«

Per väntade fem minuter, sedan for dörren upp och en suddig ström av gymnasielever vällde ut med skratt och höga röster och försvann bort i korridoren. Han tittade efter dem och insåg att hans barn skulle vara likadana om bara några år.

Båda hans barn.

Kvar i klassrummet stod en äldre man i grön kofta. Han suddade lugnt ut ekvationer på tavlan och Per ställde sig i dörren.

»Karl?«

»Jo, det är nog jag«, sa mannen med en finlandssvensk brytning.

»Bra, jag behöver hjälp med en sak …«

Han klev in i klassrummet och drog samma blandning av lögner och sanningar en gång till. Till sist höll han fram den urklippta bilden från Babylon.

»Känner du igen henne?« sa han. »Jag tror att hon gick ekonomisk linje.«

Läraren tittade på bilden med rynkad panna. Han nickade.

»Hon hette Lisa, tror jag«, sa han. »Vänta här.«

Han reste sig och gick ut. Det dröjde nästan tio minuter, sedan var han tillbaka med en pärm.

»Vi hade dem inte i datorn på den tiden«, sa han. »Vi borde lägga in dem nu, men …«

Han öppnade pärmen och tog ut ett papper, och Per såg att det var en gammal klasslista.

»Jo, hon hette Lisa«, sa läraren. »Lisa Wegner, hon var lite tystlåten men trevlig och söt, det ser man ju på bilden … Det var ett helt kompisgäng med tjejer i den klassen, Lisa och Petra Blomberg och Ulrica Ternman och Madeleine Frick.«

Per såg att det fanns adresser och telefonnummer på listan, men de var förstås femton år gamla.

»Kan jag skriva ner det här?«

»Du kan låna vår kopiator«, sa läraren.

När kopian var färdig lämnade han över den till Per och frågade:

»Vad blev det av Lisa, vet du det? Det här fotot, det verkar ju vara klippt från en tidning …«

»Ja, det är från en månadstidning«, sa Per. »Så hon var nog modell, en fotomodell, ett kort tag.«

»Där ser man«, sa läraren. »Som lärare är man alltid nyfiken på var de små lammen blev av.«

Per gick tillbaka till kvinnan på skolkontoret och bad att få låna Kalmarkatalogen.

Han hittade bara ett av namnen på de fyra flickorna som hade hängt ihop på Kronanskolan: det fanns en Ulrica Ternman i Kalmar län. Adressen var en väg i Randhult, det var en by någonstans söder om staden.

Han skrev upp numret, gick ut till bilen och ringde på sin mobil:

»Hej, det här är en telefonsvarare«, svarade en mansröst. »Du har kommit till Ulf, Hugo, Hanna och Ulrica. Vi är inte hemma nu, men du kan lämna ett …«

Per var på väg att lägga på luren när en kvinnas röst bröt in:

»Hallå?«

Per lutade sig närmare ratten.

»Hallå? Är det Ulrica Ternman?«

»Ja, vem är det?«

»Jag heter Per Mörner. Du känner inte mig, men jag är på jakt efter en person som heter Lisa Wegner. Stämmer det att ni är vänner?«

Kvinnan var tyst, som om namnet krävde tid på sig att krypa fram ur minnet.

»Lisa? Jo, vi var det ett tag i skolan«, sa hon sedan, »men vi har ingen kontakt längre. Hon bor utomlands.«

»Och du har inget telefonnummer till henne?«

»Nej, hon blev au pair i Belgien eller Frankrike och gifte sig med någon kille därnere, tror jag ... men vad vill du henne?«

»Jag tror att hon jobbade för min far, Jerry Morner.«

Det var tyst ett tag igen.

»Vad hette han, sa du?«

»Morner ... Gerhard 'Jerry' Morner.«

Ulrica Ternman sänkte rösten.

»Menar du han som gav ut ... de där tidningarna? Var det din far?«

»Just det, två speciella tidningar. Babylon och Gomorra. Känner du till honom?«

»Jo ...«

»Gör du?« Sedan förstod Per, eller trodde att han förstod, och sa snabbt: »Så du jobbade också för Jerry?«

Det var tyst i luren. Sedan hördes ett klickande.

Per tittade på telefonen. Han väntade femton sekunder och slog numret igen.

Kvinnan svarade efter fyra signaler. Per tog kommandot som en erfaren telefonintervjuare:

»Hej Ulrica, det var jag som ringde nyss ... jag tror samtalet bröts.«

Han tyckte han hörde henne sucka.

»Vad vill du?«

»Jag vill bara fråga några saker, så slipper du mig sedan ... Var det så att du jobbade med Jerry Morner?«

Ulrica suckade igen.

»En enda gång«, sa hon. »En helg.«

Per höll hårdare i mobilen.

»Ulrica, jag skulle gärna vilja prata med dig om det här.«

»Varför då?«

»För att ... min far är död.«

»Är han?«

»Han dog i en bilolycka. Och ... det var några saker jag aldrig fick veta om honom, och om vad han höll på med.«

»Jaså? Så du var inte inblandad i det?«

»Nej«, sa Per. »Men andra var det. Andra män.«

»Jo, det vet jag«, sa Ulrica Ternman trött. »Men jag kan nog inte berätta så mycket.«

»Kan vi prova?«

Hon var tyst.

»Okej«, sa hon sedan. »Du kan komma hit i morgon kväll, om du kommer före sju.«

»Bra, jag bor på Öland ... Var ligger Randhult?«

»Tjugofem kilometer söder om Kalmar«, sa hon. »Det är skyltat från motorvägen och jag bor i det enda tegelhuset, vid en lada.«

»Tack.«

Han hade varit hos Nilla när han kom tillbaka från Malmö på förmiddagen, men då hade hon sovit. Efter besöket på Kronanskolan åkte han dit igen.

Marika var inte där, men Nilla var vaken nu och låg med dropp, bunden till sängen med en plastslang i armen.

»Hej, pappa«, sa hon lågt, men rörde sig inte.

»Hur är det?« sa Per.

»Det är ... så där.«

»Har du ont?«

»Nej, inte så mycket.«

»Vad är det då, då? Känner du dig ensam?«

Nilla verkade tveka, sedan nickade hon.

Per tänkte på skocken av tonåringar som hade rusat förbi honom borta på Kronanskolan och frågade:

»Vill du träffa kompisar?«

Nilla var tyst.

»Klasskompisarna, kanske?« sa Per. »Om du ringer kan jag åka och hämta några av dem.«

Nilla svarade inte, hon log bara trött och skakade på huvudet.

Hon hade blivit mycket tystare sedan han såg henne i lördags. Nu visade hon bara hur hon mådde genom leenden, oftast bara samma trötta leende. Per slutade nästan att andas varje gång han såg det. Ingen trettonåring borde se så glädjelös ut.

»Nej«, sa hon till slut och vände sig om mot väggen. »Jag vill inte träffa dem.«

»Inte?« sa Per.

Nilla hostade och svalde, och svarade sedan i en viskning:

»De får inte se mig så här.«

Det blev olidligt tyst i rummet, ända tills Per hörde att hans dotter hade börjat gråta, vänd bort från honom. Han satte sig vid säng-kanten och la handen på hennes rygg.

»Vad är det som är fel, Nilla? Berätta, så löser vi det.«

Tårarna rann när hon började berätta.

När han kom hem till stugan en timme senare drog Per på sig jog-gingskorna och stack ut. Skit samma vart han skulle, bara ut. Han sprang i motvinden längs stenbrottet och efter det längs havet och sedan bort från det, och han ökade hela tiden takten tills lungorna värkte och låren var stenhårda.

Han stannade på en klipphäll, drog efter andan och böjde sig framåt i vinden. Han ville kräkas, men det gick inte.

Han tänkte bara på Nilla.

Det var kört för henne med resten av skolåret, han hade insett det för flera veckor sedan. Vårterminen var en förlorad termin, men Nilla skulle gå tillbaka till skolan till hösten. Till kompisarna i klassen.

Hon skulle tillbaka.

Det var Pers enda tanke när han stod där på grusvägen. Inte bara det: hon skulle bli helt frisk och strömma ut ur klassrummet, ut i korridoren med sina kompisar. Hon skulle börja spela basket igen och göra läxor och gå på skoldanser och ordna föräldrafria fester.

Hon skulle börja gymnasiet och smyga in för sent ibland när Per låtsades sova. Hon skulle åka ut i Europa och lära sig nya språk.

Nilla skulle tillbaka till skolan, hon skulle ha en framtid. Hennes framtid var något som bara fanns i nuet just nu, men snart skulle hon få tillbaka den. Han skulle göra vad som helst för det.

Rädda alla barnen, tänkte han och började springa igen.

Han kom till en mossklädd stenmur och följde den ett hundratal meter, innan han klättrade över. Nu var han vid randen av alvaret.

Det fanns inget vatten kvar därute nu.

Marken var torr och hård när han sprang mellan buskarna.

Det tog en stund innan han förstod att han var förföljd, men ett prasslande läte fick honom att stanna och vrida på huvudet.

Han var ute på alvaret nu, bland täta busksnår, och hörde tydligt att någon kom springande bakom honom, i nästan samma takt som han själv.

Per stannade och höll andan, han tänkte på Markus Lukas och hukade sig ner. Härute var han helt oskyddad – yxan och alla andra vapen fanns borta i stugan.

En gestalt dök till slut upp mellan enbuskarna och upptäckte honom, men det var ingen fara.

Det var Vendela Larsson. Hon var precis lika andfådd som han själv och stannade några meter bort för att hämta andan.

De tittade på varandra utan att hälsa, de bara flåsade av löpningen. Men Per såg en djupare trötthet än den rent fysiska när han mötte Vendelas blick.

Till slut rätade Per på ryggen och drog efter andan.

»Min far är död«, sa han.

Vendela la handen på hans kind.

»Jag är ledsen«, sa hon.

Per nickade.

»Och Emil är också död.«

Vendela sa ingenting, hon höll kvar handen men såg frågande ut. Han fortsatte:

»Han dog i söndags kväll. Han fick en infektion på sjukhuset, han var för svag för att klara den ... Nilla var kär i honom, hon bara grät när hon berättade det. Hon grät och grät, och jag visste inte vad jag skulle säga.«

Vendela kom fram. Hon lyfte armarna mot honom.

Per ville inte bli omfamnad, Vendela var så mager och det fanns ingen kärlek i världen.

De stod stilla i gräset och höll om varandra, i flera minuter. Efter ett tag hörde Per att de andades i samma takt. Långa djupa andetag.

Hon släppte honom till slut.

»Min man och hund är borta«, sa hon.

Sedan tog hon ett steg bakåt och vred på huvudet. Hon nickade ut mot labyrinten av buskar och stenar.

»Kom med mig. Jag vill visa en sak.«

54

Vendela hade ringt både till Max mobil och till deras bostads-telefon i stan sammanlagt åtta gånger på måndagskvällen, men först den nionde svarade han. Vid det laget kunde hon inte hålla rösten stadig längre, hon höjde den i luren, rakt över vattnet:

»Ally ska vara här, Max. Här på ön!«

»Men nu är han här.«

»Han mår inte bra i stan!«

»Vi får se«, sa Max. »Han ska i alla fall till veterinären i morgon bitti, jag har bokat tid. Så får vi reda på vad som är fel på honom.«

Vendela höll hårt i luren.

»Han blir frisk här. Hos *mig*!«

»Det tror du bara.«

Max lät lugn och kontrollerad, men Vendela blev bara ännu argare när hon hörde hur mycket han trivdes med sitt övertag. Hon sänkte rösten:

»Ta hit honom, Max. Åk hit direkt, efter veterinären.«

»Visst, vi kommer snart ... Du får väl sticka ut och jogga under tiden.«

Vendela förstod vad han antydde, och suckade.

»Jag är ensam, Max«, sa hon lågt. »Alla grannar har åkt.«

»Så du har koll på dem?«

Vendela var tyst, det här var meningslöst.

»Kom hit med Ally i morgon«, sa hon och la på luren.

Hon blev stående vid fönstret och stirrade ut på det tomma landskapet. Något klagade och skrek därute och Vendela trodde först att det var ett barn, innan hon såg en fiskmås flaxa söderut längs kusten.

Hon var yr av ilska och hunger, men hon skulle inte äta än. Hon skulle bara ut.

En kvart senare sprang hon iväg från villan, och då såg hon att Per Mörners bil var tillbaka på grusplanen vid hans stuga.

Men hon stannade inte där, hon sprang mot alvaret med ryggen mot solen och blicken långt i fjärran. Hon blev en maskin som lyfte benen och rörde armarna och trampade fram över marken. Någon rytm kom aldrig in i kroppen, men hon sprang fort.

Till slut såg hon att hon inte var ensam. En annan figur rörde sig mellan buskarna framför henne.

Per Mörner. Han hade samma blå träningsjacka på sig, men sprang i shorts den här soliga kvällen.

Vendela ökade farten och kom sakta ikapp honom.

Hon ropade inte, men han vände sig om när hon var ett femtiotal meter bort.

Båda stirrade på varandra – när Vendela hade stannat var hon tvungen att hämta andan, hon hade ingen kraft att prata, och Per verkade också helt slut.

Det var först några minuter senare, när hon höll om honom, som Vendela bestämde sig för att ta med Per till älvastenen. Så det första hon sa när hon återfick andan var:

»Kom med mig. Jag vill visa en sak.«

Och så började hon springa igen, rakt ut på alvaret. Hon hittade rätt mellan buskarna utan att fundera över det nu, och Per följde efter henne. De sprang i takt och tätt ihop, som om de hjälpte varandra.

Vendela saktade ner farten först när hon såg dungen med enbuskar. Per stannade och drog efter luft, han verkade helt slut.

»Det är härborta«, sa hon, och ledde vägen.

De gick in genom den täta cirkeln av buskar, och Vendela såg älvastenen. Som alltid ökade hon takten när hon närmade sig den. För en kort stund glömde hon bort att hon inte var ensam, men Per följde med henne ända fram till klippblocket.

»En stor sten«, sa han.

»Ja. En stor sten«, sa Vendela. »Har du aldrig varit här?«

Han skakade på huvudet.

»Men det har du?«

Hon la händerna på stenen och stack ner fingrarna i de tomma groparna.

»Jo, många gånger. Det här är en gammal plats. Jag tror att folk har kommit hit i alla tider för att glömma resten av världen en stund.«

Per såg sig om.

»Verkar som en bra plats för det.«

Vendela såg på honom.

»En bra plats? Jag vet inte… Men tiden går saktare här. Och man kan sitta här och be.«

»Be?«

Vendela nickade.

»Be om hjälp och god hälsa.«

»Guds läkande kraft, menar du?« sa Per.

»Ungefär det.«

Hon satte sig i gräset med ryggen mot stenen. Per tvekade, sedan satte han sig också.

De vilade med utsträckta ben, någon meter ifrån varandra, och såg hur den sjunkande solen färgade molnen mörkröda.

»Har du sagt till din man att du är härute?« frågade Per.

Vendela var tyst. Hur mycket skulle hon berätta?

»Max bara stack sin väg«, sa hon sedan. »Han har tagit vår hund till stan, för att låta veterinären titta på honom. Och … vi har bråkat också. Jag sa emot honom, han är ovan vid det. Han blir frustrerad.«

Per var tyst.

»Men han kommer snart tillbaka, som en gummiboll… Max behöver mig.«

»På vilket sätt?« sa Per.

»Jag hjälper honom med hans böcker.«

»Hur då? Menar du att …«

»Jag ser till så att han får klart dem.«

Per tittade på henne.

»Skriver *du* hans böcker?«

»Ibland«, sa Vendela. Hon suckade. »Vi hjälps åt. Men Max tycker att det är bäst och enklast om bara han är med på bild, och står som författare.«

»Bäst för honom, i alla fall«, sa Per. »Det kallas väl att vara 'torped', när man lånar ut sitt namn till någon annan som vill vara hemlig?«

»Kanske det ... men Max har ju inget emot att vara känd«, sa Vendela. »Jag tycker inte om att synas.«

Hon hade alltid haft svårt att prata om sin man, det hade känts som om hon svek honom, men nu fortsatte hon:

»Max tycker om att stå i centrum, och har ett enormt självförtroende. Han har skrivit en kokbok den här våren, trots att han knappt kan koka vatten ... Jag önskar att jag hade lite av den tron på mig själv.« Hon blundade och fortsatte: »Jag gick i terapi ett tag, hos en psykolog. Det var så jag träffade Max.«

»Han var din terapeut?«

Vendela nickade.

»Sedan blev jag kär i honom och vi blev ett par, men då fick han en varning av psykologförbundet. Psykologer får inte förföra sina patienter, det anses oetiskt.« Hon tillade: »Så Max blev sur och bestämde sig för att bli författare i stället ... han såg det som sin hämnd på förbundet när hans böcker blev populära.«

Det blev tyst vid stenen igen.

»Varför gick du i terapi?« sa Per.

»Jag vet inte ... För att kunna lämna en jobbig barndom bakom mig, det är väl så det brukar vara?«

»Hade du en jobbig barndom?«

»Den var inte så bra«, sa Vendela. »Min mamma dog tidigt, och min far gick mest och drömde ... Och så hade jag en bror, en storebror som hette Jan-Erik. Vi bodde i samma hus, men han ville inte träffa mig. Hans dörr var alltid stängd. Så jag trodde det var något gammalt monster som bodde på övervåningen.«

»Men ni träffades till slut?«

»Jo, men han skrämde mig först. Han var förståndshandikappad ... sinnesslö, som man sa på den tiden. Och han såg hemsk ut.«

»Hemsk?«

»Jan-Erik var allergisk, precis som jag ... bara ännu värre. Jag tror att det var en blandning av olika allergier, med astma och känslig hud. Han hade långa oklippta naglar som rev sönder huden när han kliade sig, och det gav honom infektioner.«

»Det låter som en plåga«, sa Per.

»Det var det«, sa Vendela, »men man försökte inte behandla då, på femtiotalet. Man gömde bara undan.« Hon blundade. »Och så blev han dömd för en lagårdsbrand, och då bestämde de att Jan-Erik skulle till ett sinnessjukhus på fastlandet ... Han skulle hamna bland sexförbrytare och psykopater. Men det gick inte.«

»Gick det inte?«

»Nej. Jag hjälpte honom att rymma.«

Hon sa inget mer. Det blev tyst igen.

Solskivan hade börjat nudda skogslundarna borta vid kusten. Om en stund skulle det vara kolmörkt härute.

Per satt i egna tankar. Han såg bort mot de röda molnen och sa:

»Det finns ingen kärlek eller omtanke i världen, bara egoism ... Han lärde mig det tidigt. Men när jag blev vuxen försökte jag bevisa för honom att det inte stämde.«

Vendela vred på huvudet.

»Vem pratar du om?«

»Om min far«, sa Per.

Vendela sträckte ut handen mot honom, och han tog den. Hans hand var kall och nästan lika smal och benig som hennes egen. Han fortsatte:

»Och nu är Jerry borta. Och jag går omkring och är rädd för vad han har lämnat efter sig till mig.«

»Vad har han lämnat?« sa Vendela.

»Trista minnen. Och en massa problem.«

De satt där vid stenen och släppte inte varandras händer. Solen var borta och himlen mörknade, men de fortsatte prata. Till slut reste de sig.

De pratade inte mycket på vägen hem, men Vendela stannade utanför Pers stuga.

Hon såg på honom i dunklet. Per öppnade munnen, men verkade inte veta vad han skulle säga eller göra. Och Vendela visste inte heller.

»Här bor jag«, sa han till slut och vände om.

Hon stod kvar några ögonblick, och funderade på om hon skulle följa med honom.

Vad skulle han göra då? Vad skulle hon göra? En massa möjligheter sträckte sig som slingrande floder framför henne.

»Sov gott, Per.«

Vendela började gå igen – hem till sitt eget mörka stenslott.

55

PER SATT VID KÖKSBORDET med telefonen framför sig, och spanade ut genom fönstret. Inga okända bilar syntes ute på kustvägen. Och ingen hade ringt honom anonymt det senaste dygnet. Men han kunde ändå inte slappna av den här morgonen.

Han hade tänkt jobba men hade ingen lust ens att fuska fram några fler åsikter om tvålar. I stället ringde han helt andra samtal.

Det första var till Jerrys bank i Kristianstad, för att försöka få reda på hur det var ställt med hans fars finanser. Frågan var, fanns det några pengar kvar till Per?

Det verkade inte så. Tjugotvå tusen kronor, det var vad han lyckades hitta på Jerrys bankkonton. Plus några Volvo-aktier – vilket var ironiskt eftersom Jerry alltid vägrat att köra svenska bilar. Men det fanns ingen värdefull konst undanstoppad, inga dyra viner eller lyxbilar.

Allt var borta. Morner Art var ett tömt bolag.

»Din far var inte utblottad, men närapå«, sa bankmannen som hade hand om Jerrys dödsbo.

»Men han hade väl pengar, en gång i tiden?«

»Jadå, i aktiebolaget fanns det pengar. Men din far har gjort en del stora uttag de senaste åren. Fastigheten utanför Ryd finns ju också, men den är ett försäkringsärende nu ... Dödsboet har så det räcker till begravningen, i stort sett.«

Då kommer han i jorden i alla fall, tänkte Per.

Han hade nog anat att han aldrig skulle ärva mycket efter sin far, inte något av värde i alla fall. Han hade fått andra saker.

»De här uttagen från bolaget... Var det lön han gav sig själv?«

»Nej«, sa bankmannen. Han verkade trycka på en dator och fortsatte: »Det var lön och pensionsutbetalningar till en anställd … Hans Bremer.«

Efter samtalet satt Per kvar vid telefonen och funderade. Mest på Hans Bremer. Varför hade han fått en massa pengar? Och vart hade de i så fall tagit vägen? Hans syster hade ju inte sett till dem.

Han mindes plötsligt den lilla lappen som han hade hittat i Bremers lägenhet. En lapp med fyra namn.

Byxorna låg i tvättkorgen nu, men lappen fanns kvar.

Han la den framför sig på köksbordet, och stirrade på namnen INGRID, CASH, FONTENEN och DANIELE, följda av varsitt telefonnummer.

Ingrid var Bremers syster, henne behövde han inte ringa – men de tre andra var okända. Han valde det första av dem, till personen som Bremer hade döpt till »Cash«. Det såg ut som ett mobilnummer.

Borde han inte släppa det här nu?

Kanske, men alternativet var att sitta och tänka på tumörer. Så han lyfte luren.

Tre signaler gick fram, sedan svarade en bestämd mansröst:

»Fall.«

»Hej«, sa Per, »jag heter Per Mörner.«

»Jaha?«

»Jag ringer på grund av en person som jag tror du känner.«

»Jaha?«

»Han heter Hans Bremer. Känner du honom?«

Det blev tyst i luren några sekunder, och Per hörde svaga sorlande röster som från en konferens i bakgrunden, innan mannen svarade:

»Bremer är död.«

»Jag vet det«, sa Per. »Jag försöker bara ta reda på mer om honom …«

»Varför det?«

»Min far Jerry jobbade ihop med honom i flera år, och jag vill gärna veta vem han var. Men du kände honom, då?«

Bakgrundssorlet hördes några sekunder igen, innan svaret kom:

»Ja.«

»Och du heter Fall?«

»Ja … Thomas Fall.« Mannen lät fortfarande tveksam. »Hur fick du mitt nummer då?«

Per förklarade, och när han hade berättat om lappen han hittat i Bremers kök verkade Thomas Fall slappna av lite.

»Han hade skrivit 'Cash' bredvid ditt nummer«, fortsatte Per, »varför hade han gjort det?«

Fall var tyst några sekunder, sedan skrattade han till.

»Han kallade mig det ibland. Jag lyssnade mycket på Johnny Cash när jag träffade honom. *The man in black.*«

»Var du släkt med Bremer?«

»Nej«, sa Fall. »Han var min fotolärare i Malmö. Jag gick en kvälls-kurs för att bli reklamfotograf i mitten på sjuttiotalet, och Bremer var lärare på skolan. Sedan slutade han året efter … Eller jag kan säga som det var: han fick sparken.«

»Vet du varför?«

Det blev tyst.

»Han var lite speciell. Han var bra mot oss elever, men lite rörig i undervisningen … han drack rätt mycket, redan då.«

»Visste du att han sysslade med porr också?« sa Per. »Att han gjorde porrfilm varje vår och sommar?«

Ännu en paus i luren.

»Jo, det visste jag«, sa Fall till slut. »Det var väl inget han pratade om själv. Men det fick jag reda på efter ett tag.«

»Men du höll kontakten med honom?«

»Ja«, sa Fall, »men inte mer än att jag ringde ibland och kollade läget, och hjälpte honom med lite frilansuppdrag. Bremer var nog rätt ensam … han hade ingen egen familj, bara en syster.«

»Pratade han någonsin om en man som hette Markus Lukas?«

Tystnad igen.

»Det tror jag inte«, sa Fall sedan. »Det är inget som jag minns.«

Per funderade över fler frågor, när Fall fortsatte:

»Men han gav mig en väska … Jag tror jag har kvar den.«

»En väska från Bremer?«

»Ja, han lämnade den här förra året. Han kom förbi och var rätt packad ... och sa att jag skulle ta hand om den. Jag vet inte riktigt var jag har den nu.«

»Har du tid att leta?«

»Visst. Jag kan kolla på vinden.«

»Kan jag ringa igen?« sa Per.

»Visst«, sa Fall och tillade: »Jag kan ju ta ditt nummer också.«

Per gav honom både sitt mobilnummer och numret till Öland, och tackade för hjälpen.

Han la på luren.

Bremer var nog rätt ensam, hade Thomas Fall sagt. Per trodde det också.

Han sträckte på ryggen och ringde det tredje numret på Bremers lapp, det som var märkt med det felstavade ordet Fontenen. Nu dröjde svaret ännu längre, elva eller tolv signaler gick fram innan luren lyftes.

»Hallå?«

Det var en trött mansröst. Burkiga skrattsalvor från en teve hördes i bakgrunden.

»Hallå«, sa Per, »är det Fontänen?«

»Ja? Hurså?«

»Bra!« sa Per. Teveskratten hördes så högt och mannen talade så lågt att han själv nästan började ropa: »Jag fick ditt nummer av Hans Bremer.«

»Jaha«, sa mannen. »Vad ska du ha då?«

»Vad jag ska ha?« sa Per och försökte tänka. »Ja ... vad har du?«

»Just i dag är det inte så mycket«, sa mannen. »Jag har några tio-litare med svensk renat och två med polsk vodka. Duger det?«

Per fattade till slut – Fontänen sålde hembränt och billig smuggelsprit.

»Nej tack«, sa han bara, och skulle lägga på luren när mannen frågade:

»Bremer skulle pröjsa mig, hur blir det med det?«

»Vad menar du?« sa Per och hörde fler hysteriska teveskratt.

»Han skulle betala skulderna före sommaren, sa han.«

»Hur mycket då?«

»Tjugo tusen. Ska du pröjsa det nu?«

»Nej«, sa Per. »Och Bremer kan nog inte göra det heller.«

Han bröt samtalet och slog det sista numret på lappen, till någon som hette Daniele. Det var också ett mobilnummer, men innan några signaler hade gått fram kom en mekanisk röst som sa att abonnemanget hade upphört. Hänvisning saknades.

Det var det. Han blev sittande vid bordet, och funderade över Jerrys döda kompanjon.

Hans Bremer hade varit en dubbelnatur. Han verkade ha lagt all sin energi på att spela in sexfilmer på helgerna, och sedan åkt hem till Malmö för att leva ett trist och skuldsatt liv fyllt av sprit.

Per lyfte luren igen. Han ringde begravningsbyrån för att diskutera Jerrys jordfästning.

»Vet du hur många gäster som kommer?« frågade entreprenören. »På ett ungefär?«

»Nej. Men det blir nog inte så många.«

Egentligen kom han inte på någon som borde bjudas på begravningen. Jerrys släktingar hade brutit med honom för länge sedan – eller också hade han brutit med dem – och på det hela taget hade han varit lika ensam som sin kompanjon Bremer.

Sedan såg Per sig om och insåg att han själv satt i ett tomt hus. Hans familj var inte där, och hur många vänner hade han? Hur många skulle komma på hans egen begravning?

Det var inget att fundera över nu.

En kvart senare körde han iväg från stenbrottet, och kunde inte låta bli att snegla på Vendelas villa. Det lyste i de höga fönstren. Han undrade vad hon gjorde och om maken Max hade kommit hem nu, men stannade inte för att få veta det.

Randhult var inte en by som Stenvik – det var bara några gårdar utspridda i ett åkerlandskap, en halvtimmes bilresa på motorvägen söder om Kalmar. Ulrica Ternman hade sagt att hon bodde i det enda tegelhuset i byn, och det var lätt att hitta. Per parkerade på gårdsplanen.

Han hörde ett knattrande ljud när han klev ur bilen och såg en pojke i tolvårsåldern stå och testa en radiostyrd liten jeep i gruset mellan husen. Pojken tittade upp när han såg Per, men såg snabbt ner på bilen igen.

Per gick uppför trappan och ringde på, och en kvinna i trettifem-årsåldern öppnade.

Hon var ingen blond fotomodell, hon hade kort brunt hår och var klädd i blekta jeans och svart bomullströja.

Per mindes sin fars ord under påskhelgen om Regina: *Blev en kärring*. Det var väl så Jerry hade delat upp kvinnor, i heta brudar och gamla kärringar.

»Hej«, sa Per och presenterade sig.

Ulrica Ternman nickade.

»Kom in.«

Hon vände om i hallen och Per följde efter.

»Är det din son därute på gården?«

»Ja, det där är Hugo«, sa hon. »Vi har en dotter som heter Hanna också … min man Ulf är inne i stan med henne på barngymnastik i kväll. Det var lika bra att de inte var hemma.«

»Vet han om att du …«

Per sökte efter lämpliga ord, och Ulrica Ternman såg trött ut.

»Att jag är en oren kvinna, menar du?«

»Nej, jag menar ...«

»Jag har inte sagt något om modelljobbet«, avbröt hon. »Men Ulf vet att jag hade en del dumma saker för mig när jag var ung, det hade han också. Innan han växte upp.«

Per tog av sig jackan.

»Och du minns Jerry, min far?«

Hon nickade.

»Han var lite speciell, en blandning av teddybjörn och snusk-hummer … jag blev inte riktigt klok på honom.«

»Ingen blev nog det«, sa Per.

Ulrica Ternman ledde ut honom i ett prydligt litet kök och satte på kaffe.

»Så Jerry Morner är död nu?«

»Han dog för några dagar sedan.«

»Och du vill veta mer om honom?«

»Ja ... men jag vill nog mest veta mer om personerna han jobbade med«, sa Per. »Han hade en medhjälpare som hette Hans Bremer ...«

»Bremer, ja«, sa Ulrica. »Det var den yngre killen, han styrde alltihop. Och tog bilder.«

Hon sa inget mer, såg bara allvarlig ut och verkade försjunken i tankar, så Per frågade:

»Hur kom det sig att du fick jobb hos min far?«

Ulrica skrattade till, fortfarande utan att le.

»Det bara kom sig«, sa hon. »Jag tänkte inte mycket alls. Vad tänker man när man är nitton? Man bestämmer sig på en sekund och bara *gör* saker ... En kille hade dumpat mig den sommaren och blivit ihop med en annan tjej, jag var arg och ledsen och skitsur på honom, så det här skulle vara någon sorts hämnd. Jag hade tänkt skicka tidningen till honom, men det gjorde jag aldrig, jag fick inte ens en tidning ... Fast pengar fick jag ju, rakt i handen.«

»Mycket pengar?«

»Femton hundra, tror jag. Det var mycket pengar när man var nitton ... jag hade fått jobba minst en vecka på ett sjukhem för den lönen.«

»Hur fick du höra om jobbet då?«

»Det fanns en liten annons om att bli fotomodell i en kvällstidning. Lisa Wegner hade sett den och tipsade mig och Petra Blomberg. Det var rätt uppenbart vad det handlade om ... man skulle skicka in nakenbilder, så vi tog några bilder på varandra och skickade ner dem till Malmö. Och ett par veckor senare ringde någon som sa att han hette Hans.«

»Lät han trevlig?«

»Så där«, sa Ulrica, »han pratade på om hur kul det skulle bli. Så jag och Petra åkte ner till Ryd ihop. Vi fnittrade mycket på tåget, det var lite som ett äventyr – som att rymma iväg med en cirkus.« Hon tittade på Per och tillade: »Fast utan orkester.«

Sedan fortsatte hon:

»När vi kom fram och kom ut från stationen i Ryd var det en annan ung tjej som stod och väntade där ... Hon var mycket mer utmanande klädd i tajta jeans och tajt topp och hon bara blängde på oss.

Sedan kom den här killen, Bremer, med sin bil och han klev ut och log och hälsade och föste in oss i bilen. När jag satt där i baksätet blev det på något sätt allvar, jag slutade fnittra och när jag tittade på Petra verkade hon skitnervös.«

Hon såg ner i bordet.

»Vad sa Bremer då?« frågade Per.

»Han pratade mest med tjejen i framsätet, det hördes att hon var veteran och hade varit här flera gånger. Cindy eller Lindy kallade han henne.« Ulrica log trött. »Jag tror inte hon hette det ... både jag och Petra fick ju nya namn i tidningen, Petra fick heta Candy och jag Suzy.«

»Och männen fick alltid heta Markus Lukas, eller hur?«

Ulrica nickade.

»Det mesta var väl bluff i den branschen ... Men vi kördes i alla fall ut till det här huset, mitt i granskogen kändes det som, och när Bremer svängde in där kom jag på att ingen visste var vi var. Det kändes inte så bra ... och huset var stort och mörkt, det var tjocka draperier för fönstren i nedervåningen. Det luktade rengöringsmedel, men jag minns att jag tänkte att medlet dolde en massa äckliga lukter som man skulle börja känna om man blev kvar där för länge.«

»Och Jerry, han var i huset?«

»Jo, han var där. Han hälsade och kom med varsitt papper till mig och Petra. Vi skrev på något slags kontrakt, det var något om att vi gick med på det här frivilligt och inte var minderåriga.«

»Kollade de er ålder?«

»Nej ... Bremer frågade hur gamla vi var när vi ringde upp, tror jag, men det var inget krav på pass eller körkort eller så.«

Hon fortsatte:

»Jag vet inte om det var för att vi skulle lära oss hur det gick till, men Petra och jag fick vara med i studion när Cindy eller Lindy blev fotograferad, med Bremer som hejade på. Hon satt på sängen och kråmade sig och klädde av sig för kameran. Det var stundtals löjligt, hennes utspel. Blygt och tufft samtidigt, på något sätt ... som om det pågick ett krig inom henne.«

Hon sänkte blicken mot golvet och fortsatte:

»När jag såg henne förstod jag att jag aldrig skulle kunna bli proffs, eller ens göra om det här ... Jag ville hem redan då. Men jag hade fortfarande min egen fotografering framför mig, det gick inte att backa ur nu. Bara göra det ... Jag skulle fotas i en soffa. Så jag fick gå in i det här starka lampskenet och så satte vi igång. Man skulle inte röra sig egentligen, bara posera i olika ställningar.« Hon tystnade. »Jag var skitnervös, men det var verkligen bara vardag för de andra – en dag på jobbet.«

»Vilka var med?« frågade Per.

»Bremer stod mellan lamporna, han ledde alltihop och sa vad jag skulle göra, sedan var det en ung kille som var fotograf och så var det den här seniga tatuerade killen som jag skulle göra scenen i soffan med.«

»Vad gjorde Jerry under filmandet, då?«

»Inte mycket«, sa Ulrica. »Han stod väl någonstans och 'rättade till sina byxor' ... vi brukade säga det om snuskgubbarna som hängde vid vår skola.«

Per kunde tänka sig att Jerry hade gjort det.

»Sedan var det Petras tur. Hon skulle göra det efter mig, med den här andre killen, som också kallades Markus Lukas.«

»Vad minns du av honom?« sa Per.

Ulrica tänkte efter.

»Han var större och lite äldre, hade mycket mer muskler«, sa hon. »Större och tystare, lite uttråkad ... det märktes att det här bara var ett jobb för honom. Min Markus Lukas pratade i alla fall, skämtade lite och försökte få mig att slappna av. Och han sa sitt riktiga namn efteråt, han hette Tobias ... Tobias Jesslin, och kom från Malmö.«

Per la det på minnet. En Markus Lukas som hette Tobias – ett till äkta namn bland alla falska.

»Har du kontakt med Petra fortfarande?« sa han.

Ulrica såg förskräckt ut.

»Kontakt?« sa hon.

»Har du något nummer eller en adress? Jag skulle gärna vilja prata med henne också.«

»Petra är död«, sa Ulrica.

Per tittade förvånat på henne, och hon fortsatte:

»Hon dog i början på nittiotalet. Vi hade tappat kontakten då, men jag hörde det, och såg hennes dödsannons.«

»Hur dog hon?«

»Jag tror hon blev sjuk ... det var bara ett rykte, men jag tror hon fick cancer.«

Per såg ner i sin kaffekopp, han ville inte höra det ordet.

»Sorgligt«, sa han bara.

»Jo«, sa Ulrica, »och det var lika hemskt med Madde. Eller ännu värre.«

»Madde?«

»Madeleine Frick. Hon var också skolkompis till mig. Hon flyttade till Stockholm efter skolan, men bara ett par år efter det kastade hon sig framför ett tåg.«

Per andades sakta in och sa lågt:

»Jobbade hon också med min far?«

Ulrica nickade.

»Jag tror det ... jag såg förstås aldrig några bilder eller filmer, men när vi träffades den sommaren sa hon att hon också hade varit där och blivit filmad. 'Med den stora eller den seniga killen?' frågade jag. 'Den stora', saihon. Jag ville inte höra mer ... det var enda gången vi pratade om det.«

Per var tyst. Av fyra flickor han hade hittat som filmat med Jerry var två döda.

En dörr rycktes plötsligt upp ute i hallen.

»Mamma?« ropade en pojkröst.

»Jag kommer!«

Per såg på henne och försökte komma på en sista fråga.

»Hur känns det nu?«

»Det är okej«, sa Ulrica och reste sig för att skölja ur kaffekoppen. Hon såg på honom. »Gjort är gjort ... Om man gjorde korkade saker när man var ung så ångrar man sig, och gjorde man inget dumt så ångrar man sig också, förr eller senare. Eller hur?«

Visst, tänkte Per. *Om man överlever.*

Men han sa ingenting.

När han körde iväg från bondgården tänkte han på Ulrica Ternman, och sedan på Regina. Vad höll han på med? Han ville rädda flickor som ibland inte ville bli räddade. Han ville rädda dem undan hans far.

När han var framme vid motorvägen stannade han på en parkering och ringde nummerupplysningen.

Han hittade två Tobias Jesslin. Det bodde en i Mora och en annan i Karlskrona.

Karlskrona låg närmast Kalmar. Per ringde det numret först.

Efter tre signaler svarade en kvittrande flickröst:

»Hej, det är Emilie!«

Per kom av sig, men frågade ändå efter Tobias.

»Pappa är inte hemma!« sa flickan. »Vill du prata med mamma?«

Per tvekade.

»Okej.«

Det rasslade i luren, och så hördes en stressad kvinnoröst:

»Hallå, det är Katarina?«

»Hej, jag heter Per Mörner … Jag sökte Tobias.«

»Han är på jobbet.«

»Var jobbar han?«

»Honolulu.«

»Var då?«

»På restaurang Honolulu … Vem är du?«

»Jag är … bara en gammal kompis. Vi har inte hörts på länge. Tobias är väl den Tobias som bodde i Malmö?«

Kvinnan var tyst några sekunder.

»Jo, han har bott i Malmö.«

»Bra«, sa Per, »då är det nog rätt. När kommer han hem?«

»Han slutar vid elva … men du kan ju ringa till Honolulu.«

»Eller jag kan åka dit … Har du adressen?«

Han fick den och la på.

Sedan funderade han. Klockan var nästan sju nu, och det var nog en timmes resväg ner till Karlskrona.

Per bestämde sig, och satte sig i bilen. Han skulle hälsa på Tobias Jesslin, som en gång i tiden hade kallats Markus Lukas.

56

Vendela jobbade hela tisdagen med att bygga upp den nya trädgården. Före lunch planterade hon murgröna, buxbom och en lång rad fläderbuskar som skulle ge lummighet och skugga på tomten, och på eftermiddagen släpade hon fram planteringsjord och kalkstensplattor och skapade tre små trädgårdsterrasser. Hon såg för sitt inre hur rader av gröna blad skulle titta upp i maj, och sedan få stjälkar som började sträcka på sig i juni och stora blomblad som vände sig mot solen.

Telefonen ringde några gånger inne i huset, men hon svarade inte. Vid sjutiden gick hon in och tog ett hett bubbelbad, åt ett par knäckebröd till middag och stirrade ut genom fönstret. Mot den lilla stugan i norr.

Hon ville inte springa ut på alvaret den här kvällen. Hon funderade på att gå över till gamle Gerlof, men ville inte störa honom. Det hon mest längtade efter var att gå över till Per Mörner och sätta sig och prata resten av kvällen med honom – men hon såg att hans bil var borta. Så hon satt kvar i sitt stora tomma stenhus och väntade på att hennes man och hund skulle komma tillbaka.

De kom inte. Klockan tio gick hon och la sig.

Genom sömnen hörde Vendela ett brummande ljud som närmade sig – sedan vaknade hon av att någon låste upp ytterdörren. Hon öppnade ögonen och såg att klockan bredvid sängen var kvart i elva.

Lyset tändes ute i hallen och slog in en strimma av ljus över hennes täcke.

»Hallå?« ropade en mansröst.

Det var Max.

»Hallå …«, svarade hon lågt och strök sig över pannan.

»Hej, älskling!«

Max kom in i sovrummet, fortfarande med täckjackan på. Vendela lyfte på huvudet och såg sig omkring på golvet.

»Var är Aloysius?«

»Här«, sa Max. Han slängde något i sängen och fortsatte: »Nu är det klart.«

Vendela såg förvirrat på honom.

»Vad är klart?«

Sedan tittade hon ner i sängen och såg något litet och smalt ligga bredvid sig, något märkligt välbekant. Hon sträckte ut handen och plockade upp det.

Det var ett band av läder. Ett hundhalsband.

Hon kände igen den svaga doften av Aloysius. Det var hans halsband.

Max stod kvar bredvid sängen.

»Jag tänkte att du ville ha det där. Som ett minne.«

»Max, vad har du gjort?«

Han satte sig på sängkanten.

»Jag kan berätta, om du vill höra. Det var väldigt fridfullt och jag höll honom hela tiden … Veterinärerna vet precis hur de ska göra.«

Vendela bara stirrade på honom, men han fortsatte:

»Först fick Aloysius en lagom dos lugnande medel, precis som du tar ibland. Sedan fick han en överdos av narkosmedel insprutat i frambenet, och vid det laget var det bara att …«

Vendela satte sig upp.

»Jag vill inte höra!«

Hon slog undan täcket och sprang upp mot Max, virvlade förbi honom och ut i hallen. Där slängde hon på sig sin kappa och stövlarna och rusade ut genom ytterdörren. När hon landade på trädgårdsgången stänkte gruset runt hennes fötter.

Ut, hon måste bara ut.

Audin fanns plötsligt framför henne och hon trevade efter bildörren. Den var olåst.

Hon satte sig i bilen och böjde fram huvudet mot den hårda ratten.

Sedan kom tårarna. Tårar för Aloysius.

Tio år. Hon och Max hade köpt honom som unghund, samma höst som de hade gift sig. När de klev in i kenneln för att hitta en sällskapshund hade han viftat på svansen och kommit springande mot dem, som om han valt dem och inte tvärtom, och varit med Vendela varje dag sedan dess.

En skugga dök upp utanför bilen.

»Vendela?«

Det var Max, han knackade på rutan.

»Kom in, Vendela … så får vi prata lite.«

»*Gå bort!*«

Hon slog upp förardörren, knöt händerna och fick Max att ta ett snabbt steg bakåt. Så tog hon ut ficklampan från handskfacket, och klev ut.

»Rör mig inte!« skrek hon.

Han backade två steg till och hon gick förbi honom, ner mot grusvägen.

»Vart ska du, Vendela?«

Hon svarade inte – hon skyndade bara bort från sin man, rakt ut i kylan och mörkret.

57

VASSA VINDAR BLÅSTE IN FRÅN ÖSTERSJÖN när Per klev ur sin Saab på parkeringen framför restaurang Honolulu. Luften kändes iskall den här kvällen, som om vintern plötsligt ångrat sig och kommit tillbaka.

Restaurangen låg precis vid vattnet strax utanför Karlskronas centrum, men den var nog ingen stjärnkrog. Eftersom två av neonbokstäverna hade slocknat stod det RE TAURANT HON LULU på skylten ovanför ingången.

Han gick in i värmen och hängde av sig jackan. Det fanns ett trettiotal bord i lokalen. Bara åtta av dem hade bordsgäster, men det var ju måndag. Det skulle säkert bli fler besökare om tre dagar, på valborg.

Han satte sig vid ett avskilt bord närmast fönstren och tog upp menyn. Maten bestod nästan bara av pizzor och hamburgare. När servitören dök upp beställde Per in vatten och en Honoluluburgare med ost.

Per smygtittade på servitören när han gick bort mot köket med beställningen. Han var mörkhårig och bredaxlad som en fotomodell, men såg ut att vara i tjugofemårsåldern och kunde knappast ha varit anställd av Jerry tio år tidigare.

När han kom tillbaka med maten en kvart senare frågade Per:

»Känner du Tobias Jesslin?«

Servitören ställde ner tallriken med burgaren på bordet.

»Tobias? Kocken Tobias?«

»Kocken, ja«, sa Per snabbt. »Jag vill gärna prata med honom.«

Servitören såg misstänksam ut, och frågade:

»Är det nåt om maten?«

»Nej, inget om maten.«

»Tobias har fullt upp just nu.«

»Men han blir väl ledig? Kan du ge honom en lapp?«

Servitören såg tveksam ut, men nickade.

Per tog upp ett gammalt kvitto ur plånboken och rafsade snabbt ner ett meddelande, i stil med det han lämnat på Moulin Noir.

Servitören tog lappen och försvann utan ett ord. Per började äta burgaren, som var flottig och lite gummiaktig. Han tuggade och stirrade ut mot det svarta havet. De gamla skutorna med kalksten från Öland hade seglat förbi därute, på väg till Danmark och Norge.

När tallriken var tom satt han kvar och såg mot dörren till köket. Den förblev stängd.

Tanken på att Markus Lukas kanske fanns bakom den gjorde honom nervös. Efter tio minuters väntan var han tvungen att ta sig för något. Han reste sig, gick ut i den tomma vestibulen och ringde ett mobilnummer han ringt tidigare den här dagen. Han fick svar direkt.

»Fall?«

»Det här är Per Mörner på Öland. Jag ringde dig i morse … om Hans Bremer?«

»Ja … jag minns.«

Thomas Fall lät trött, men Per fortsatte ändå:

»Jag tänkte bara kolla om du hade hittat den där väskan än … Bremers väska?«

»Jo … den fanns på vinden.«

»Bra. Har du kollat i den?«

Fall verkade tveka, som om han skämdes.

»Jo … jag tog en titt, en snabbtitt. Det är gamla tidningar i den, och något slags bokmanus.«

»Som en dagbok?«

»Kanske det. Jag har inte läst det.«

»Kan jag få titta i den?«

»Visst«, sa Fall. Han gjorde en paus. »Du kan få den, till och med. Jag behöver den inte.«

»Bra, fast det blir nog svårt för mig att hämta den ...«

Per funderade hur han skulle kunna släppa allt och åka hela vägen ner till Malmö igen – han kunde inte åka iväg så långt från Nilla nu – men Thomas Fall löste problemet när han fortsatte:

»Jag ska ta bilen upp till Stockholm på valborg, så jag kan svänga av till Öland och lämna den ... om jag får din adress.«

Per gav honom den och berättade sist av allt hur Fall skulle hitta till Stenvik.

»Det är tredje huset vid stenbrottet«, sa han. »Det minsta.«

Per stängde av mobilen, gick tillbaka till bordet och fortsatte vänta. Servitören dukade av hans tallrik.

Vid halv tio öppnades dörren till köket och en man i vit mössa och kockskjorta kom ut. Han kom fram till Pers bord och höll upp lappen. Han såg inte sur eller irriterad ut, bara nyfiken.

»Skrev du den här?«

Han hade skånsk dialekt. Per nickade och fick en ny fråga:

»Så du är Jerry Morners son?«

»Just det. Och du är Tobias?«

»Japp. Jag jobbade lite för din far, innan jag blev kock.«

Tobias ansikte var svettigt, kanske av värmen vid spisen. Men han mötte Pers blick och såg inte det minsta besvärad ut.

»Jag vet«, sa Per. »Jerry kallade dig Markus Lukas.«

Jesslin var tyst några sekunder.

»Jo. Men det är slut med allt det där«, sa han sedan. »Det finns knappt nån svensk porr kvar längre ... Nästan alla filmer görs i USA nu, i Kalifornien.«

»Kan vi prata lite ändå? Jag undrar över några saker, om det som min far höll på med.«

»Visst ... Vi kan gå bort till fikarummet.«

Jesslin vände om mot köket. Per la pengar för maten på bordet och följde efter.

Matoset hängde tjockt ute bland spisarna, men klinkergolvet såg rent ut. Tobias Jesslin ledde vägen till de bakre regionerna och in i ett litet rum med stängda plåtskåp, en dusch och ett bord med några stolar. Ett fönster ramade in vågorna på havet.

»Jag ska hälsa från Ulrica Ternman«, sa Per när Jesslin hade stängt dörren.

»Vem då?«

Jesslin satte sig och tog fram ett cigarettpaket.

»En av tjejerna som du filmade med«, sa Per. »Det var hon som tipsade om ditt namn.«

»Jaså? Jag minns inte.« Jesslin tände en cigarett och blåste ut röken mot taket. »Jag minns inte hur många tjejer jag har filmat med ens … Hundratjugo kanske, eller hundrafemtio.«

Per insåg att han borde se imponerad ut, män emellan. Men allt han sa var:

»Hur känns det?«

»Vad tror du?« Jesslin smålog. »Lite konstigt, som att ha stått vid ett löpande band där brudarna kom rullande … Men det var flera år sedan, jag har stadgat mig nu.« Han sög på cigaretten. »Hur mår din far, då?«

»Inte bra.«

»Inte?«

»Nej. Han är död.«

»Jaså? Hurdå?«

»En bilolycka.«

Per tittade noga på honom över bordet, men Jesslins förvåning verkade äkta.

»Det var tråkigt«, sa han. »Jag gillade Jerry, han var alltid sig själv. Skämdes aldrig.«

»Hur länge var du anställd av honom?«

»Anställd och anställd …«, sa Jesslin och blåste ut rök. »Jag hoppade in framför kameran ibland, och fick pengar i handen.«

»Jobbade du på Moulin Noir också?«

Jesslin nickade.

»Det var där Jerry hittade mig. Han såg mig dansa och sa att jag kunde få jobba hos honom. Varför inte, sa jag. Så han tog med mig ut på en rätt bra krog i Malmö, vi åt och drack och snackade … och till kaffet dök en ung glad tjej upp vid vårt bord och pussade Jerry på kinden. Så ropade Jerry på notan och sa: 'Ska vi jobba nu, barn?' Det

var först då som jag fattade att det var den här tjejen, som jag inte visste namnet på, som jag skulle ha sex med samma eftermiddag.«
Han skrattade kort och tillade: »Det gick undan i den branschen ... men man vande sig vid det efter ett tag.«

Per lyssnade, men log inte.

»Hur många andra 'Markus Lukas' fanns det, då?«

»Några stycken, som jag vet ... kanske två eller tre. Det är inte så många killar som klarar av det där.«

»Klarar av vad?« sa Per.

Jesslin nickade ner mot sina byxor och sa:

»Du vet ... Få upp den på kommando, när kameran rullar.«

»Kände du nån av de andra killarna?«

»Bara en. Han kom också från Moulin Noir ... han hette Daniel.«

»Och mer?«

»Daniel Wellman.«

»Hur stavas det?«

Jesslin bokstaverade namnet, och Per skrev ner det. Han hoppades att han var på väg mot trollet Markus Lukas nu.

»Och ni filmade mycket ihop?«

»Visst, vi åkte upp varje helg till den där studion som Jerry hade i Småland.«

»Den är borta nu«, sa Per.

»Är den?«

»Hela villan brann ner för några veckor sedan.«

»Hur då?«

»Det var anlagt, en mordbrand«, sa Per. »Någon hade lagt ut någon sorts tidsinställda brandbomber i huset.«

Jesslin funderade.

»Det låter som Bremer, han gillade pyroteknik ... ibland på sommaren gjorde vi scener ute i en skogsglänta som han hade riggat med en massa bensinfat ... vi skulle ligga nakna där, bland rök och eld. Bremer hade ett par hinkar vatten bakom kameran om det skulle gå snett, men jag var ändå livrädd när jag låg med bar rumpa på madrassen, mitt i lågorna.« Han log igen. »Har du träffat Bremer?«

»Nej«, sa Per. »Och han lever inte heller ... Han dog i branden.«

»Jaså?« sa Jesslin och fortsatte att röka.

»Gillade du inte Bremer?«

»Inte speciellt.«

»Varför inte?«

Jesslin såg bort mot det mörka fönstret, som om han mindes tråkiga saker.

»Jag vet inte … det var väl personkemi. Bremer jobbade snabbt, och han körde rätt hårt med tjejerna. Fick de ont under inspelningen och ville sluta, så sket han bara i det. De fick vända bort ansiktet så att gråten inte syntes, och fortsätta filma. Att få klart filmen var allt som gällde för honom.«

»För dig med, antar jag«, sa Per.

»Visst, jag blev lika kall som han och Jerry efter ett tag«, sa Jesslin. »Jag ville bara filma och åka hem … Man blev rätt avtrubbad av det jobbet.«

»Och de döda flickorna? Hur var det med dem?«

Jesslin tittade på honom.

»Menar du Jessika Björk?«

»Jessika Björk?«

»Hon jobbade på Moulin Noir med mig och Daniel«, sa Jesslin. »Hon var med i flera filmer, kallade sig Gabrielle eller något … men jag hörde av en kompis att hon hade dött i en husbrand för några veckor sedan. Tråkigt, för det var en glad tjej. Och inte gammal, bara runt tretti.«

»I en husbrand?« Per lutade sig framåt på stolen. »Och Gabrielle, sa du … Kan det ha varit Daniele?«

»Visst. Gabrielle eller Daniele.«

»När såg du henne senast?«

»Det var längesen … tio år. Vi har inte pratat så mycket heller, bara ringt varann några gånger. Jag tror att Jessika och Daniel Wellman hade mer kontakt.«

Per tittade på honom. Var det Jessika Björks telefonnummer som hade funnits på Bremers klisterlapp? Kanske det, men vad betydde det i så fall? Han kände sig trött och tömd på idéer, som om han hade en tumör någonstans som sög ut all näring ur kroppen.

»Jag kände inte till Jessika«, sa han lågt, »men Ulrica Ternman hade två kompisar som filmade med Jerry och Bremer. De är också döda nu.«

»Jaså?« sa Jesslin. »Det var fler?«

Per lutade sig fram.

»Tobias«, sa han, »jag måste hitta fler personer som jobbade med Jerry. Har du någon adress till den här andre Markus Lukas?«

Jesslin fimpade sin cigarett och skakade på huvudet.

»Vi var aldrig nära kompisar«, sa han. »Han hette Daniel Wellman och bodde i Malmö, det är allt jag vet.«

»Har du någon bild på honom?«

»Bild? Det finns massor av bilder i tidningarna.«

»Inga på hans ansikte.«

Jesslin skrattade och reste sig.

»Nej, det var inte ansiktet som var viktigt på oss killar ... Tjejernas utseende var viktigt, inte vårt.«

Per reste sig också. Han hade nog väntat sig de vaga svar han fått om Markus Lukas, men var ändå besviken.

Jesslin stannade till i dörren.

»Men om du frågar mig om nån ville elda upp Hans Bremer«, sa han, »så tror jag det var någon riddare.«

»En riddare?«

»En pojkvän som sent omsider hade fått reda på att Bremer hade filmat hans tjej. Någon som ville spela riddare och försvara hennes rykte.«

Per tittade på honom och tänkte på den glada rösten som hade svarat i Jesslins telefon.

»Hur är det med ditt rykte då, nu när du själv är pappa?«

»Bra«, sa Jesslin snabbt. »Det är alltid värre för tjejerna som blir modeller. De förlorar mer om det förflutna hinner ikapp dem.«

»Är det rättvist?«

»Nej«, sa Jesslin. Han ryckte på axlarna. »Men det är männen som styr den branschen. Det är de som är kunderna, det är deras pengar och värderingar. Sånt är livet.«

När Per lämnat Honolulu och satte sig i bilen tänkte han på rykten och värderingar, och hur Jerry veckan innan han dog hade stått vid stenbrottet och pekat på Marie Kurdin och antytt att han kände igen henne.

Han satte sig i bilen och startade den långa resan hem.

58

VENDELA STOD MED RAK RYGG framför älvornas sten och kände hur ondskan samlades i luften ovanför henne. Det var snart midnatt – och bara två dagar kvar till valborgsmässoafton, de mörka makternas högtid. Nu var de som starkast.

Hon hade tänt sin lilla ficklampa och lagt den framför sig på stenen, som enda ljus i det stora mörkret.

Andarna och demonerna, älvornas svarta släktingar, hade vaknat ur sin långa vintersömn. De hade kommit upp ur de djupaste grottorna i de gamla länderna runt Östersjön, flugit över de stora vattnen och cirklat några varv över Blå jungfruns hårda granit ute i sundet, innan de svepte in över ön och jagade bort alla vårfåglar från himlen. De såg ner på den smala platta ön, där vågorna svallade upp över de långa stränderna, och log åt alla små varelser som kröp omkring nedanför dem.

Högt över alvaret möttes andarna för att mana fram mer död och elände över människorna i ännu ett år.

Vendela blundade.

Och vad hade människorna att sätta emot? Ingenting, bara några eldar vid valborg. Men ljuset slocknade snart, och efter det kunde man bara låsa in sig i sitt hus och hoppas att fönstren höll och att demonerna skulle välja någon annan familj. Men det gjorde de aldrig. De tog alltid de svagaste människorna, de räddaste, de som hade flest lås på dörren och som bad och bönade mest för sin frid och trygghet.

Vendela lyfte upp sin vänsterhand och höll den över stenblocket.

I skenet från ficklampan blänkte vigselringen på ringfingret. Max hade köpt den till henne i Paris. Den var svår att få av, efter tio år hade den nästan vuxit in i fingret, men hon lyckades till slut. Hon höll upp ringen mot himlen i sin högra hand några ögonblick, innan hon försiktigt la ner den i en av groparna på stenen. Hon tittade på ringen och visste att hon aldrig skulle röra vid den mer.

Gör vad som helst med honom, tänkte hon, *men lova att han försvinner för alltid.*

Hon blundade.

Mer hjärtproblem, det blir bra. Ge honom en svår hjärtattack, långt bort från alla läkare.

När hon öppnade ögonen och vände sig bort från klippblocket kände hon hur hungern och tröttheten gjorde en djupdykning ner i magen på henne. Hon hade bara rusat iväg blint från villan, mitt i natten. Nu fick hon stödja sig mot stenen, och hon stod alldeles stilla och stirrade bort mot horisonten tills balansen kom tillbaka. Då plockade hon upp ficklampan, lyste med den framför sig och började gå över gräset. När hon hade passerat enbuskarna ökade hon längden på stegen.

Hon mådde bättre igen. Hon kunde inte jogga i sina stövlar, men gick snabbare och snabbare, så att stegen trummade mot marken och vinden susade i öronen.

Vissa nätter är jag mer tokig än normalt, tänkte hon.

Ovanför henne hördes ljudet av väldiga vingar.

Hon slank tillbaka som en katt över alvaret och ner mot kusten. Gräset och buskarna nuddade inte vid henne.

Några hundra meter från stenbrottet var ficklampans batterier nästan slut, och hon släckte den.

Plötsligt såg hon ett annat sken på vägen. Billyktor. De gled sakta förbi hennes eget hus och stannade på vändplanen vid Mörners stuga. När taklampan i bilen tändes såg hon att det var Per, och skyndade fram.

Han klev ur bilen med stela rörelser, och när Vendela närmade sig vred han på huvudet och såg först orolig ut. Sedan slappnade han av när han såg vem det var.

»Vendela.«

Hon nickade. Utan att tänka efter, eller ens tveka, lyfte hon armarna och gick fram till honom.

Kvällen var plötsligt varm.

Per tog emot henne, men bara för en lång kram. Vendela släppte honom till slut och suckade djupt.

»Kom«, sa hon lågt.

Per andades ut.

»Jag kan inte«, sa han.

Vendela tog tag i honom igen.

»Det spelar ingen roll.«

Hon drog honom mot dörren, som om stugan var hennes och inte hans.

59

PER SLOG UPP ÖGONEN, DET VAR MORGON. Han låg i sin säng och någon låg och sov bredvid honom. Det var ingen dröm.

Men det var ändå en drömlik och märklig känsla att ha Vendela Larsson bredvid sig – efter att Marika lämnade honom hade han sovit ensam varje natt.

När Vendelas andetag till slut hade blivit lugna och jämna i mörkret hade han själv legat med öppna ögon bredvid henne. Han hade mått bra men hade ändå väntat på att få besök.

Ett besök av Jerry.

Så hade det alltid varit de få gånger tidigare när Per hade somnat bredvid en kvinna. Då hade han känt en tung doft av cigarrer i näsan, eller också hade han anat att hans far stod i skuggorna bredvid sängen och hånlog åt sin son.

Men Jerrys ande höll sig borta.

Vid niotiden gick de upp, och Per gjorde frukost. Han kokade kaffe och rostade bröd, sedan åt de. Den här morgonen fanns plötsligt en hel rad ämnen som inte gick att prata om, men tystnaden vid köksbordet kändes ändå inte spänd eller pinsam. Per tyckte att han redan kände Vendela.

Sedan var han tvungen att åka in till Nilla på sjukhuset.

»Kan jag vara kvar här ett tag?« sa hon.

»Vill du inte gå hem?«

Hon såg ner på golvet.

»Jag vill inte vara där ... Jag kan inte träffa Max just nu.«

»Inget farligt hände ju«, sa Per.

»Vi låg med varandra«, sa Vendela.

»Vi värmde varandra.«

»Det spelar ingen roll vad vi gjorde ... inte för Max.«

»Vi ses snart«, sa hon en stund senare, när de stod i hallen.

»Gör vi det?« sa Per.

Hon log hastigt mot honom när han stängde ytterdörren.

Per gick bort till bilen och andades ut.

Vad hade hänt? Och var det så farligt, vad som än hade hänt? Det var Vendelas beslut, och de hade ju mest bara pratat och sovit?

Men Pers liv hade blivit rörigare nu, och han kände att det på något sätt skulle påverka Nillas odds. Försämra dem.

Att hitta Markus Lukas skulle förbättra dem.

Han tog fram mobilen och ringde nummerupplysningen. En ung kvinna frågade vad hon kunde hjälpa honom med.

»Daniel Wellman«, sa Per och bokstaverade efternamnet.

»Vilken ort?«

»Malmö, tror jag.«

Det var tyst några sekunder, innan svaret kom:

»Det finns ingen där med det namnet.«

»I resten av landet då?«

»Nej. Några Wellmans finns det, men ingen Daniel.«

Hela vägen till Kalmar tänkte Per på Vendela.

När han klev ur hissen vid Nillas avdelning mötte han ett par i hans egen ålder. En man och en kvinna som sakta kom gående genom korridoren. De såg mycket trötta ut, med nerslagna blickar.

Mannen höll en liten blå ryggsäck i handen, och Per förstod plötsligt att det här var föräldrarna till Nillas vän Emil. Förmodligen hade de varit på sjukhuset för att hämta hans saker. Nu skulle de åka hem till ett tomt hus.

Pers varma minnen av Vendela smälte bort. Han saktade ner framför Emils föräldrar, men sa ingenting till dem – han kunde inte säga någonting. När de gick förbi mot hissen ville han bara vända sig om mot väggen och blunda.

»Hallå, Nilla. Hur är det?«

»Dåligt.«

Två dagar före sin operation var Nilla på uselt humör i sjuksängen, hon log inte mot sin pappa när han satte sig hos henne.

»Du hälsar bara på mig för att du måste.«

»Nej …«

»För att man *ska* göra det.«

»Nej«, sa Per, »det finns en massa människor som jag aldrig hälsar på, hela tiden. Men dig vill jag träffa.«

»Ingen vill träffa nån som är sjuk«, sa Nilla.

»Det stämmer inte«, sa Per.

Det blev tyst.

»Mår du inte bra i dag?« frågade han.

»Jag kräktes i går kväll, två gånger.«

»Men i dag är det bättre?«

»Lite«, sa Nilla. »Men sköterskorna väcker mig för tidigt. Det är alltid väckning vid sju, fast det aldrig händer något då. Man får frukost och mediciner vid halv åtta.«

»Sju är väl inte så tidigt?« sa Per. »Det är ju som när man går i skolan … när jag gick på gymnasiet gick jag upp kvart över sex varje morgon, för att hinna med bussen.«

Nilla verkade inte lyssna.

»Mammas faster var här i morse.«

»Faster Ulla?«

»Ja«, sa Nilla, »och hon sa att hon skulle be för mig.«

Hon såg förbi Per, med blicken upp i taket.

»Jag vill att ni spelar Nirvanas *All apologies*«, sa hon. »Den akustiska versionen.«

»Vadå spela?« sa Per. »Vad menar du?«

»I kyrkan«, sa hon lågt.

Till slut förstod han, och skakade på huvudet.

»Vi ska inte spela någonting.« Han tillade: »För att … det kommer inte att behövas.«

»Men på begravningen«, sa Nilla. »Spelar ni den då?«

Han nickade.

»När ditt hjärta stannar på dansgolvet, om åttio år, då lovar jag att spela Nirvana.« Sedan tittade han på klockan och sa: »Mamma kommer snart, vi ska ha ett möte … med din kirurg. Har du träffat honom?«

Nilla korsade armarna över bröstet.

»M-m. Han var här i går kväll … Han luktade rök.«

Femton minuter senare satt Per och Marika tysta bredvid varandra framför ett skrivbord. Per kände en svag tobaksdoft.

Kärlkirurgen Tomas Frisch kom från Lund och var i Pers egen ålder. Frisch betydde frisk på tyska – det var väl ett bra tecken? Han hade trötta ögon men var solbränd och verkade trots allt avspänd inför operationen. Han skakade hand med både Per och Marika:

»Det blir inget rutinmässigt ingrepp, inte på något sätt«, sa han, »men ni kan lita på oss. Alla är väldigt erfarna, det är ett bra team.«

Så vek doktor Frisch upp en bärbar dator och slog på den. Han började klicka fram bilder på skärmen och förklara hur operationen skulle gå till.

Per tittade och lyssnade, men visste inte vad han skulle säga. Han ville helst bara sitta framåtböjd med huvudet i händerna.

Tomas Frisch var piloten som skulle få ner alla levande. Men han själv var inte med på planet – doktor Frisch riskerade bara sin ära om Nilla inte skulle klara sig. På det sättet, tänkte Per, var en kirurg mindre lik en pilot och mer lik Gud.

»Vi vet att ni gör ert bästa«, sa Marika när kirurgen var klar.

»Varje dag«, sa Frisch.

Han log och skakade hand med dem igen. Men när de lämnade rummet undrade Per vilka tröstande ord Emils föräldrar hade fått höra av läkarna.

Per stannade över lunchen på Nillas rum, men ingen av dem åt mer än några tuggor. Efter att han hade sagt hejdå till henne gick Marika med honom ut till hissen, något som hon aldrig hade gjort förut. Kanske hade all förtvivlad väntan fått dem att komma lite närmare varandra, tänkte Per, även om det var lång väg kvar.

»Du kommer in hit i god tid?« sa Marika.

»Det är klart«, sa Per.

»När då?«

»Så tidigt som det behövs.«

Marika såg på honom.

»Du vill inte vara med. Eller hur?«

»Nej, vem vill det?« sa Per och mötte hennes blick. »Men jag kommer.«

Hissdörren öppnade sig bakom honom. Han böjde sig fram för att ge sin förra fru en vänskaplig kram och hon tog tyst emot den.

Hon hade bytt parfym, kände han. Marikas kropp kändes trött och öm, och efter några sekunder började den skaka. Per höll tyst om henne tills hon slutade gråta, men kom inte på något att säga. Det fanns ingen kärlek längre. Det fanns ömhet.

Han höll om Marika och tänkte på Vendela.

När Per klev ut genom sjukhusentrén med dimmig blick såg han en pojke i blå jacka och svart ryggsäck komma gående med böjt huvud från busshållplatsen. Han såg trött och sur ut.

När pojken kom närmare kände han igen sin egen son.

»Hej Jesper.« Per harklade sig för att få gråten ur halsen. »Har skolan slutat nu?«

Jesper nickade.

»Jag skulle hälsa på Nilla.«

»Bra … då blir hon glad. Hon ska ju opereras i morgon, vi har träffat läkaren som ska bota henne. Han är jätteduktig.«

Jesper nickade tyst. Han tog ett par steg förbi honom, men stannade till och frågade:

»Har du och farfar fortsatt med trappan, pappa?«

»Trappan?« sa Per. Sedan mindes han byggprojektet i stenbrottet. »Visst, den är nästan klar.«

»Bra«, sa Jesper. Han tvekade och tillade: »Det var jag som sabbade den.«

»Du menar … när den rasade?«

Jesper tittade ner i marken.

»Jag skulle bygga vidare på den själv och göra klart den, när du var nere och hämtade farfar... men allihop välte.«

»Jaha. Men det gör inget ... Tur att du inte fick blocken över dig.« Per skrattade till och fortsatte: »Jag trodde att det var trollen som hade vält trappan. De bor ju i stenbrottet, det sa vår granne Gerlof.«

Jesper såg på honom som om han var tokig.

»Det var ett skämt«, sa Per. Han fortsatte snabbt, som om Jerry fortfarande levde: »Men när du kommer till Öland nästa gång så bygger vi klart den allihop. Nilla får hjälpa till också, när hon kommer hem igen.«

Han betonade ordet *när*, och såg in i sin sons ögon för att försöka föra över det hopp som han själv hade kvar.

»Okej.«

Jesper tog emot sin pappas kram, utan att visa om han själv var säker på att Nilla skulle bli frisk eller inte. Så rättade han till sin ryggsäck och gick in på sjukhuset.

Telefonen ringde när Per hade satt sig i bilen igen. I luren hördes en ljus och vänlig kvinnoröst:

»Hej, det är Rebecka på begravningsbyrån. Vi har hittat två datum för ceremonin.«

»Vilken ceremoni?«

»Begravningen av Gerhard Mörner«, sa kvinnan. »Vi kan antingen genomföra den på tisdagen den tolfte maj eller torsdagen den fjortonde maj. En vårbegravning ... båda dagarna klockan fjorton. Vilken dag skulle passa bäst?«

»Jag vet inte.« Per var tvungen att samla sig. »Torsdag, kanske.«

»Jättebra«, sa kvinnan, »då bokar jag den fjortonde. Trevlig helg!«

60

Vendela hade varit otrogen. Både fysiskt och själsligt. Det var lika illa.

Hela onsdagen funderade hon på vad som hade hänt. Vad hade hon gjort? Hon hade sovit över hos Per och de hade legat tätt intill varandra, rört vid varandra och viskat hemligheter.

Vendela hade betett sig *exakt* som Max hade misstänkt.

Men det var inte hon som hade bråkat och åkt iväg, det var *han*. Vendela hade alltid ställt upp för honom, med bokskrivandet och allt annat. För en gångs skull hade hon gjort något egoistiskt, det var oplanerat ända tills det hände och hon visste inte hur fortsättningen skulle bli. Men hon tänkte *inte* känna skuld.

Hon mindes inte att de hade somnat, men de måste ha gjort det för hon vaknade upp i sängen ur ett rofyllt mörker på morgonen och såg in i Pers ögon, bara en decimeter ifrån hennes ansikte. Hon mindes var hon var och ångrade ingenting.

Hon kände sig inte det minsta obekväm med att stanna kvar och äta frukost, och ingen av dem satt tyst. Per pratade lågt om sin sjuka dotter och operationen som skulle rädda henne. Han visste att hon skulle klara det, han visste det, och Vendela nickade allvarligt. Självklart. Självklart skulle allt gå bra.

»Jag måste in till Kalmar«, hade han sagt efter frukosten. »Till sjukhuset.«

Vendela förstod, men ville inte gå hem.

»Kan jag vara kvar här ett tag?«

»Vill du inte gå hem?«

Hon såg ner på golvet och tänkte på vigselringen i gropen.

»Jag vill inte vara där ... Jag kan inte träffa Max just nu.«

»Inget hände ju«, sa Per.

»Vi låg med varandra«, sa Vendela.

»Vi värmde varandra.«

Men Vendela visste att det inte spelade någon roll.

När Per hade åkt gick hon till vardagsrummet och satte sig i soffan. På andra sidan rummet bredvid teven stod en gammal träkista med ett hånleende troll, en ridande riddare och en gråtande älva snidade på framsidan. Vendela tittade länge på den.

Då och då reste hon sig för att se ut genom fönstret mot sin egen villa, och vid lunchtid såg hon Max komma ut på grusplanen. På så här långt håll kunde hon inte se vilket humör han var på, men han gick rakt fram till bilen och körde iväg med den.

Max hjärta slog alltså fortfarande.

Vendela gick ändå inte hem. Hon satte sig i vårsolen ute på Pers veranda, med ansiktet vänt mot det tomma havet.

Någon timme senare hörde hon ett brummande motorljud. Det verkade stanna borta vid hennes eget hus. Var Max tillbaka? Kanske, men vindskyddet var i vägen och hon tänkte inte resa sig och titta efter.

Det var först när hon hade gjort en liten salladslunch till sig själv och ätit den som hon kikade söderut genom fönstret igen.

Det stod ingen bil framför hennes villa. Om Max hade varit tillbaka i huset så hade han åkt nu.

Telefonen i köket ringde plötsligt och Vendela ryckte till. Det kanske var Per, men hon vågade inte svara och den tystnade efter sex signaler.

Vad höll Max på med? Varför kom han tillbaka och åkte igen?

Hon var förvånad över att han var frisk. Men vigselringen låg förmodligen fortfarande kvar på stenen.

Det var då hon insåg att hon faktiskt hade önskat livet ur sin man. Natten innan hade hon stått borta vid stenen och bett älvorna *döda* honom.

Klockan var två nu och hon bestämde sig för att gå hem. Hon ville prata med Max, och se vad han hade gjort.

Inga hundskall mötte henne när hon öppnade ytterdörren, allt var tyst. Men Vendela kände en annorlunda doft i huset, en bedövande doft av blommor. Och när hon kom in i stora rummet såg hon att de nästan täckte stengolvet: buketter med rosor, tulpaner och vita liljor, och lokala vårblommor som blåsippor och backtimjan. Max verkade ha tagit fram varenda vas som de hade i huset, och alla glas och muggar också. De mörkgrå stenrummen gick nu i rött, gult, grönt och lila.

Vendela vandrade långsamt genom de doftande rummen. Efter någon minut kändes en retning i näsan, sedan började snoret rinna. Allergin var tillbaka och det var Max fel. På sitt eget sätt ville han be om förlåtelse för Allys död, men blommorna fick henne att må ännu sämre än tidigare, både i näsan och i själen.

Villan kändes som ett begravningskapell. Det var bara en liten meterlång kista som fattades.

Max, tänkte Vendela, måste du alltid överdriva allting?

Korrekturet till kokboken väntade på köksbänken, men hon ville inte läsa det.

I ett skåp låg hennes anteckningsbok. Hon tog fram den och satte sig med en penna.

Älvorna har ingen framtid, skrev hon. *Inte vi heller. Hemmet, tingen vi blir besatta av, sakerna vi bara måste göra. Jag förstår inte –*

Hon blev sittande utan att skriva något mer. Klockan tickade.

Hon tänkte på Max och sedan på Per Mörner. Hon kunde inte ringa någon av dem, men plötsligt mindes hon en man som hon kunde ta kontakt med.

Det tog en stund att hitta numret till honom, men när hon gjort det ringde hon direkt. Fem eller sex signaler gick fram innan han svarade, med bestämd röst.

»Adam Luft.«

»Hallå, det här är Vendela.«

»Vem?«

»Vendela Larsson … jag var med på en kurs hos dig, *Att möta älvorna*.«

»Ja, den ja«, sa Adam. »Det var ett bra tag sedan.«

»Fem år«, sa Vendela. »Jag undrar om jag kan fråga dig om…«

»Den kursen är nerlagd«, avbröt han. »Det var för få anmälningar. Jag sysslar med astrala själafärder nu.«

»Astrala ... Vadå?«

»Du borde testa det, det är jättespännande.« Adams röst blev mer intensiv när han fortsatte: »Vi tränar på att få själen att lämna kroppen ... att ge sig ut på resor i tid och rum. Och jag har platser kvar på kurserna i sommar, ska jag skriva upp dig?«

»Nej, tack«, sa Vendela.

Hon la på luren.

Nu fanns det ingen mer att prata med och hon var för rastlös för att stanna kvar i villan. Strax efter sex drog hon på sig ett extra par byxor, en ylletröja och en tjock täckjacka och gick in i badrummet. Till medicinskåpet.

Hon hade inga värdesaker med sig när hon gick ut genom dörren den här kvällen. Mobilen hade hon också lämnat hemma.

När hon kommit ut på grusvägen såg hon lyktorna från en bil närma sig ute på byvägen. Var det Max som kom tillbaka?

Vendela ökade takten. Som så många gånger förr gick hon norrut från stenbrottet och vek av mot alvaret. Hon tänkte på vigselringen och visste att den gåvan till älvorna hade varit överilad – ett misstag. Hon kunde inte önska död över Max, vad han än hade gjort mot Ally, så ringen måste hämtas.

Hon sprang inte, hon var för trött och hungrig för det, men hon gick med långa steg mot nordväst tills hon såg den täta dungen med enbuskar.

Hon gick långsamt fram till den stora stenen, och tittade på ovansidan. Hon såg de gamla mynten ligga kvar, men inget annat.

Hennes vigselring var borta.

De hade varit här.

Vendela stod stilla vid stenblocket, med sänkt huvud. Vårkvällen var kall och mörkret var på väg, men hon orkade inte röra sig.

VENDELA OCH ÄLVORNA

V ENDELA SPRINGER ÖVER ALVARET, hon tävlar mot den sjunkande solen. Men allting känns hopplöst – hon måste inte bara hitta någon som hon litar på, hon måste också få den personen att följa med tillbaka till älvornas rike och hjälpa Jan-Erik hem. Hittar hon ingen så måste hon ta med mat och filtar från bondgården, sedan får hon och storebrodern övernatta ute på alvaret – om hon inte kan övertala honom att resa sig och försöka gå själv.

Allt hänger på att hon skyndar sig.

På vägen tillbaka hindras hon hela tiden av allt vatten, av alla sjöar med smältvatten som breder ut sig över gräset och speglar sig i himlen. Hon måste ta omvägar, ibland till höger, ibland till vänster, och när solen glider in bakom täta moln är det svårt att hålla reda på var hon befinner sig.

Tiden är hon också vilse i, hon har ingen klocka.

Blodet bultar i Vendelas örongångar. Hon skrapar benen mot buskar och småstenar, hennes otäta kängor sjunker ner i gräset och suger åt sig vatten, men hon saktar inte farten.

Hon springer och springer, och stannar inte förrän en mur byggd av stora runda stenar dyker upp framför henne. Muren når henne nästan till bröstet och försvinner bort i båda riktningar. Hon känner inte igen den – var är hon? Himlen är mulen och hon är inte ens säker på väderstrecken längre.

Till slut vänder hon om från stenmuren och springer åt andra hållet, men nu kan hon inte hitta tillbaka till stenen. Stigarna mellan sjöarna är som en labyrint, hon hittar ingenstans i den här vattenvärlden.

Vendelas vårkläder är fuktiga av svett, hon fryser och börjar bli hungrig och vill sticka in sina små fingrar i någon vuxens trygga hand, men det finns ingen. Allt är tyst. Hon går och går, och när hon tröttnar på att gå runt smältvattnet börjar hon vada genom sjöarna. De flesta är bara någon fot djupa, och hennes kängor är ändå dyvåta.

Till slut ser hon en stenmur ett par hundra meter bort. Hon går sakta fram till den, tittar och mäter krönet mot sin egen kropp, och blir övertygad om att det är samma mur som hon stod vid en stund tidigare – hon har gått i cirkel på alvaret.

Vendela orkar inte ta fler steg och sjunker ner invid muren. Hon stänger ögonen och blundar länge innan hon öppnar dem igen.

Hon ser skuggor omkring sig. Ljusa skuggor. De borde inte finnas, men hon ser dem. Och när de glider framåt förstår hon att det är älvorna som närmar sig. De har varit borta vid stenen och hämtat Jan-Erik, nu har de kommit till henne.

Och Vendela vill bli hämtad, hon sträcker ut handen mot dem.

»Kom«, viskar hon.

Men dimgestalterna glider undan, de vill inte leka med henne och deras konturer suddas långsamt ut. Till slut är de borta.

»Hallå?«

Det hörs rop i dunklet.

»Hallå? Hallå-ååå?«

Vendela öppnar ögonen. Hon ligger vid en stenmur, och det är väldigt kallt.

»Jag är här!« ropar hon.

Hon vet inte om hon hörs, men ropen kommer närmare. Frasande steg hörs genom gräset, mörka skepnader tar form. Vendela ser att det är en kvinna i kappa och en man i rock och hatt. Hon känner igen dem.

»Vendela, vad gör du härute? Vi har letat efter dig!«

Faster Margit tar tag i hennes frusna händer och hjälper henne upp. Hon ser sig om. Det är nästan helt mörkt på alvaret nu.

»Nu får vi gå hem och ge dig lite varmt att dricka«, säger Margit. »Sedan ska vi åka in till Kalmar.«

Hon och Sven har redan börjat gå hem, men Vendela kan inte följa med dem.

»Nej«, säger hon. »Vi kan inte gå!«

Sven fortsätter, men faster Margit stannar.

»Vad menar du?«

Vendela pekar.

»Jan-Erik är kvar vid stenen.«

Hennes faster bara tittar på henne, och Vendela måste förklara mer. Att Henry har gått ner till stenbrottet och att hon själv har dragit ut sin bror på alvaret. Hon springer fram och tar sin faster i armen.

»Vi måste hämta honom«, säger hon. »Kom!«

Fastern och farbrorn följer sakta med, och på något sätt hittar Vendela rätt väg den här gången på stigarna som löper mellan silverspeglarna av vatten. De kommer fram till stenen bland enarna när skymningen har blivit mörkgrå.

Men det är för sent. Jan-Erik syns inte till, och silversmycket som Vendela lagt på älvastenen är också borta.

Bara rullstolen finns kvar, nersjunken i leran.

Alla tre står kvar en stund och ropar över gräset, men får inga svar. Det är nästan kolmörkt på alvaret nu.

»Kom nu«, säger Sven.

Margit nickar. Vendela känner paniken, men kan inte protestera.

Hennes faster och farbror tar med sig rullstolen tillbaka till bondgården. De rullar den genom trädgården och ställer in den i redskapsskjulet. Vendela har satt sig i köket när de kommer tillbaka. Huset känns mycket kallt.

Köksklockan tickar.

Plötsligt hörs steg av tunga stövlar ute på trappan.

Ytterdörren öppnas och Henry kommer in i den lilla förstugan. Han andas djupt och verkar mycket trött, och stannar på tröskeln när han får se sin syster och svåger i köket. Han säger inget och tar inte av sig skärmmössan.

Margit och Sven är också tysta, det är Vendela som pratar först:

»Pappa ... var är Jan-Erik? Har du sett honom?«

»Jan-Erik?« säger Henry, som om han knappt minns namnet. »Han är borta.«

»Var?« frågar Vendela. »Vart då?«

Det blir tyst i köket, innan hennes faster öppnar munnen: »Gick han upp till tågstationen?«

Henry vill inte titta på sin dotter, han sänker blicken mot golvet och nickar.

»Jo ... Jan-Erik tog tåget. Han skulle till Borgholm, och vidare till fastlandet.«

»Du menar ... att han har rymt?« säger Sven.

»Jo. Och jag kunde inte stoppa honom ... Han är sjutton år.« Henry tittar upp. »Ska vi ge oss iväg till Kalmar nu?«

Ingen säger något, för alla verkar tänka på Henrys resmål. Fängelset.

Han går in på sitt rum och kommer tillbaka med sin kappsäck.

»Då får vi börja stänga igen här«, säger faster Margit.

Vendela går till sitt rum och packar tyst sina väskor.

Plötsligt hörs ett skrik från nedervåningen. Det är hennes faster som ropar genom huset:

»Det är tomt! De är borta, allihop!«

När Vendela kommer ner i köket står hennes mors smyckeskrin öppnat på bordet, och faster Margit är vit i ansiktet. Hon har sänkt rösten, men är lika arg.

»Jan-Erik har stulit sin mors alla smycken«, säger hon. »Såg du när han gjorde det, Vendela?«

Hon skakar tyst på huvudet. Hennes far står bredvid sin syster och ser ännu mer bedrövad ut.

»Jag borde ha låst in dem.«

Han tittar tomt på Vendela, som sänker blicken och går tillbaka till sitt rum för att hämta väskorna.

Hon vet att Jan-Erik inte tog smyckena, och hon tror inte att han har rymt med tåget. Det var hon som lämnade honom, inte tvärtom.

Han satt och väntade i gräset, tills han förstod att hon inte skulle komma tillbaka. Först då reste han sig och gick iväg från stenen.

Jan-Erik gick till älvorna. Så måste det ha varit. Han gick till världen bakom dimman, där solen alltid lyser.

När de kommer till Kalmar en timme senare kliver Henry ut med sin kappsäck vid den upplysta entrén till fängelset.

»Tack för körningen«, säger han bara.

Han drar upp sin rockkrage, tar sin väska och lämnar Vendela utan ett ord. Han går fram till vakten vid grindarna och ser sig inte om.

Tiden går. När Jan-Erik inte dyker upp på tågstationen för resan till sinnessjukhuset blir han efterlyst av polisen, men en sinnesslö yngling på rymmen är ingen stor sak. Polisen prioriterar annat och han hittas aldrig, Vendelas storebror är som uppslukad av jorden.

Tiden går, och familjen Fors lilla bondgård säljs på sommaren det året.

Tiden går, men Vendela besöker inte sin far i fängelset en enda gång.

När han till slut kommer ut är han en kuvad man. Sent på hösten reser han tillbaka till Öland och bosätter sig i Borgholm, där han är mindre känd än i sin hemby. Henry blir diversearbetare, bor i ett rum utan kokvrå och hankar sig fram.

Vid det laget har Vendela rotat sig i Kalmar och vill inte tillbaka till Öland. Hon har fått ett helt nytt liv som styvbarn hos Margit och Sven. Ganska snart glömmer barnen i hennes nya skolklass att hon kommer från ön, och slutar reta henne. Hennes faster och farbror har inga egna barn, de pratar aldrig om älvor och de tycker verkligen om Vendela.

Allt ordnar sig.

Hon får nya kläder, en röd cykel och en grammofon.

Hon får nästan allt hon ber om, och slipper önska saker.

Hon växer upp, tar examen och träffar en snäll man som är restaurangägare. De får en dotter.

Minnena av Öland bleknar sakta undan, och Vendela tar sällan färjan över sundet till sin far. Det står alltid tomma spritflaskor i hans lilla rum, och de har inget att prata om när hon är där. Efter att Henry har dött i slutet på sextiotalet åker hon inte dit alls. Det finns ingen släkt kvar på ön längre – bara ett antal gravar på kyrkogården. På hennes rum står några vackert slipade kalkstensföremål som hon ärvt av sin far, ihop med ett tomt smyckeskrin.

Det är först i fyrtioårsåldern, när äktenskapet med Martin är slut och hon har gift sig med Max Larsson, som Vendela börjar fundera över sin barndom på Öland och känner en önskan att komma tillbaka dit.

Och en växande längtan att följa efter sin bror till älvorna.

61

JAG VILL INTE HA FLER SMYCKEN! skrev Ella.

Gerlof hade kommit till de sista anteckningarna i sin hustrus dagbok från femtiotalet. Bara fyra och en halv sida fanns kvar att läsa nu.

Boken slutade på våren 1958 och de sista sidorna var fyllda av tätt skriven text. Ellas handstil hade blivit spretig och orolig, och Gerlof tvekade innan han satte på sig glasögonen. Men till slut började han läsa:

I dag är det den 21 april 1958 men jag vet knappt vad jag ska börja skriva. Det har hänt så tråkiga saker, och Gerlof är inte här. Han for norrut i förrgår med skutan mot Stockholm och skulle komma tillbaka i dag. Men i går kväll ringde han och sa att han och John ligger inblåsta i huvudstaden, vid kajen nedanför Stadshuset. Det är styv kuling uppåt svenska kusten, nästan full storm, men blåsten har inte nått hit ner till ön. Vi har bara mulet och kallt så de elektriska elementen står påslagna hela dagen.

Flickorna gav sig iväg med cyklarna sent på eftermiddagen för att gå på bio på Folkets hus. Så jag blev ensam i stugan. Hela byn känns öde.

Solen hade börjat gå ned och jag satt och sydde när jag hörde ett lågt ljud utifrån verandan. Det var inget knackande som när grannarna kommer på besök, bara ett skrapande mot dörren, så jag slutade sy och gick och öppnade. Inte en människa syntes därute, men när jag tittade närmare såg jag att det låg ett smycke på ett av trappstegen.

Det var ett guldhjärta med silverkedja och jag plockade upp det ... men det gjorde mig inte det minsta glad för jag visste ju var det kom ifrån. Och jag var trött på det, trött på de här gåvorna som jag inte hade bett om.

– Jag vill inte ha fler smycken! skrek jag rakt ut mot betan. Du får komma och ta tillbaks dem!

Inget svar hördes, men när jag hade väntat ett tag började det röra sig bakom enbuskarna utanför tomten. Och så klev bytingen fram i det höga gräset och bara stod där, och jag kände knappt igen honom för hans ansikte var rentvättat och han var välkammad och såg riktigt städad ut. Han log och fnissade och vi såg på varandra.

Jag höll fram smycket utan att veta vad jag skulle säga mer. Jag ville ju inte ha det. Så jag öppnade munnen men då vände bytingen plötsligt om och satte fart, in i dunklet mellan buskarna.

Jag hade skorna på mig och skyndade efter honom.

Visste bytingen om att han var förföljd? Jag ropade inte mer, men han verkade vänta in mig. Han sprang inte fort, lunkade mer, och jag såg hans bleka skjorta och röda hud skymta bland buskarna. Han tog sig snabbt som en katt över vägen och in i skuggorna vid stenmuren igen, det syntes att han var van att hålla sig dold. Han fortsatte mot norr i full galopp. Men vildgräset hade inte växt sig riktigt tjockt i betan än och jag kunde nästan hålla jämn takt.

Det tog ett tag för mig att förstå att han var på väg bort mot stenbrottet. Vad skulle han dit och göra? Men han ökade farten, och så kom vi ut på gruset ovanför stenkanten.

Det hördes sång här vid havet, och jag kände igen texten. En man sjöng för full hals bland stenhögarna:

> Nu börjar Ölands vår!
> Välkommen upp från Kalmarsund,
> där farlig sunnan går!

Då saktade bytingen ned. Och han vred på huvudet och tittade på mig. Jag lyfte silverkedjan högt över huvudet och visade den för honom, men han brydde sig inte om det.

Bytingen lyssnade på sången vid kanten på klippan, och så satte han fart igen.

345

Stenbrottet var nästan tomt. det stod bara en ensam man på klippan. Det var han som sjöng – en stenhuggare som hade byggt sig ett eget litet vindskydd eller en halvcirkelformad mur uppe vid norra klippkanten. Bara hans huvud och axlar stack upp över stenarna.

Bytingen sprang rakt mot mannen, och då såg jag att det var Henry Fors. Jag blev förvånad, jag hade ju hört om hans bekymmer och trodde inte att han ville arbeta mer. Men där stod han bakom sitt vindskydd och putsade på någon sorts skulptur, som om inget hade hänt.

Sedan gick allt så fort, jag hann inte med. Bytingen sprang längs klippkanten, när Henry såg honom komma slutade han sjunga. Han skrek något, men jag hörde inte vad.

Bytingen sträckte fram armarna och fortsatte i full fart mot Henrys lilla mur. Han sprang rakt in i den, vräkte omkull den. Stenarna föll ner med ett klapprande runt hans ben.

Henry skrek igen: »Nej!« Och sedan ett namn, antingen »Hans-Erik« eller »Jan-Erik«. Bytingen skrek också, men det var mer som glada rop.

Då stannade jag och sänkte blicken. Henry fortsatte ropa och det fortsatte rassla av fallande stenar.

Jag tror att de slogs, mannen och pojken. Och jag tror det sista som hände var att någon av dem kastades eller föll ner i stenbrottet, men jag ville inte se mer.

Jag vände om och sprang.

Allt jag kunde tänka på när jag gick längs byvägen var att Henry visste vad bytingen hette. De kände varandra.

Han hade kommit norrifrån. Kom han från Henrys bondgård? Henry hade en sinnesslö son som bränt ner hans lagård, det skvallret hade jag hört den senaste tiden.

När jag kom tillbaka till trädgården satte jag mig på trappan med smycket i handen, och grät över hur rädd och feg jag var som inte hade hjälpt pojken på något sätt.

Sedan torkade jag tårarna och gick in i stugan för att vänta på mina flickor, och på att Gerlof skulle komma hem.

Berätta om vad som hänt skulle jag inte göra. Det var Henrys

elände, och hans sons. Jag hade gjort tillräckligt med dumheter som
tagit emot och behållit bytingens alla gåvor, smycken som inte var
mina och aldrig skulle bli det.

Där slutade Ellas anteckningar, med bara några få blanka rader kvar på
den allra sista sidan. Gerlof sänkte dagboken och skämdes över att han
någonsin hade öppnat den.

Han satt kvar i stolen på gräsmattan och försökte minnas hur det
varit när han kommit hem med skutan när stormen mojnat några
dagar senare. Hade han märkt något av vad som hänt? Nej, Ella hade
aldrig berättat mycket om vad som pågick i byn under veckorna när
han var borta och han hade väl inte frågat så mycket heller. Han hade
varit för upptagen med tankarna på lastningen av skutan inför nästa
färd till Stockholm.

Ellas byting hade slagits med Henry Fors. Det måste ha varit hans
son. Gerlof hade aldrig sett honom, men hade hört samma skvaller
som Ella om att Henry haft en förståndshandikappad son som han
skyllt lagårdsbranden på. Kanske helt ogrundat.

Något otalt hade de i alla fall haft när de möttes i stenbrottet den
sista kvällen. Det hade blivit en urladdning som fått pojken att för-
svinna spårlöst och Henry att bryta ihop och aldrig återhämta sig.

Och alltihop var Gerlofs fel.

62

PER SATT I SIN STUGA och såg solen gå ner över stenbrottet. Det var ett och ett halvt dygn kvar till Nillas operation.

Han hade gått ut med spaden och spettet och försökt jobba lite på trappan tidigare under kvällen, men inte haft krafter kvar att släpa upp blocken till de översta trappstegen. Jesper hade inte klarat av att bygga på trappan på egen hand, och Per lyckades inte heller. Han fick bara upp två stycken trappsteg, och efter att det tredje blocket rullat tillbaka ner i gruset hade han gett upp och gått in.

Han satte sig i stora rummet och kände sig mycket trött.

Trettiosex timmar var detsamma som tvåtusenetthundrasextio minuter, räknade han ut. Vad skulle han göra med all den tiden? Ut och springa? Han hade inte joggat sedan han var ute med Vendela senast, men hade ingen ork i kväll.

När han slog på teven visades något slags barnprogram, och han stängde snabbt av.

Tystnad. Solen sjönk och skuggorna växte.

Telefonen ringde plötsligt ute i köket, och Per ryckte till.

Dåliga nyheter? Han var säker på att det var det, vem som än ringde, men gick ändå och svarade.

Det var en hes mansröst på linjen.

»Per Mörner?«

»Ja?«

Han kände inte igen den, och mannen presenterade sig inte.

»Nina sa att du ville prata med mig«, sa han bara. »Det är jag som äger Moulin Noir.«

Per mindes lappen han hade lämnat på klubben i Malmö.

»Ja, just det«, sa han och försökte samla tankarna. »Bra att du ringde. Jag vill bara fråga en sak om min far ... Jerry Morner.«

»Jerry, ja. Hur mår han?«

Per fick berätta – en gång till – att hans far var borta.

»Fan, det var tråkigt«, sa mannen. »Brann inte hans studio ner också?«

»Jo, helgen före påsk«, sa Per. Sedan fortsatte han snabbt: »Men Jerry nämnde Moulin Noir några gånger innan han dog, så jag blev lite nyfiken på ert ställe.«

Mannen i luren lät trött.

»Lite nyfiken ... Du var väl här förra veckan, vad tyckte du?«

»Ja ... jag gick aldrig nerför trappan«, sa Per, »men tjejen i kassan sa att man skulle få en överraskning därnere. Får man det?«

Mannen skrattade.

»Den stora överraskningen är att det inte är någon överraskning«, sa han. »Affärskillarna kommer in här sent på kvällen med sina plast-kort och tror att de ska få ha sex med en massa blondiner, men Moulin Noir är ingen bordell.«

»Vad är det då?«

»Det är ett dansställe ... Fast det är bara tjejerna som dansar, och de har inga kläder. Männen sitter och tittar på. Och längtar.«

Män är bra på det, tänkte Per.

»Ägde min far Moulin Noir?«

»Nej.«

»Men han var inblandad i klubben?«

»Nej, det kan man inte säga. Vi hade lite samarbete med Jerry, vi köpte annonser i hans tidningar och Jerry var ofta här för att kolla in våra tjejer och killar. Några åkte upp till honom och jobbade.«

»Killar också?« sa Per. »Så ni har manliga dansare på klubben?«

»Vi hade det ett tag ... Några inoljade bodybuilders som dansade med tjejerna och hade fejkat sex med dem. Men inte nu. Det har blivit striktare med vad man får göra på scen i Sverige, så nu har vi bara tjejer.«

»Men de här killarna som dansade ... hette någon av dem Daniel Wellman?«

»Japp«, sa mannen. »Han jobbade hos oss.«

»Samma modell som filmade med min far?«

»Javisst. Daniel Wellman. Han var inte hos oss mer än ett halvår, men han jobbade flera år för Jerry.«

»Med ett nytt namn«, sa Per och sträckte sig efter en penna och en bit papper. »Markus Lukas, eller hur?«

»Han kallade sig det, ja«, sa mannen.

»Det var Jerry som döpte dem«, sa Per. »Alla killar fick heta 'Markus Lukas'.«

»Alla får nya namn«, sa mannen. »Det är ett skydd.«

Det blev tyst.

»Vet du hur man får tag på Daniel?« sa Per. »Kan jag ringa honom?«

Mannen skrattade till igen, ett trött skratt.

»Det blir svårt.«

»Blir det?«

»Han är på samma ställe som Jerry.«

Per stirrade ner på sin penna, som hängde över papperet.

»Är Markus Lukas *död*? Är du säker på det?«

»Jo, tyvärr ... Daniel var sliten och risig sista gången jag såg honom. Sedan ringde han mig flera gånger sista året och ville ha pengar, men han kunde knappt prata. Han var deprimerad och arg. Han ville skylla på någon. Han pratade mycket om Hans Bremer ... Bremer hade sagt åt Daniel att hålla tyst.«

Bremer igen, tänkte Per.

»Markus Lukas förföljde nog min far också«, sa han.

»Det kan jag tänka mig ... Sista tiden tiggde han nog pengar av alla han kände. Sedan slutade han ringa.«

»Vad dog han av då?« frågade Per, och väntade sig att få höra ordet *cancer*.

»Det var ingen som visste, folk trodde att han höll på med heroin ... men förra året stötte jag ihop med en av tjejerna som hade jobbat med honom både på klubben och uppe hos Jerry, och hon berättade att han hade dött ett par månader innan. Hon hade gått och kollat sig efter det, men det var ingen fara med henne.«

»Vadå?« sa Per. »Vad var det hon kollade?«

»Att hon var ren.« Mannen gjorde en paus och fortsatte: »Jag vet inte var Daniel blev smittad, men själv trodde han att det var hos Jerry och Bremer. Han skulle stämma dem för det, sa han.«

»Smittad?« sa Per.

»Hans blod var smittat. Det händer då och då i den här branschen. Så 'Markus Lukas' dog i aids.«

63

PER SOV TILL NIO på valborgsmässoaftonens morgon men var ändå tung i huvudet när han vaknade. Han hörde väggklockans tickande ute i köket och tittade ut genom fönstren, med känslan av att vara instängd under en enorm himmel.

Tjugofyra timmar kvar.

Morgonen var grå och blåsig på Öland. Han funderade på hur han skulle få hela dagen att gå, att bara rinna iväg så fort som möjligt. Han ville spola fram tiden så att Nillas operation var avklarad.

Han hade ett viktigt samtal kvar att ringa, till Lars Marklund, och det gjorde han vid tiotiden.

Polisen hade inga nyheter att komma med om utredningen av Jerrys död, men Per kunde i alla fall berätta att han hade hittat 'Markus Lukas' nu: han hette Daniel Wellman. Och att Wellman hade varit hiv-smittad och avlidit föregående år.

Marklund var tyst några sekunder.

»Så du tror att Wellmans blod var smittat när han gjorde de här filmerna? Och att flickorna blev smittade?«

»Jag vet inte«, sa Per, och såg för sin inre syn hur rader av unga flickor gick in i en mörk granskog. »Men risken är väl stor för det ... Jag pratade med en annan manlig modell för ett par dagar sedan, och han påstod att han hade varit tillsammans med över hundra kvinnor i studion hos min far och Hans Bremer. Daniel Wellman hade säkert filmat med lika många. Utan skydd, hela tiden.«

Marklund var tyst igen.

»En högriskperson«, sa han sedan. »Vi måste spåra de här tjejerna.«

»Jag har några namn«, sa Per. »Några lever, och några är döda.«

»Kände din far och Hans Bremer till det här ... att Wellman var sjuk när han filmade?«

»Jag vet inte«, sa Per. »Jerry sa aldrig något om det.«

»Nu är det för sent att fråga dem«, sa Marklund.

Han verkade knappa in något på sin dator.

»Jag hittar en Daniel Wellman i Malmö här«, sa han och tillade: »Men det stämmer, han avled i februari förra året.«

Per fick syn på Bremers gula klisterlapp som han lagt åt sidan bredvid telefonen.

Daniele, tänkte han.

»Får jag testa ett avstängt telefonnummer på dig?«

»Det går bra.«

Per läste siffrorna som stod efter Danieles namn och frågade:

»Kan du kolla vems nummer det var?«

Det blev tyst i luren.

»Jag behöver inte kolla ... Det finns i vår utredning.«

»Vems var det, då?«

»Hon hette Jessika Björk.«

»Var det hon som dog i villabranden?« sa Per. »Ihop med Bremer?«

Marklund var tyst igen, innan han svarade:

»Hur vet du det ... Hur fick du hennes namn?«

»Jag hittade en lapp med hennes telefonnummer hos Hans Bremer«, sa Per. »Jessika måste ha jobbat för honom och Jerry. De kallade henne Daniele.«

»Hon jobbade inte för dem nu«, sa Marklund. »Vi har pratat med hennes kompisar ... De sa att hon hade lagt alla modelljobb bakom sig för sju eller åtta år sedan.«

»Så varför hade Bremer hennes mobilnummer uppskrivet? Och vad gjorde hon med honom i Jerrys villa?«

»Ja ... Vi jobbar med de frågorna«, sa polisen. Han gjorde en paus och fortsatte: »Tack för hjälpen. Jag ska höra av mig om något händer, men vi sköter det här själva nu. Du får koppla av och njuta av våren på Öland. Det gör du väl, Per?«

»Varje minut«, sa han.

Det var tjugotre timmar kvar nu.

Per åt lunch, efteråt gick han ut i friska luften. Det fanns lite blå revor i molnlagret ovanför byn.

Han passerade sakta förbi Vendelas hus, men Audin var borta och de stora fönstren fördragna. Vid den andra stora villan stod en bil parkerad för första gången på flera veckor – familjen Kurdin hade tydligen kommit tillbaka.

Markus Lukas, Jessika, Jerry, Hans Bremer …

De dödas namn förföljde honom. Han tog en lång promenad söderut på kustvägen, ända tills asfalten tog slut och grusvägen började. De enda husen som fanns här var små sjöbodar av sten ovanför stranden. Vattnet låg blankt och inga andra människor syntes till.

Vad visste Jerry?

Per ville egentligen inte tänka på den frågan. Hade hans far känt till Daniel Wellmans smitta, men ändå låtit flickorna filma med honom? Hade Hans Bremer gjort det?

Han gick i nästan en timme längs kusten, innan han såg på klockan och tänkte på Nilla.

Den var tio över ett. Mindre än tjugoen timmar kvar.

Han vände om mot byn igen. Vid campingen satt en anslagstavla som kungjorde att valborg skulle firas på kvällen med eld och körsång vid vattnet. Det låg redan en stor hög med ris på stranden, såg han.

När han nästan var tillbaka vid stenbrottet vek han av till höger på byvägen och öppnade grinden till Gerlof Davidssons stuga. Det var bara en vecka sedan de hade setts, men mycket hade hänt efter det.

Gerlof var hemma. Han satt i sin stol på gräsmattan med en filt över knäna och en matbricka framför sig. En gammal anteckningsbok låg också på bordet. Gräset behövde klippas, men Per var för trött för att erbjuda sig att göra det.

Gerlof såg upp, och nickade mot honom.

»Trevligt«, sa han. »Jag satt just och funderade på när du skulle dyka upp igen.«

Per satte sig på gäststolen.

»Jag har varit borta ganska mycket«, sa han. »Men alla verkar komma tillbaka till byn den här helgen.«

»Jo«, sa Gerlof. »Blir det någon valborgseld i kväll?«

»Jag tror det«, sa Per. »Det verkar som om vägföreningen ska elda lite ris och sjunga nere på stranden.«

»Elda lite ris?« sa Gerlof. »Då kan jag berätta hur man gjorde förr här i byn. Man samlade alla gamla tjärtunnor som hade spruckit under vintern och staplade dem i en stor hög på varann. Överst satte man en ny tunna full av tjära … och så tände man eld på alltihop! Då smälte tjäran i topptunnan och rann ner i de andra, och det blev en valborgsbrasa som reste sig som en vit pelare upp mot skyn. Den syntes ända till fastlandet och drev bort allt oknytt.«

»Härliga tider«, sa Per.

Det blev tyst i trädgården, så han fortsatte:

»Är allt väl, Gerlof?«

»Inte riktigt. Är allt väl med dig?«

Han skakade på huvudet.

»Men det kanske kan bli … Läkarna ska bota min dotter i morgon bitti.«

»Så bra«, sa Gerlof. »Hon ska opereras, menar du?«

Per nickade tyst, och kände blodet bulta i halsen. Varför satt han här, varför var han inte på sjukhuset hos Nilla?

För att han var feg.

»Markus Lukas är död«, sa han.

»Förlåt? Vem är död?« sa Gerlof.

Per började berätta, det rann ur honom. Han berättade om Markus Lukas, som egentligen hette Daniel Wellman, en fotomodell som hade haft smittat blod och ringt Jerry och Bremer för att få pengar. Per hade missförstått Jerrys rädsla för Markus Lukas – han hade aldrig varit farlig, bara sjuk. Och nu var han död.

Så vem hade riggat brandbomberna i filmstudion, och bränt ihjäl Hans Bremer och Jessika Björk? Vem hade tagit Bremers nycklar och brutit sig in i Jerrys våning? Och vem hade kört ihjäl Jerry?

Gerlof lyssnade, men till slut höll han upp handen.

»Jag kan inte säga något om det där.«

»Inte?« sa Per.

Gerlof var tyst, innan han sa:

»Jag har alltid funderat på gåtor och mysterier ... försökt lösa dem. Men det går bara illa.«

»Vad menar du?« sa Per. »Lösningar kan väl inte skada?«

Gerlof tittade ner på dagboken som låg på bordet.

»Jag kan berätta om en annan mystisk eldsvåda«, sa han. »För fyrtio år sedan brann det här i närheten, i en gård norr om Stenvik. Det var en lagård som brann ner till grunden, med kor och allt. Jag var här i stugan när det hände och jag gick som alla andra i byn upp till brandplatsen för att titta. Men jag blev misstänksam, för det stank av fotogen runt ladan. Och när jag böjde mig ner såg jag märkliga stövelspår i leran, med ett stort hack vid klacken från en dåligt islagen spik. Så jag förstod att stöveln som gjort spåren måste ha lagats av Sko-Paulsson.«

»Sko-Paulsson?«

»Det var en sällsynt dålig skomakare som vi hade här i byn«, sa Gerlof. »Så jag tipsade polisen, och de hittade stövlarnas ägare och grep honom.«

»Och vem var det?« sa Per.

»Det var bonden som ägde gården.« Gerlof nickade bort mot stenbrottet. »Henry Fors ... far till vår granne Vendela Larsson.«

»Vendelas far?«

»Jo. Han skyllde alltihop på sin son, men jag tror nog det var Henry.« Gerlof fortsatte: »Det är lustigt, men mordbrännare jobbar nästan alltid hemma. De tänder nästan alltid eld på hus som de känner till.«

Per mindes Vendelas sorgsna blick när hon hade visat honom runt på barndomsgården ett par veckor tidigare. *Det var ensamt här*, hade hon sagt.

»Men varför ångrar du det tipset, Gerlof?« sa han. »Pyromaner måste ju gripas.«

»Jo, jag vet ... men det förstörde familjen. Henry bröts ner av det.«

Per nickade tyst, han förstod. Men nu var de tillbaka i pratet om död och elände igen, och han reste sig.

»Jag ska åka iväg snart, till sjukhuset.«

Det var ett infall, men det kändes helt rätt. Han skulle köra in dit och vara hos Nilla hela kvällen och hela natten, även om Marika och hennes nye man var där. Han skulle inte vara rädd mer.

»Jag ska tänka på dig i morgon«, sa Gerlof. »Och på din dotter, förstås.«

»Tack.«

Per vände om och lämnade trädgården.

Han tänkte gå hem, men några meter från grusvägen vid stenbrottet stod Christer Kurdin och planterade ett träd. Han hade grävt ner det i gräsmattan, nu fyllde han igen med planteringsjord.

Sedan rätade han på ryggen och tog ett par steg mot Per.

»Jag hörde om din far Gerhard ... att han är borta. Var det en trafikolycka?«

Per stannade.

»Jo, han dog i Kalmar ... Är det äpple du planterar?«

»Nej, ett plommonträd.«

»Jaha.«

Per tänkte gå vidare, men Kurdin höll kvar hans blick:

»Vill du komma in ett slag?«

Han tänkte efter, och nickade. Han följde efter Kurdin uppför trädgårdsgången och sneglade på sin handled. Klockan var fem i tre nu och visarna tickade på, tick tack.

»Så ni är här över valborg?« sa han när de klev in i villan.

»Precis«, sa Christer Kurdin. »Vi åker hem på söndag ... det här är sista besöket före sommaren.«

De kom in i en smal hall som ledde ut i ett stort vardagsrum.

Per såg sig om. Det fanns inte så många möbler eller prydnadssaker, men massor av elektronik, telefoner och högtalare. Grå och svarta kablar ringlade kors och tvärs över golvet längs väggarna. På ett bord stod två stora dataskärmar. Tydligen höll Kurdin eller hans fru på med musik också, för nedanför ett fönster fanns ett avlångt bord med rader av rattar och reglage. Ett mixerbord.

»Vill du ha en kopp kaffe?« sa Christer Kurdin.

»Nej, det är bra, tack.«

Närmare glasfönstren ut mot stenbrottet stod en svart lädersoffa bakom ett lågt stenbord. Per satte sig i den.

»En öl, då?«

»Visst.«

Per mindes den nya planen att köra in till sjukhuset på kvällen, men en enda öl gick väl bra.

Christer gick ut i köket och kom tillbaka med två glas lager.

»Skål.«

»Skål.«

Per drack ett par klunkar, satte ner glaset och funderade på vad han skulle säga.

»Har ni varit gifta länge?« frågade han.

»Jag och Marie?« sa Christer. »Nej, inte så länge. Två år, lite drygt. Men tillsammans i fem.«

»Var bor ni annars, då?« sa han. »I Stockholm?«

»Nej, i Göteborg. Jag gick på universitetet där, på Chalmers, och det är där jag har mitt bolag … Men jag kommer från Varberg.«

»Och din fru?« sa Per.

»Hon kommer från Malmö.«

De drack sina öl och försjönk i tystnad. Per tog en klunk till, ölet var ganska starkt och alkoholen la sig som en varm filt över hans oro inför morgondagen.

»Vad tycker du om Max Larsson, då?« frågade han. »Grannar emellan?«

Christer Kurdin drog ner mungiporna.

»Larsson? Han verkar vara en Rättman.«

»En vadå?«

»En Rättman … en kille som måste ha rätt hela tiden«, sa Christer. »Max Larsson är precis sån, han ger sig aldrig förrän alla håller med honom. Såg du inte hans fru, Vendela … hur kuvad hon var?«

Per svarade inte på det, han frågade bara:

»Har du läst hans böcker?«

»Nej«, sa Christer, »men jag har ju sett hur många han har spottat ur sig … så jag kan tänka mig vilka slags råd man får i dem.«

»Dåliga råd, menar du?«

»Förenklade, i alla fall«, sa Christer. »Man blir ingen bra människa av att läsa en psykologibok. Det krävs livserfarenhet ... massor av *trial and error.*«

Per nickade, och samtidigt rasslade det till i ytterdörren. Marie Kurdin kom in i hallen, med deras baby i en tygsele på magen.

»Hallå?« ropade hon. »Någon hemma?«

Hon hade inte upptäckt Per än, men Christer Kurdin reste sig snabbt och gick bort mot henne.

»Hej, älskling«, sa han. »Vi har besök.«

Han verkade lättad att se henne, som om han hade väntat på ett avbrott i ett jobbigt samtal. Men om han inte tyckte om Per, varför hade han då bjudit in honom över huvud taget?

»Det är vår granne, Per Mörner.«

»Jaså?«

Per såg tydligt att Marie Kurdins leende slocknade någon sekund ute i hallen.

Christer gick fram och pussade sin fru, som pussade tillbaka – men Per tyckte att båda rörde sig stelt. Han fick för sig att de spelade roller för honom.

»Hittade du allt, älskling?«

»Jag tror det ... Jag köpte värmeljus också.«

»Bra.«

Per lyfte sitt ölglas och såg på dem. Kurdins, den lyckliga familjen i lyxvillan. Var han avundsjuk på dem?

Marie Kurdin kom in i stora rummet och nickade kort mot Per, men tog babyn i famnen och försvann snabbt in i ett av sovrummen.

Jerry hade pekat på Marie. *Jag filmade henne,* hade han sagt.

Christer Kurdin satte sig igen och log över bordet.

Per log inte tillbaka, han letade efter något att säga.

»Kände du min far?« sa han.

Kurdin skakade på huvudet.

»Hur så?«

Per såg ner i sitt ölglas, som var nästan tomt, och sa:

»Han var känd som Jerry Morner, men när vi träffades i dag sa du hans rätta namn, Gerhard.«

»Gjorde jag?«

Per tittade på honom.

»Har ni ringt till mig?«

Christer Kurdin svarade inte.

»Någon ringde till min telefon«, sa Per långsamt. »Det började efter grannfesten ... Någon ringde och spelade upp ljud, det lät som ljud från en av Jerrys filmer.«

Kurdin var fortfarande tyst, han tittade bara på Per några sekunder innan han vred sig om och ropade över axeln.

»Älskling?«

»Ja?« svarade hans fru.

»Kan du komma ut ett tag?«

Marie Kurdins skoklackar klapprade över golvet. Hon kom ut i stora rummet.

»Vad är det?«

»Han vet«, sa Christer Kurdin.

Hans fru var tyst, men mötte Pers blick.

»Filmade du med Jerry och Markus Lukas?«

Marie skakade kort på huvudet.

»Självklart inte.«

Hon sa inget mer, men Christer Kurdin lyfte huvudet.

»Hennes lillasyster gjorde det.«

»Sara«, sa Marie lågt. »Hon var med i en film när hon bara var arton ... och hon kämpade på med bromsmediciner, men hon dog för tre år sedan. Hon anade att hon hade blivit smittad på inspelningen och sa det till mig, men hon vägrade berätta för någon annan. Hon skämdes för mycket.«

Per förstod.

»Så du ringde till min far ... för att påminna honom.«

»Jag kände igen honom på grannfesten«, sa Marie. »Jag visste vem han var när han drog upp den där tidningen.«

Per kunde inte se henne i ögonen, han sänkte blicken.

»Han sa faktiskt att han kände igen dig också. Ni måste ha varit lika ... du och Sara.«

Marie svarade inte.

Han såg ner i sitt glas. Vad var det i ölet? Det verkade grumligt – hade Kurdin lagt något i glaset när han hällde upp det i köket?

Ägde Christer Kurdin en röd Ford?

Hade han lockat med sig Jerry till en öde väg i Kalmar?

Per satte försiktigt tillbaka glaset på bordet och reste sig, sakta. Han ville fråga fler saker, men huvudet snurrade.

»Måste du gå?« sa Christer Kurdin.

Per nickade, i bakhuvudet tyckte han sig höra ekande flickröster.

»Just det ... jag måste gå hem.«

De tittade på honom och han kände sig löjlig, men flickorna skrek inuti hans huvud nu och Jerry fanns också därinne och viskade att han måste ge sig av.

Han tog ett kliv bort från soffan mot hallen, och sedan ett till. Det gick bra, han kunde röra sig. Det kändes som att vara tillbaka i Jerrys filmstudio, mitt i röken och hettan och doften av bränt människokött.

Mordbrännare jobbar nästan alltid hemma, det hade Gerlof sagt. Så då var det Jerry som hade bränt ner sin egen studio. Eller Hans Bremer. Eller kanske Per själv, den förlorade sonen.

Det sista han gjorde var att vända sig om i hallen och höja rösten:

»Jag tror inte att Jerry ... jag tror inte han visste något. Han visste inget om att Markus Lukas var smittad. Och jag är ledsen, jag visste inte, men de är ju döda allihop nu ...«

Han babblade, och stängde munnen. Christer och Marie Kurdin stod bredvid varandra och tittade fortfarande på honom, men han kunde inte se dem i ögonen. Han kunde bara säga ett enda ord till:

»Förlåt.«

Han fumlade med handtaget till ytterdörren, men tog sig ut till slut.

64

ÄLVORNA KOM INTE TILLBAKA TILL SIN STEN. Det hade varit en kall natt för Vendela ute på alvaret, men hon hade kurat ihop sig inuti lagren av vinterkläder och klarat kylan. Hon hade till och med sovit några timmar, utsträckt i det mjuka gräset med älvastenen som ett vindskydd. Hungern hade gnagt i hennes mage, men hon hade klarat det också.

Det var värre med Max.

Älvorna hade kommit och hämtat vigselringen från stenen, och nu var det för sent för Vendela att ångra sin önskan.

Max var säkert redan död. Hon såg med sin inre blick tvärsöver alvaret hur hjärtattacken hade drabbat honom som ett hammarslag över bröstkorgen. Kanske hade det hänt kvällen innan, när han var tillbaka i huset och satt vid sitt tankebord, bland alla begravnings-buketterna.

Pang, så hade hjärtat stannat. Hans kropp hade fallit framåt över bordet och blivit liggande med huvudet vridet åt sidan. Nu fanns det inget att göra, men Vendela ville ändå inte gå tillbaka hem. Hon ville inte hitta sin man i tankerummet.

Älvorna var borta. Och ändå väntade hon vid stenen, timme efter timme.

Någon gång mitt på dagen, hon visste inte riktigt när, prasslade det till i buskarna ett tiotal meter bort och en hare hoppade förbi stenen. Den vred på huvudet mot Vendela några sekunder, innan den försvann.

Ett par timmar senare såg hon två människor röra sig långt bort i väster, en kvinna och en man. De vandrade sida vid sida över gräset med röda vindtäta jackor och rejäla kängor på fötterna. Ingen av dem tittade åt hennes håll.

Kanske var hon osynlig. Hon var inte hungrig nu, inte törstig, hon behövde ingenting.

Jo, en sak.

Hon stack handen i fickan och kände pillerburken.

Det var de danska pillren, de starka som gjorde henne lugn och viktlös. Hon hade bara tagit tre eller fyra stycken sedan hon kom till ön, så burken var nästan full.

Nu plockade hon upp ett litet piller med fingrarna. Hon blundade när hon stoppade in det i munnen. Det fanns inget vatten, men det gick att svälja utan problem.

En kvart senare kändes det ingenting, tyckte hon, och tog ett piller till. Och sedan två stycken på samma gång.

Efter fjorton piller fick det vara nog – hon ville ju inte ta livet av sig. Hon ville bara slappna av och träffa älvorna. Och de var nog på väg, för ett vitt dis hade kommit smygande bakom buskarna.

Hon satte tillbaka locket och stoppade ner burken i jackan igen.

Klockan var tio i fyra. Hon hade suttit här vid stenen nästan hela dagen, snart skulle det vara kväll.

Vendela lutade sig bakåt och kände pulsen slå allt saktare.

Hon mindes plötsligt att det var valborgsmässoafton. De onda makterna hade lämnat alvaret, för tillfället. Men älvorna var kvar.

Den vita dimman sänkte sig snabbt omkring henne. Den dämpade solskenet, men plötsligt såg hon en liten gestalt komma ut mellan enbuskarna.

Det var en ung pojke. Han gick över gräset mellan hängande dim-slöjor, och Vendela visste var han kom från.

Pojken stannade framför en enbuske och tittade på henne. Vendela log och sträckte ut händerna, för nu kände hon igen honom.

»Kom, Jan-Erik.«

Pojken tvekade en kort stund, sedan kom han fram till henne.

Han ställde sig vid stenen och la sina svala händer på hennes axlar. Vendela slöt ögonen och slappnade av.

När hon tittade upp igen hade en ljus och varm port öppnat sig i gräset framför henne. Inga fåglar syntes, men hon hörde deras ekande sång under himlen.

Hon reste sig upp och gick in i porten, hand i hand med Jan-Erik.

Hon såg inte bakåt. När den sista dimman försvunnit var det gula solskenet tillbaka igen, och allt det grå och jordiska var borta.

65

»Mörner!« ropade en röst vid stenbrottet.

Per vred på huvudet och såg att det var Max Larsson. Han måste just ha kommit ut ur sin villa, för ytterdörren stod på vid gavel. Nu gick han nerför trädgårdsgången med långa kliv och vinkade ut mot grusvägen.

Per hejdade sig, trots att han egentligen bara ville gå hem till sin egen stuga. Han kände fortfarande av ölet som han hade druckit hos Kurdins och hoppades att han inte skulle svaja.

»Var är min fru?« frågade Max Larsson.

Han hade stannat bara någon meter bort.

»Din fru?«

»Vendela. Har du sett henne?«

Per skakade på huvudet.

»Inte i dag.«

Han brydde sig inte om Max Larsson, han hade viktigare saker att tänka på. Men Max tittade länge på honom, som om han vägde svaret på en inre våg.

»Ni har umgåtts«, sa han. »Eller hur?«

»Visst«, sa Per. »Jag träffade henne i går.«

Han tänkte inte berätta vad de pratat om, eller vad de gjort. Det fick Vendela berätta i så fall.

Max Larsson fortsatte att titta på honom, men nu såg han mer osäker ut.

»Hon måste ha gått någonstans«, sa han och såg sig omkring. »Jag har försökt ringa från stan, men hon svarar inte. Mobilen låg på köksbordet.«

»Hon kanske är och handlar«, sa Per.

»Det kan hon inte«, sa Larsson. »Hon har ingen bil.«

Per tog ett steg framåt på vägen.

»Hon kanske bara tog en promenad«, sa han. »Jag ska hålla utkik.«

»Bra«, sa Larsson. »Jag ska köra omkring längs kusten ... leta efter henne.« Och sedan tillade han, med viss tvekan: »Tack för hjälpen.«

Per nickade och lämnade honom. Han kände sig ganska nykter nu. Ölet hade slutat verka, och misstanken att Kurdins stoppat någon drog i det verkade plötsligt löjlig. Han var paranoid – det var Jerrys fel. Jerry hade känt sig förföljd av folk i åratal och tydligen lyckats smitta sin son.

Han ökade takten mot sin tomma stuga och tog upp husnyckeln. När han kommit in tände han i de flesta rum för att få bort skuggorna därinne.

Klockan var kvart över fyra. Det var arton timmar kvar till Nillas operation.

Per drog efter andan och satte sig vid köksbordet för att ringa henne.

»Hej, det är pappa.«

»Hej.«

Hon lät dämpad men lugn. Per hörde musik spela i bakgrunden. Nirvana, antagligen.

»Hur mår du?« sa han.

»Bra.«

»Vad gör du?«

»Läser«, sa hon. »Och väntar.«

»Jag vet. Det ska bli skönt när allt är klart, eller hur?«

»Jo.«

De pratade i en kvart, och efter en stund verkade Nilla må lite bättre. Per blev också lugnare. Marika var på sjukhuset, fick han veta, hon hade varit där hela dagen.

»Jag kommer till dig i kväll«, sa han.

»När då?«

»Snart ... om några timmar.«

»Jag kanske sover då.« Nilla skrattade trött i luren. »De ska väcka mig tidigt i morgon … jag måste tvätta mig med sprit. Desincera hela kroppen.«

Desinficera, tänkte Per, men han rättade henne inte.

»Vi ses snart«, sa han.

När han lagt på luren och gått bort till spisen för att laga middag såg han något svart som sakta kom krypande över plastgolvet. Det var en stor spyfluga. Vårens första – i alla fall den första han sett. Den verkade nyss ha vaknat upp för den rörde sig långsamt och slött över golvet.

Per kunde ha slagit ihjäl den hur lätt som helst, och just därför skyfflade han upp den på en bit papper och släppte ut den genom köksfönstret. Den fick fart på vingarna och försvann ut över stenbrottet, utan att tacka.

Efter middagen satt han kvar i köket, hörde klockans tickande och tänkte på Vendela Larsson.

Var fanns hon?

Han visste förstås vart Vendela kunde ha tagit vägen – tillbaka till sin barndom. Hon kunde ha sprungit bort till den lilla bondgården, eller ut till det stora flyttblocket på alvaret. Max Larsson kanske letade där, om han nu kände till de platserna. Gjorde han det?

Han prövade att ringa Larssons villa, men fick inget svar.

Klockan var kvart över fem nu. Innan han körde in till Kalmar kunde han ju alltid själv ta en titt borta vid bondgården, när det fortfarande var ljust. Löpning fick honom alltid att må bättre.

Han reste sig, tog på sig joggingskorna och en jacka och klev ut genom dörren. Luften var frisk och kall, den fick honom att känna sig spik nykter. Och det var han väl?

Han såg mot söder, mot Larssons villa. Den stora Audin var borta nu och det var släckt i fönstren.

Det lyste borta hos Kurdins, men Per ville inte tänka på den familjen nu.

Ett avlägset smattrande ljud hördes, som pistolskott. Några barn brände av smällare nere vid stranden.

Per sprang inte, men satte fart med långa steg på vägen, mot nordost.

Först vandrade han på vägen som ledde bort från kusten, sedan längs en mindre grusväg och till slut var han framme vid bondgården.

Gräsmattan var ännu grönare nu och fick hela gården att likna en svensk sommaridyll, men när han gick uppför trädgårdsgången såg han spåren av stengrunden till vänster. Nu visste han varför Vendela hade stannat till och tittat på den när hon visat runt honom på gården. Den där rektangeln i marken var resterna av lagården som brunnit ner.

Gräset var lite kortare och gulare där, eller också var det bara inbillning.

Mordbrännare jobbar nästan alltid hemma.

Per tänkte på Hans Bremer, som hade tyckt om pyroteknik och ihop med Jerry var den som bäst kände till filmstudion utanför Ryd. Om någon hade haft tid och möjlighet att rigga brandbomber i villan så var det Bremer. Men Bremer hade varit bakbunden, enligt polisen. Och han hade dött i branden – även om Jerry ändå hade fortsatt prata om sin kompanjon som om han levde. Bremer hade ringt honom, påstod Jerry, och Bremer hade suttit i bilen som kört på honom i Kalmar.

Per hade inte tagit det på allvar, hans far var ju sjuk och förvirrad. Men hur säkert var det egentligen att det var Hans Bremers kropp som hade hittats i den nerbrunna villan?

Helt säkert – det måste det vara. Hans syster hade bekräftat det, och polisen gjorde knappast några misstag. De hade tandkort, fingeravtryck och DNA-spår nuförtiden.

Han fortsatte fram till boningshuset och knackade på. Familjen som ägde gården var hemma, visade det sig. Kvinnan som öppnade mindes Vendela:

»Jo, hon var här för några veckor sedan ... hon hade bott här som liten, sa hon. Men det är enda gången vi har träffat henne.«

Per nickade och gick vidare, över en mossklädd stenmur och ut på alvaret. Det hade torkat helt nu; marken var täckt av alla de tåliga små örter och blommor som kunde slå rot i den tunna jorden.

Våren hade tagit över ön, utan att han hade märkt det.

Trots det torra vädret såg han inte en enda vandrare därute – de hade väl gått hem för att fira valborg. Allt som hördes var vindens svaga sus och avlägsna kvittranden. En törnsångare, kanske, eller en svarthätta? Per var dålig på fågelsång.

Han ökade farten. Det fanns ingen att fråga om vägen och han kunde bara hoppas att han sprang i rätt riktning, mot älvornas stora sten.

66

P ER TRODDE ATT HAN var någonstans mitt på den smala ön nu. Han hade gått med långa kliv på stigarna mellan snåren någon kilometer, sedan hade han tagit sikte på en samling träd borta vid horisonten och börjat springa.

Efter tio minuters löpning var han varm och andfådd. Inga stenblock syntes till, men när han vred blicken mot norr såg han en grupp enbuskar som verkade bekanta. De stod några hundra meter bort i en cirkelformad klunga, och han vek av mot dem.

När han kom dit skymtade han toppen på ett stort klippblock, och kände igen den kantiga formen. Han var framme vid platsen som Vendela hade visat för honom.

Solen hade kommit fram bland molnen och blivit en kvällssol borta i väster. Den fick buskarnas skuggor att sträcka ut sig som långa svarta band över gräset. Han klev in genom snåren och stannade.

Klippblocket höjde sig i gläntan framför honom, och i gräset bredvid det stod någon. En smal gestalt som inte nådde upp till stenen.

Det var en pojke, klädd i jeans och blå jacka. Han vred på huvudet och verkade småle bort mot Per.

Per tittade tillbaka och blinkade flera gånger – men pojken var ingen synvilla, han fanns kvar och nu såg Per att han höll en liten trälåda i handen. Han var kanske nio eller tio år gammal.

»Hej«, sa Per.

Pojken sa inget. Per tog ett steg framåt.

»Vad heter du?«

Pojken svarade inte på det heller.

»Vad gör du här?«

Pojken öppnade munnen och såg åt sidan.

»Jag bor därborta.«

Han pekade någonstans bakom sig, mot nordost. Per såg inga hus där – han såg inga spår av människor alls – men om det fanns några gårdar skymdes de nog av träden.

»Är du ensam här?«

Pojken skakade på huvudet och tog ett steg bort från klippblocket.

»Jag har lagt henne på sidan«, sa han. »Man ska göra det.«

Det var då Per upptäckte Vendela.

Hon låg med slutna ögon bakom pojken, halvt skymd av stenblocket och med händerna knäppta framför ansiktet. Hon hade mössa och en stor bullig täckjacka på sig – det såg ut som om hon bara vilade sig.

Per gick snabbt fram och böjde sig över henne i gräset.

»Vendela?«

När han skakade hennes axlar insåg han att hon inte sov. Hon var medvetslös, och det fanns blänkande matrester i gräset och kom en sur dunst från hennes öppna mun – hon hade kräkts.

»Vendela?«

Inget svar.

Pojken stod kvar ett par meter bort och tittade intresserat på Pers upplivningsförsök. De fungerade inte.

Han reste sig upp. Han hade mobilen med sig i träningsjackan, men en ambulans skulle aldrig hitta ut hit. Han såg på pojken.

»Vi måste hjälpa Vendela … hon är sjuk«, sa han. »Vet du om det finns en väg i närheten?«

Pojken nickade och vände om. Per böjde sig fram, fick in armarna under Vendelas böjda rygg och lyfte upp henne. Hennes kropp var slapp och tunn, han kunde bära henne.

De lämnade stenen och gick tysta mot öster, med solen i ryggen. Pojken bar fortfarande på sin trälåda, men efter femtio meter stannade han vid en utvald enbuske och gömde den under de nedersta grenarna.

»Här är mitt gömställe«, sa han.

Per nickade och såg att det låg några tidningar inne bland buskarna också. Bara serietidningar, tack och lov.

»Kom«, sa Per.

Hans armar hade börjat värka nu och han fortsatte gå med Vendela i famnen för att inte tappa tempot. Pojken kom ifatt honom och ledde vägen österut genom snåren.

Efter några hundra meter började Per höra ett susande. Han kände igen ljudet av en bil som for förbi och insåg att de var nära landsvägen – mycket närmare än han hade trott.

När träden och snåren glesnade såg han ett par billyktor flimra förbi bara femtio meter bort. Han stapplade fram med Vendela i famnen nu och visste inte hur länge han skulle orka bära henne.

»Vendela?«

Hon andades fortfarande och slog upp ögonen några sekunder, men verkade inte känna igen honom. Per fick bara ett mumlande till svar, sedan var hon borta igen.

Han tog ett bättre grepp om kroppen och bar henne den sista biten fram till landsvägen.

Den var tom på bilar, men det fanns en busshållplats ett hundratal meter bort. Han tog sig dit och la henne på träbänken i väntkuren.

Så tog han upp sin mobil och ringde larmcentralen, och berättade vad som hänt. När han avslutat samtalet och tittade upp var han ensam med Vendela.

Pojken var borta.

Det tog en halvtimme för ambulansen att komma till hållplatsen, och under tiden försökte Per värma och väcka Vendela. Han svepte sin jacka om henne, och när den gula ambulansen till slut svängde in vid hållplatsen hade hon öppnat ögonen och hållit dem öppna i flera minuter, innan hon slöt dem igen. Hon andades svagt men stabilt i kvällskylan.

Sjukvårdarna kom fram med sina akutväskor och böjde sig över Vendela, drog av henne täckjackan och mätte blodtrycket. Per tog ett steg bakåt.

»Vi tar henne till Kalmar«, sa en av dem.

Vendela hade blivit patient, insåg Per, precis som Nilla.

»Klarar hon sig nu?«

»Det gör hon säkert. Är du hennes man?«

»Nej ... bara en vän. Men jag ska försöka få tag på honom.«

Tio minuter senare körde ambulansen iväg mot bron till fastlandet och Per andades ut.

Han tog med sig Vendelas täckjacka när han gick tillbaka, först längs grusvägen och sedan in på stigen som ledde ut på alvaret.

Vid slutet av stigen väntade pojken på honom. Han hade dragit fram sin trälåda ur buskarna och satt sig på den.

Per stannade till vid enbuskarna.

»Ambulansen har åkt nu ... Tack för hjälpen.«

Pojken svarade inte. Det var nästan skymning på alvaret, så Per fortsatte:

»Hittar du hem nu?«

Pojken nickade.

»Bra.« Per skulle just gå vidare när han kom på en sak, och frågade:
»Vad använder du den där lådan till?«

Pojken var tyst. Han verkade tänka efter, och sedan bestämma sig för att det gick att lita på Per.

»Jag ska visa.«

Han ställde sig upp och lyfte på trälådan.

Den saknade botten, och gömd i gräset under den låg en gammal rostig kakburk. Pojken drog loss plåtlocket och visade Per vad den innehöll.

»Jag måste ha lådan för att komma upp på stenen«, sa han. »Det ligger nästan alltid nya saker däruppe.«

Per såg att burken var halvfull av mynt och små silversmycken.

Överst låg en blänkande vigselring.

67

PÅ VALBORGSKVÄLLEN SATT Gerlof i sin trädgård, med en filt över benen. Han tyckte att han hörde avlägsna sirener från landsvägen. Ambulans, brandbil eller polisbil?

Förmodligen en ambulans. Någon uppe på Marnäshemmet som hade fått en hjärtattack, kanske? Han skulle väl få läsa om det i tidningen, förr eller senare.

Han hade gått tillbaka till sin stol ute på gräsmattan efter middagen, och ville inte gå in. Det var ju valborg, vårens höjdpunkt, kvällen när Sveriges alla studenter gick ut för att hälsa maj månad välkommen. Då kunde man inte sitta inne.

Himlen började mörkna och en bris drog genom trädkronorna ovanför honom. Småfåglarna som satt runt trädgården tystnade, en efter en. När solen gått ner skulle kvällen bli kall, kanske med frost under natten. Det var inget väder att sitta utomhus i egentligen, han skulle gå in snart och titta på tevenyheterna.

Gerlof vägrade fundera över gåtor och mysterier mer, det hade han sagt till Per Mörner, men tankarna kom ändå. Han var obotligt fixerad vid dem sedan barndomen, och nu satt han här med dagboken och funderade över Ellas troll, som måste varit Henry Fors son.

Men vart hade han tagit vägen? Han hade sprungit norrut mot vattnet den sista kvällen som Ella såg honom, men vad hade hänt när han nått fram till Henry vid kanten av stenbrottet?

Ett bråk, följt av ett dråp? Eller en olycka? I vilket fall – om pojken var död låg han förmodligen begravd under någon av högarna med skrotsten.

Hade Gerlofs ben varit friska och tio år yngre skulle han ha rest sig ur stolen i den här stunden och gått raka vägen till stenbrottet för att leta. Men hans kropp var för gammal och stel, och helt säker på att Henry hade gömt sin sons kropp därborta var han ju inte.

Och var under all skrotsten skulle han leta?

Gerlof insåg plötsligt att han inte var fixerad vid sin egen död längre – han hade nog inte tänkt på sitt kommande frånfälle sedan påsk. Han hade varit för upptagen. På det sättet hade Ellas dagböcker hjälpt honom. Eller kanske var det de nya grannarna och deras problem som hade fått honom att glömma sina egna?

Han huttrade till i stolen, trots filten. Det hade blivit kallare ute i trädgården, nu när kvällen började närma sig. Han reste sig.

Utifrån byvägen kom motorljud. Fler och fler bilar hade kört förbi därute de senaste veckorna, de flesta med alldeles för hög fart på den smala vägen – men det här lät som en bil som rullade fram långsamt. Han hörde hur den bromsade in och stannade. Men motorn slogs inte av, märkligt nog.

Gerlof väntade på att få se en besökare vid grinden, men ingen dök upp.

Han väntade några minuter till, sedan tog han stöd av käppen och gick sakta bort mot motorbullret. Det kändes lite vingligt på gräsmattan, men han höll sig på benen.

När han kom fram till grinden stod en personbil ute på vägen, en man i svart keps satt bakom ratten med något i handen.

Gerlof kände inte igen honom. En tidig turist? Han tog tag i grindstolpen och blev stående bara några meter från vägen, men mannen verkade inte se honom, så till slut satte Gerlof händerna runt munnen:

»Behöver du hjälp?«

Hans rop var inte högt, men mannen vred ändå på huvudet och fick syn på honom. Han såg överraskad ut, nästan ertappad.

Gerlof såg plötsligt att det som mannen höll i handen var en plastflaska. En literflaska med rött innehåll, som han blandade med en vätska från en mindre glasbehållare. Någon sorts trådar var fästa vid flaskan.

»Är du vilse?« ropade han.

Bilisten skakade kort på huvudet. Sedan ställde han ner flaskan och tog tag i ratten med vänsterhanden. Gerlof såg hur det blänkte till på hans handled.

Mannen la snabbt i en växel med den högra. Bilen rullade iväg.

Gerlof stod kvar och såg den försvinna mot havet. Den saktade ner vid kustvägen och svängde till höger, norrut mot stenbrottet.

Han släppte grindstolpen, stödde sig på käppen och lyckades vända sig om i gräset utan att falla. Så gick han tillbaka mot vilstolen, men stannade några meter bort och funderade på vad mannen i bilen hade haft för sig.

Det han just hade sett kändes inte bra. Det var faktiskt så illa att kvällen hade känts ännu kallare när Gerlof såg mannen med flaskan.

Han började gå igen, men nu vek han av mot stugan. Han tog sig uppför trappan med hjälp av järnräcket och in i vardagsrummet. Numret bort till Ernsts stuga fanns kvar i huvudet, och han slog det med ett darrande pekfinger.

Tolv signaler gick fram, men varken Per Mörner eller någon annan svarade.

Gerlof la på luren. Han blinkade och bedömde läget.

Åttiotre år gammal, med reumatism och dålig hörsel. Och de första fjärilarna han sett det här året hade varit en gul och en svart.

Det kunde gå bra, eller riktigt illa.

Gerlof visste inte om han skulle orka, men han var tvungen att ta sig bort till stenbrottet och se efter om Per behövde hjälp.

68

NÄR PER VANDRADE TILLBAKA mot kusten var skuggorna över alvaret ännu längre än förut. Solen hängde framför honom som en guldskiva, i ett smalt blått fält mellan molnen och horisonten.

Han var mycket trött. Det sista han hade gjort ute vid vägen var att ringa till Max Larsson och berätta att han hade hittat Vendela medvetslös ute på alvaret, att hon vaknat upp och var på väg till Kalmar. Efter det hade han börjat gå västerut, tillbaka hem.

Det var mindre än fjorton timmar kvar.

Han kom att tänka på det när han var tillbaka vid platsen där han hade stött på Vendela och pojken som vakat bredvid henne – tillbaka vid den täta dungen med enbuskar och det stora blocket i mitten.

Älvornas sten.

Han hade dröjt sig kvar. Här hade han och Vendela suttit några kvällar tidigare och avslöjat hemligheter för varandra. Han hade berättat saker om sig själv och sin far som han inte sagt till någon, och hon hade berättat att det var hon och inte Max som skrev det mesta av hans böcker.

En torped, hade Per kallat Max då, men nu insåg han att det faktiskt var fel ord. Torpeder var lejda våldsmän i gangstervärlden, men den som diskret ställde upp och lånade ut sitt namn till någon annan brukade kallas för målvakt.

Max har inget emot att vara känd, men det har jag, hade Vendela sagt. *Jag tycker inte om att synas.*

Per hade blivit stående vid stenen några minuter och tittat på de tomma groparna på ovansidan. Så hade han tagit upp plånboken och lagt ner en sedel i en av dem, och några mynt ovanpå den.

Det var önsketänkande.

Han visste vad han höll på med, men kunde inte undvika att se Nillas ansikte i huvudet när han släppte ner mynten. Han kunde inte hjälpa att han önskade sig saker när han stod här vid stenen – att han offrade pengar och bad om ett mirakel.

Det prasslade till någonstans i snåren.

Han såg sig om, plötsligt rädd för att vara iakttagen. Och det var han. Ett rödbrunt spetsigt ansikte stirrade på honom vid en buske. Först trodde han att det var en hund med stora öron, innan han såg att det var en räv. Den stod blickstilla några sekunder, sedan snodde den runt i gräset och var försvunnen.

Per började gå igen, bort från stenen.

Solen hade nästan gått ner när han var tillbaka i Stenvik. En bris blåste från havet och han hörde avlägsna ljud från södra delen av byn. Skratt och glada rop. Folk hade börjat samlas nere vid stranden för att tända elden och fira valborg.

Själv var han för trött för att gå dit. Han gick uppför grusgången till stugan, tog fram nycklarna och låste upp. Doften av Vendela fanns kvar i hennes täckjacka när han hängde in den i hallen. Ute i köket satte han på vatten till en grönsakssoppa, innan han skulle köra in till Nilla.

Lappen från Hans Bremers kök låg kvar vid telefonen, och samtidigt som han hackade morötter slängde han en blick på den. Han tittade på det sista namnet: Daniele, vars rätta namn alltså hade varit Jessika Björk.

Jessika och Hans Bremer hade haft kontakt med varandra, trots att hon inte jobbat för honom på många år. Varför då? Och varför hade någon mördat dem?

Vattnet kokade. Han rörde ner buljongen, kryddorna och grönsakerna och när soppan var klar åt han den vid köksbordet och fortsatte fundera.

Mordbrännare jobbar nästan alltid hemma, hade Gerlof sagt.

Jerry och Bremer kände till studion i Ryd bättre än någon annan. Men ingen av dem kunde ha riggat och löst ut brandbomberna därinne. Jerry var för gammal och sjuk, och Bremer hade legat bakbunden på övervåningen.

Per ställde undan sopptallriken och tittade mot fönstret. Solen hade gått ner nu, men ett skarpt ljussken föll plötsligt över stugan.

Det var en mörk bil som kom körande längs kustvägen.

En personbil. Var det en Ford?

Han sträckte sig efter telefonen, samtidigt som bilen bromsade in och svängde ner bland skuggorna i stenbrottet.

Med tända lyktor rullade den långsamt nerför vägen och stannade på grusplanen. Sedan stod den kvar därnere.

Per lyfte luren och slog ett nummer till fastlandet. En mansröst svarade:

»Ulf.«

»Jag söker Ulrica«, sa Per.

»Vad heter du då?«

»Per Mörner.«

»Jag ska kolla ...«, sa mannen.

Det rasslade i luren, och samtidigt såg han bildörren öppnas nere i stenbrottet. Så hörde han Ulrica Ternmans röst i örat:

»Hallå?«

»Hallå, det här är Per Mörner igen. Minns du mig?«

Luren var tyst, innan han fick ett lågt svar:

»Jag vill inte prata med dig mer.«

»Jag vet det«, sa Per snabbt, »men jag har bara en kort fråga.«

»Om vadå?« sa Ulrica Ternman, fortfarande lågt.

»Jag undrar bara, hur såg Hans Bremer ut?«

»Bremer? Han såg väl ... ganska vanlig ut. Han var lite lik dig.«

»Jaså? Men var han äldre än jag?«

»Yngre.«

»Mycket yngre?«

»Jag tyckte han var gammal då, men jag var ju tonåring ... Han var nog runt trettio.«

»Trettio?«

Nu gick föraren ut ur bilen, såg Per. Ansiktet syntes inte, det var för långt bort och han hade keps på sig. Mannen såg sig omkring i stenbrottet, tittade bort mot husen och klev sedan tillbaka in i bilen. Han verkade vänta på något.

»Om Hans Bremer var trettio när du såg honom i studion«, fortsatte Per, »så var han runt fyrtiofem när han dog i villabranden. Men det kan inte stämma. Hans Bremer hade en lillasyster, och hon var äldre än jag.«

»Jaha? Men jag måste sluta nu.«

»Vänta, Ulrica ... jag vill bara säga en sak, något jag har kommit på: Regissören som tog bilder på dig och dina kompisar var *inte* Hans Bremer.«

»Han sa att han hette det.«

»Jo«, sa Per. »Men om det är en sak jag har fått lära mig den senaste tiden så är det att *ingen* i sexbranschen använder sitt riktiga namn. Alla vill vara anonyma, eller hur? Till och med min far bytte namn, från Gerhard Mörner till Jerry Morner.«

Ternman var tyst, så han fortsatte:

»Hans Bremer var bara en 'målvakt', som det heter ... någon hade lånat hans namn, betalat honom pengar för att kunna kalla sig Hans Bremer, för att slippa smutsa ner sitt eget namn.«

»Så jag är smutsig, menar du?« sa Ulrica Ternman.

»Nej, jag menar inte så ...«

Men hon hade redan lagt på luren.

Per suckade och tittade på telefonen, men ringde inte upp igen.

Han tittade ner mot bilen i stenbrottet en sista gång. Sedan lämnade han köket.

På väg ut i hallen såg han den gamla yxan ligga inne i sovrummet, och hämtade den. Så tog han på sig jackan och gick tillbaka ut i kylan. Han gick längs stugan med yxan i högerhanden – men plötsligt tyckte han att han hörde väsande andetag någonstans i skuggorna.

Jerry?

Han vred snabbt på huvudet, men det var förstås inbillning. Ingen människa syntes vid stugan.

Bilen var kvar nere i stenbrottet. Den stod sjuttio eller åttio meter bort på grusplanen, mellan ett par stenhögar. Det var en Ford, men om det var samma bil som kört ihjäl Jerry så fanns inga spår av den krocken. Karossen såg nytvättad ut.

Per trodde att han förstod varför föraren satt kvar i bilen; han väntade på att det skulle bli helt mörkt i stenbrottet.

På natten kommer trollen fram, tänkte han.

Han ställde sig på klippkanten och hörde hur bilmotorn stängdes av. Allt blev tyst mellan klipporna, sedan vevades vindrutan ner och föraren stack ut sitt huvud.

»Hallå?« ropade han.

»Hallå«, sa Per.

»Är det här Stenvik?«

Rösten lät vilsen.

»Det stämmer!« svarade Per, och höll hårdare om yxan.

Förardörren öppnades igen, och mannen klev ut i gruset.

»Per Mörner?« ropade mannen. »Är det möjligen du?«

»Ja, det är jag. Vem är du?«

»Thomas Fall från Malmö!« svarade mannen. Han sträckte fram något stort som han bar i händerna. »Jag skulle bara lämna den där väskan på vägen till Stockholm, du ville ju ha den …«

Per nickade.

»Just det, jättebra.« Han fortsatte: »Men du körde lite fel, Thomas.«

»Jaså? Du sa att det var vid stenbrottet!«

»Det var rätt tänkt, men fel väg.« Per pekade över axeln, mot huset. »Vi bor ovanför stenbrottet, däruppe.«

»Okej … Men här är den i alla fall, Bremers väska!«

Per pekade mot trappan vid klippkanten och ropade:

»Jag kommer ner!«

Han gick försiktigt nerför de rangliga stenblocken och klev ner i gruset. Det var några grader kallare här i stenbrottet, som vanligt.

Bilen stod kvar på mitten av grusplanen, med strålkastarna fortfarande påslagna. De bländade Per och förvandlade Thomas Fall till en svart gestalt i keps som kom gående mot honom över gruset, med en portfölj i vänsterhanden och en nyckelknippa i den högra.

Nyckelknippan rasslade lite nervöst, men det var portföljen han höll fram.

»Här är den.«

Per tittade på Fall och höll hårt i yxskaftet.

»Ställ ner den.«

»Va?«

»Du kan ställa ner den framför dig.«

Fall såg på honom.

»Vad har du i handen?« frågade han.

»En yxa.«

Thomas Fall tog två steg närmare honom, men släppte inte portföljen. Inte nyckelknippan heller.

»Är nycklarna också Bremers?« frågade Per.

Fall svarade inte, han hade stannat tio eller tolv steg bort. Hans ansikte syntes fortfarande inte tydligt. Per pekade på portföljen och fortsatte prata:

»Jag tror inte att den där är Bremers. Jag tror att det är din egen … men det är väl samma sak. Du var ju Hans Bremer, eller hur? Du lånade hans namn när du jobbade med min far.«

Fall verkade lyssna, han rörde sig inte.

»Jag tror att Jessika Björk avslöjade dig. Hon hade nog letat reda på Hans Bremers lägenhet för att prata med honom om sin vän Daniel, som blivit hiv-smittad när han filmade under namnet Markus Lukas. Men när Bremer öppnade kände hon inte igen honom. Hon såg en annan Bremer än den hon hade filmat med.«

Fall sa ingenting, så Per fortsatte:

»Så Bremer erkände för Jessika att han bara var målvakt, som det heter. Någon annan hade använt hans namn och börjat jobba i porrbranschen … ända tills Markus Lukas blev sjuk, och Jessika Björk dök upp och ville ha pengar för att hålla tyst. Då var det dags att bränna ner studion, så att 'Bremer' kunde försvinna och bli Thomas Fall igen.«

Fall var tyst några sekunder. Sedan drog han upp spännena på portföljen. Och så svarade han med låg röst:

»Jo. Jag jobbade i flera år för din far. Och jag tömde hans konton när han hade fått sin stroke ... Men jag hade rätt till det.« Han såg upp på Per. »Han var min far också ... Vi är bröder, du och jag.«

Per blinkade och sänkte yxan.

»Bröder?«

Han tittade på Fall, som långsamt hade sträckt ner handen i portföljen.

»Visst, halvbröder. Jerry var bara ihop med min mor en sommar i slutet på femtiotalet, men det räckte ... Han kände aldrig igen mig och jag sa inget heller, men han var nog mer nöjd med mig än med dig, Per. Han visste inte att jag hatade honom.«

Per lyssnade bara, han tittade på Thomas Fall och försökte se hans ansikte under kepsen. Var de lika?

Då kom attacken.

Det gick fort. I det bländande skenet från billyktorna kunde Per inte riktigt se vad Fall gjorde, bara att han öppnade portföljen och vred om något med handen.

Plötsligt fräste det till i väskan, och Fall slängde iväg den mot Per.

Väskan snurrade och började läcka gula lågor. Den spred eld omkring sig. Per klev bakåt men var inte snabb nog. Det var en vätska som rann ur portföljen, den klibbade sig fast vid hans arm, och nu brann det för fullt. Ljuset var hett, smärtsamt hett.

Hans vänstra arm brann, och handen också. En klar vit eld, men trots att han kände hettan gjorde den inte ont.

Per släppte yxan och stapplade bakåt, samtidigt som han hörde springande steg genom gruset och en dörr som small igen. Bilmotorn startade.

Vätskan som stänkt över gruset sprack sönder i stora röda armar som sträckte sig efter honom, men han vred sig runt och bort från dem, och de fick inte tag i honom.

Thomas Fall trampade på gasen borta i bilen, och Per försökte förtvivlat släcka den klibbiga elden på sin hud.

Det fanns inget vatten i stenbrottet längre – bara torr sten – så han föll framåt på marken, rullade runt och försökte kväva lågorna. Med högerhanden grävde han i det kalla gruset för att skyffla upp det över armen, över den gula elden som fladdrade över hans jack-ärm. Men den fortsatte brinna, den åt sig in i tyget och fortsatte inåt.

Sedan kom smärtan.

Svimma inte, tänkte han. Men armen bultade och han kände värmen och stanken från den; en skarp lukt av bränd hud. Tunna mörka lakan tycktes sänka sig genom luften omkring honom. Ändå fortsatte han att skyffla upp grus över armen, och till slut var både elden och glöden släckt.

Plötsligt märkte han att motorljuden lät mycket högre, de var helt nära honom.

Per tittade upp, men hann bara se att Falls bil var på väg emot honom, han reste sig och rörde sig åt sidan – allt gick för långsamt. Han kom inte undan.

Fordens högerfront lyfte upp honom. Ansiktet mötte framrutan och han hörde dunsen och kände krasandet.

Så landade han på marken med utsträckta ben, vid sidan av bilen. Vänsterfoten och bröstkorgen tog den värsta stöten mot stenhällen, men huvudet fick en ny smäll och han domnade bort i ett tyst mörker några sekunder.

Sedan var han vaken igen, hopkrupen på den hårda stenen. Han reste sig sakta upp på knä och kände den kalla vinden mot kroppen, men också strömmar av värme över ansiktet. Det var rinnande blod. Ett spräckt ögonbryn, eller kanske näsan som krossats.

Bilen backade bakåt i mörkret och han hörde en dörr slå igen.

Steg rasslade emot honom i gruset. Det var Thomas Fall som kom gående, som stannade och lyfte något framför sig. När Per tittade upp såg han det var en bensindunk.

Överraskningen är att det inte är någon överraskning.

Det gick inte att röra sig. Han satt på knä med brutna revben och var förvånad över hur ljummen bensinen var som hälldes över honom. Jämfört med den kalla kvällsluften var vätskan nästan varm, och den sved och brände när den rann över såren i hans ansikte.

Det kluckade lugnt och rytmiskt när plastdunken tömdes. Sedan slutade det klucka, och den tomma dunken kastades åt sidan.

Nu satt han med våta kläder mitt i en stor pöl. Han var yr av slagen mot huvudet, och bensinångorna gjorde världen suddig.

Han stödde sig på händerna och försökte lyfta knäna från stenhällen. Men det var svårt att fokusera blicken, och Thomas Fall var bara en skugga mot den mörkröda kvällshimlen.

Som ett troll, tänkte Per. Hans halvbror såg precis ut som ett troll.

»Valborg«, sa Fall. »I kväll tänds eldar överallt här på ön.«

Sedan tog han fram något ur jackfickan, ett litet föremål som rasslade svagt.

Det var en tändsticksask.

Per kom plötsligt på något som han kunde göra – han kunde be om nåd. Bröder emellan.

Och för Nillas skull också. Hur många timmar var det kvar nu?

Han öppnade munnen.

»Jag ska vara tyst«, viskade han.

Hans halvbror svarade inte. Han öppnade asken och tog upp en tändsticka. Sedan sköt han igen asken, tog stickan mellan fingrarna och drog den längs plånet.

Tändstickan fräste till och brann bara någon meter framför Pers ögon, och i det mörka stenbrottet var skenet så starkt att allt annat försvann.

Han slöt ögonen och väntade.

69

HUR MÅNGA HUNDRA METER var det bort till Per Mörners stuga vid stenbrottet? Sjuhundrafemtio kanske, eller åtta hundra. Gerlof mindes att hans vän Ernst hade haft en vackert putsad reklamskylt vid byvägen med texten STENKONST I KILOMETER, men riktigt så långt var det inte. Han tröstade sig med den tanken, när han väl hade tagit sig oskadd över byvägen.

Inte så långt alls.

Gerlof kände ju till varje centimeter av den här smala och gropiga grusvägen, han hade gått fram och tillbaka på den otaliga gånger för att hälsa på Ernst – men det var sex eller sju år sedan han gått över till stugan senast. Han hade varit i sjuttiofemårsåldern då, så gott som frisk och nästan ung.

Med sina värkande ben och höfter kunde han bara ta korta försiktiga steg över gruset, och det fick vägen att kännas oändlig. Den sträckte sig i en svag sväng längs stenbrottet och långt därborta i fjärran kunde Gerlof se grusplanen framför Ernsts stuga.

Kunde han verkligen gå dit? Han hade tagit sig de första hundra metrarna nu, men kroppen värkte och benen darrade. Enda trösten var att han hade tagit på sig vinterrocken innan han gick, den var väl igenknäppt och värmde ryggen och axlarna.

Gerlof visste inte vad klockan var, men solen var inte långt borta från sundet nu. Den skulle vara försvunnen snart. Vinden hade ökat och fick hans ögon att svida. Han blinkade bort tårar i ögonvrårna och kämpade vidare.

Efter några minuter passerade han den första lyxvillan. Kurdins, så hette den familjen. Inga människor syntes till, men det lyste i ett par av de höga fönstren. Han funderade på att vika av och ringa på hos dem, men bet ihop tänderna och stretade vidare.

Fortfarande gick det bra att hålla balansen med hjälp av käppen. Knäna hade börjat stelna till lite, och benen darrade.

Han var för långt borta från stenbrottet för att kunna se över kanten och få veta om bilen han sett hade kört in på grusplanen därnere. Men han misstänkte starkt att föraren hade varit på väg dit, för att träffa Per Mörner.

Vad kunde Gerlof göra när han kom fram? Vifta med käppen mot bilen och försöka skrämma mannen?

Han visste inte. Han borde kanske ha ringt polisen i stället för att ge sig iväg själv till Per – men allt han hade var ju onda aningar. Det var knappast något som polisen skulle rycka ut med en patrull till norra Öland för.

Nu passerade han den andra nybyggda villan, det var där familjen Larsson hade ordnat grannfesten i påskas. Därborta var det mörkt i alla fönstren.

Han stannade framför Larssons uppfart, hämtade andan och längtade efter sin rullstol. Det var tre hundra meter kvar till Pers stuga, eller kanske fyra hundra.

Ett steg i taget.

Han såg fortfarande inga människor vid stenbrottet. Men borta vid stugan stod den gamla Saaben parkerad. Per var alltså hemma, om han inte var ute på promenad.

En stadig träbänk skulle ha varit bra att sätta sig på nu, men det fanns inte ens en sten här vid grusvägen. Han fick streta på. Vinden susade i hans öron, och kanske något annat också – ljudet av en bilmotor på tomgång?

När han var två hundra meter från Mörners stuga började solskivan försvinna ner i sundet. Ljudlöst åts det gulröda skenet upp av horisonten och lämnade kvar en flammande himmel i väster som sakta började mörkna.

Så snart solen hade försvunnit började natten krypa in över kusten. En gråhet fyllde stenbrottet.

Gerlof ville skynda vidare, men hade knappt några krafter kvar.

Efter hundra meter var han tvungen att stanna igen och vila på sin käpp, och det var då han hörde ett dovt dån.

Det kom från stenbrottet. Han tog ytterligare ett par steg, och såg ett kraftigt sken därnere.

En ny sol lyste upp ett ögonblick i dunklet nere på grusplanen, gulvit och mycket starkare än den första, och ett mullrande eko rullade upp över klippan. Något hade exploderat bland stenhögarna.

Han drog in den kalla luften, och började röra sig så fort han kunde mot klippkanten. En bilmotor gasade. Han hörde någon ropa därnere, och några sekunder senare kom en skarp lukt av brinnande bensin.

70

Per blinkade och väntade på att Thomas Fall skulle kasta tändstickan i den blänkande bensinen. Han skulle bara kunna knäppa iväg den med tummen och pekfingret och sedan ta ett steg bakåt för att beskåda bålet.

Men Fall var mer försiktig än så. Han lutade sig sakta framåt och sänkte tändstickan mot pölen.

Per kunde se hur lågan virvlade till och växte – och så, i sista stund, kom en lite hårdare vindstöt från havet som blåste ut den. En glödande punkt fanns kvar någon sekund, sedan slocknade även den.

Jag borde resa på mig och springa, tänkte Per. *Eller kasta omkull honom. Jag kan ju lite judo, jag borde kasta omkull honom.*

Men han kunde inte resa sig nu, han var för skadad. Armen var svårt bränd och resten av kroppen helt bortdomnad. Han kände ingen smärta i de brutna revbenen, han kände ingenting.

Fall verkade inte irriterad över att lågan hade slocknat, han släppte snabbt stickan och tog upp en ny. Nej, nu tog han tre på en gång, såg Per – han satte ihop dem och strök dem mot plånet.

Det fräsande ljudet hördes på nytt, ännu tydligare. Lågan som tändes var tre gånger kraftigare än den förra och brann mycket högre. Vinden skulle inte kunna släcka den.

Per satt på stenhällen med bultande huvud och fortsatte tänka på judo. Han hade suttit så här i träningslokalen i Kalmar, på knä på en tunn mjuk matta, och mindes hur han hade fått träna på att slappna av och fokusera på rörelsen genom rummet. En jämn rörelse – att kasta sig framåt, att rulla åt sidan, att falla bakåt.

Baklänges. Han kunde försöka att falla baklänges.

Nu böjde sig Fall ner mot kanten av bensinpölen, och samtidigt tog Per sats och slängde sig bakåt i en kullerbytta. Han slappnade av i fallet, böjde ryggen och vek huvudet åt sidan och försökte få sin kropp att bli en mjuk båge som rullade bort från lågan och bensinen.

Fall hade släppt tändstickan nu. Ångorna som dallrade strax ovanför marken antändes först, och sedan började hela pölen brinna med ett dovt *Poff!* och ett sken som lyste upp klippväggarna.

Ett kort ögonblick befann sig Per på rygg vid utkanten av eldpölen med skorna pekande mot himlen, sedan fortsatte kullerbyttan och han rullade runt ett helt varv, slog benen i marken och kände en kniv gräva sig in i revbenen.

Men han var borta från elden nu. Han hade rullat bakåt från bensinpölen och hans bensinindränkta kläder var fortfarande bara våta, de brann inte.

Bra, fortsätt så, tänkte han. *Håll dig undan.*

Bröstkorgen värkte och bultade, men han försökte ändå resa sig. Han satte ner högerhanden i gruset och lyckades ta sig upp.

Bakom honom dansade lågorna fortfarande.

Han måste försöka fly, men vart? Han var fångad i en gryta. Omkring honom fanns flera meter höga stenväggar, och mellan honom och grusvägen ut från stenbrottet fanns Thomas Fall och hans bil.

En bred och kantig skugga höjde sig i mörkret utanför eldskenets cirkel, fyrtio eller femtio meter bort. Det var den närmaste högen av skrotsten, insåg Per, där han och Jesper hade hämtat de långa blocken till stentrappan. Den var kanske två meter hög, som en liten rund borg på grusplanen – där skulle han kunna ta skydd.

Haltande började han röra sig bort mot stenhögen.

När han kommit ett tjugotal meter kastade Per en snabb blick bakom sig, men såg inte längre Thomas Fall i eldskenet. Den brinnande bensinen hade börjat falna, men det glödde och pyrde i marken. Röken som bolmade upp spreds av vinden och bildade en grå ridå i mitten av stenbrottet – och någonstans bakom den hördes en motor starta. Strålkastarna svängde runt som om bilen letade efter sitt byte.

Per ökade farten över gruset, och sekunderna innan billjuset nådde honom kastade han sig ner bakom stenarna.

Han klamrade sig fast vid de torra blocken av kalksten och försökte hålla ner huvudet bakom dem.

Strålkastarna svepte förbi stenhögen. Forden verkade svänga runt i cirklar på grusplanen för att försöka hitta Per. Motorn gasade på låg växel och ekade mellan klipporna som ett morrande urtidsmonster.

Han drog in kall luft i lungorna och såg ett svagt ljussken nedåt kusten i söder och förstod först inte vad det var. Men det var förstås en valborgsmässoeld. De brann överallt på ön den här kvällen, och ingen som råkat se lågor flamma upp i stenbrottet skulle bli det minsta misstänksam. Han kunde inte räkna med någon hjälp.

Thomas Fall körde fortfarande runt på grusplanen, i större och större cirklar. Förr eller senare skulle Per bli upptäckt.

Var fanns yxan? Den var försvunnen i mörkret.

Per tittade bort mot klippkanten och stentrappan som ledde upp till hans stuga, till en telefon och Ernsts alla andra verktyg. Hundra meter bort, såg den ut att ligga. Det var inte långt, men det fanns inget att ta skydd bakom på vägen dit.

Strålkastarna svepte plötsligt över honom, och stannade. Motorn gasade, Per insåg att han var upptäckt.

Bilen väntade några sekunder, sedan satte den fart. Den borde bromsa snart, men gasade i stället rakt mot stenhögen. Per klamrade sig fast och försökte ta sig längre upp, men gled med händerna över stenblocken. Hans revben stötte emot något hårt och han bet ihop käkarna.

Fall bromsade i sista stund, men kofångaren på Forden krockade med stenarna strax nedanför Pers ben. Stöten fick hela högen att skaka och det rasslade till runt Per när skrotstenen lossnade och gled ner längs sidorna.

Bilen backade undan ett tiotal meter och han visste att den snart skulle sätta full fart framåt igen.

Han tänkte inte vänta, han hoppade ner från stenarna och började springa. Rakt ut på den öppna planen och bort mot stentrappan.

Nu var han tvungen att strunta i smärtan i bröstkorgen om han ville överleva. Han sträckte ut armarna och linkade fram så fort det gick över marken, men strålkastarna hade honom i sikte. Per såg sin egen skugga växa och dansa fram över marken.

Bilmotorn började gasa bakom honom.

Stentrappan var fortfarande femtio meter bort och Per skulle inte nå den. Han vek av mot den närmaste klippkanten. Den lodräta väggen upp ur stenbrottet var tre eller fyra meter hög här, han skulle inte kunna klättra upp, men om han stod kvar skulle han ha ett visst skydd – Fall skulle knappast våga krascha bilen rakt in i klippväggen.

I skenet från strålkastarna såg han de röda klumparna i klippan. Blodläget.

Han kom fram till stenväggen, tryckte sig mot den och hämtade andan. Bilen gasade fortfarande bakom honom, men verkade tveka.

Så svängde den runt ett halvt varv, svängde upp helt nära klippväggen ett tjugotal meter bort och satte fart mot Per.

Nu var skyddet från väggen borta och han kunde bara fly åt ett håll, bort mot stentrappan.

Per hörde ett rop genom motorbullret. Han tittade upp mitt i språnget.

Någon stod uppe på klippan – en lång och krokig figur som stödde sig på en käpp. Det var gamle Gerlof. Han stod ytterst på kanten och nu lyfte han käppen.

Per fortsatte framåt. Stentrappan var kanske femtio meter bort, och bilen bakom honom hade fått upp farten nu. Han visste inte hur nära den var, men den strök längs klippväggen och Per hade ingenstans att fly.

Han kunde bara fortsätta springa. Ovanför sig såg han någon sorts rörelse i luften, Gerlof verkade vifta, men Per hade inte tid att titta. Hjärtat bultade, bröstet värkte, han skulle kollapsa snart.

Bilen kom rytande och han sträckte sig ut mot trappan, tio meter bort – men när han insåg att han inte skulle nå fram till den tog han två långa kliv och slängde sig åt sidan, ut i mörkret. Han rullade runt och försökte vika in benen under sig.

Sekunden senare svepte Forden förbi honom längs stenväggen, vänsterdäcken missade hans fötter med några få centimeter.

Per blundade och hörde bilen bromsa kraftigt, bara några meter bort. Det rasslade i gruset runt däcken och högersidan skrapade mot klippväggen, sedan hördes en utdragen krasch och ett gnisslande dån. Småsten regnade ner över plåten.

Han öppnade ögonen.

Thomas Fall hade kolliderat med hans stentrappa. En av Fordens framlyktor hade slocknat av krocken, men båda baklyktorna lyste fortfarande mot honom. De liknade två röda ögon i mörkret.

Hela trappan började rasa ihop, såg Per. Kalkstenblocken som han staplat upp svajade några sekunder som långa byggklossar vid klippväggen, sedan föll de ner med hårda smällar över fronten. Motorhuven och framrutan trycktes sönder.

Berget under honom skakade till när de översta blocken dunsade ner mellan honom och bilen. Han blundade igen och väntade tills allt blivit stilla.

Bilens vinande motor hostade och dog, det blev plötsligt helt tyst i stenbrottet.

Per andades ut och öppnade ögonen. Det närmaste stenblocket låg bara någon halvmeter från hans ben.

Långsamt reste han sig och tittade på den krossade bilen.

Taket var intryckt och sidorutorna var spräckta, och han såg ingenting som rörde sig därinne.

71

VINDEN BLÅSTE KALL OCH HÅRD när Per kom upp på klippan. »Jag såg att den inte bromsade«, sa Gerlof. »Den tänkte köra över dig, så jag slängde ner käppen mot den.«

Per torkade blod från de spräckta ögonbrynen och såg på honom i mörkret. De stod stilla bara någon meter ifrån varandra, uppe på klippkanten.

»Träffade du?« sa han.

»Den slog emot vindrutan, tror jag, så den kanske störde honom ... sedan krockade ju bilen med trappan.«

Per nickade tyst och vände sig om för att titta ner i stenbrottet. Baklyktorna och den ena strålkastaren lyste fortfarande. En kaotisk hög av grus och stenblock täckte fronten och skymde förarplatsen.

Från stranden i söder kom ett fladdrande eldsken, och vinden förde med sig svaga ljud av sång och musik och glada skratt.

När trappan rasat hade Per gått fram och försökt lyfta bort stenblocken från bilen, men inte orkat. Det gjorde för ont i revbenen. Efter det hade han sakta gått uppför grusvägen som ledde ut från stenbrottet och sedan hela den långa vägen längs klippkanten, där Gerlof stått kvar och väntat.

Han såg på Per och frågade med låg röst:

»Hur mår du?«

Per försökte känna efter, innan han höll upp sina brända fingrar:

»Bra, bortsett från handen. Jag har nog brutit ett par revben också, och fått blåmärken och skrubbsår. Och kanske en hjärnskakning ... Annars är det bra.«

»Det kunde vara värre.«

»Jo.« Per tittade ner på bilen, vars lyktor verkade lysa svagare nu. »Han hade någon sorts hemmagjord brandbomb, precis som när han brände ner filmstudion. Först skulle han tända eld på mig … sedan försökte han köra ihjäl mig.«

»Det var Hans Bremer«, sa Gerlof.

»Nej, det var inte Bremer … det var mannen som mördade Bremer. Han heter Fall, Thomas Fall. Han bara lånade Bremers namn.«

Per försökte minnas om Thomas Fall hade berättat vad han sysslade med. Var det reklamfoto? Vad det än var, så ville han inte bli förknippad med porr. Pengarna ville han gärna ha, men inte det dåliga ryktet. Och till slut, när Jerry hade blivit sjuk och Markus Lukas hade dött och den riktige Hans Bremer ville ha mer pengar, då var det dags att bränna studion och sticka.

Per såg på Gerlof.

»Och du upptäckte honom.«

»Jag såg honom sitta i bilen ute vid vägen«, sa Gerlof. »Han höll på att hälla någon sorts vätska i en flaska ... och så var det klockorna.«

»Klockorna?«

»Han bar två klockor på armen. En i stål och en i guld, precis som din far. Det var märkligt, tyckte jag ... så jag ville se vart han tog vägen.«

Per andades ut.

»Jag såg honom aldrig tydligt … Var vi lika till utseendet, jag och Thomas Fall?«

»Lika? Hurså?«

»Han sa att vi var halvbröder.«

Per vände ryggen mot stenbrottet, han ville inte titta ner på bilen längre. Han var blodig, smutsig, bränd och sönderslagen och kläderna stank fortfarande av bensin. Det var hans tur att behöva ett sjukhus.

»Vi måste ringa efter hjälp«, sa han. »Vi får gå in.«

Han började sakta gå bort mot sin stuga, ända tills han såg sig om och upptäckte att Gerlof fortfarande stod kvar på kanten av klippan, med hängande huvud. Han mötte Pers blick och blinkade långsamt och förvirrat, och hans röst var mycket svag när han till slut öppnade munnen.

»Jag vet inte om jag orkar utan min käpp. Det känns lite ...«

Gerlof tystnade och svajade till.

Per vände snabbt om. Det gjorde ont i hela bröstet när revbenen skrapade mot varandra, men han tvekade inte.

Han tog tre långa kliv och fick tag i Gerlof innan han föll över kanten.

72

LIVET VAR EN DRÖM FÖR VENDELA, men bara i korta stunder. Mest var det en lång dvala utan bilder och minnen – ibland avbruten av svaga ekande röster som pratade omkring henne och skuggor som lyfte hennes kropp och drog i hennes armar. Hon lät allt hända utan att bry sig, hon bara sov och sov.

Till slut vaknade hon och sträckte ut handen efter Aloysius – men hejdade sig och blinkade. Var var hon?

Hon låg på rygg, nerbäddad i en sjukhussäng, och stirrade upp i ett vitmålat tak. Hon kände inte igen det.

Väggarna i rummet var kala och gulmålade, strimmor av solsken kom in genom persiennerna i ett fönster. Efter några minuter såg hon sig om och förstod att hon var ensam. Ensam i ett sjukrum en solig vårdag. Det verkade vara mitt på dagen och hon hade sovit länge, men var ändå väldigt trött.

»Hallå?« ropade hon.

Ingen svarade.

En genomskinlig liten plastpåse hängde på en stålställning bredvid sängen. En slang löpte ut ur påsen, och när Vendela följde slangen såg hon att den slutade med en nål som gick in i hennes vänstra armveck.

Dropp. Hon fick dropp.

Hon mindes tabletterna. Hon mindes att hon hade gått ut till älvornas sten en sista gång, med sorg och kyla i själen. Hon hade haft pillerburken med sig, hon hade satt sig ner vid stenblocket och öppnat den ...

Hon ville lugna ner sig, men hade nog tagit för många tabletter.

Jag måste ha varit väldigt sjuk, tänkte hon. *Sjuk och ledsen ... Är jag frisk och glad nu?*

Hon satte sig sakta upp i sängen, blev lite yr och väntade ett tag för att det skulle gå över, och svängde sedan benen över kanten. Så väntade hon någon minut igen och till slut reste hon sig.

Hon stod stilla och drog in luft. Näsan var inte täppt, vårens allergi var borta.

Ett par tofflor väntade på henne vid väggen, och ovanför dem en röd linnerock. Hon drog med sig den hjulförsedda droppställningen och började hasa fram över golvet.

Dörren till sjukrummet stod på glänt och när hon hade tagit på sig tofflorna och rocken sköt hon upp den.

Nu ville hon ropa igen, men det fanns ingen att ropa till.

Korridoren utanför var lång och upplyst och helt öde. Glasdörren där det stod UTGÅNG på en skylt såg mycket tung ut, hon skulle nog inte få upp den. Så hon gick åt andra hållet, längre in på avdelningen.

Den långa korridoren slutade i ett litet dagrum med soffor och stolar. En teve hängde på väggen, påslagen på låg volym. Det var någon sorts kapptävling som pågick, med människor som sprang genom en labyrint och hejade på varandra.

En enda person satt i rummet och tittade på teveskärmen, en kraftig man klädd i brun polotröja – och plötsligt såg Vendela att det var Max.

Han vred på huvudet, och fick syn på henne. Han reste sig.

»Hej, är du ... Är du uppe?«

Vendela stirrade på honom.

»Var är vi?«

»I Kalmar ... på sjukhuset.«

Hon nickade, och fortsatte stirra.

Max verkade också trött, men han levde. Vendela hade varit säker på att han var död, det mindes hon – hon hade ju stått ute vid älvornas sten och önskat att hans hjärta skulle ge upp och sluta slå. Hon hade offrat sin vigselring för det.

Varför hade det inte hänt?

Förmodligen för att det inte fanns några älvor att önska sig saker av. Adam Luft hade ljugit. Kanske hade hon anat det hela tiden.

Hon stannade med droppställningen fem meter ifrån sin make. Hon hade gått kanske tio meter, men hennes ben darrade.

»Max ... vad är det för dag?«

»Dag? Det är fredag ... första maj.«

»Är det ingen annan här?« sa Vendela. »Inga sköterskor?«

»Inte så många. Det är ju helgdag.«

Max såg inte glad ut när han tänkte på första maj. Vendela mindes att han alltid hade hatat den här dagen.

»Men jag kan hämta dem«, fortsatte han snabbt. »Behöver du något?«

»Nej.«

De stod tysta och såg på varandra.

»Vad hände?« sa hon. »Jag minns att jag var ute på alvaret ... var det någon som hittade mig?«

Max nickade.

»Grannen borta i stugan, Per Mörner. Han ringde på ambulansen.«

Det blev tyst igen, innan Max fortsatte:

»Sedan behövde han vård själv ... Han blev påkörd av en bil nere i byn. Någon som försökte köra ihjäl honom, tydligen.«

»Vem?« sa Vendela. »Per?«

Max nickade.

»Så han ligger också här på sjukhuset ... Men han kommer att klara sig, sa sköterskorna. Och hans dotter är här också. Hon opererades i morse.«

»Är hon frisk nu?« sa Vendela.

»Det vet jag inte ... det vet man väl aldrig? Det var tydligen en svår operation, men den gick visst bra.« Max gjorde en paus och tillade: »Och hur ... hur mår du då?«

»Bra. Lite trött ... men jag mår bra.«

Hon såg att Max inte trodde henne, och varför skulle han göra det? Hon hade till slut gjort som han befarat och proppat sig full av piller.

Ja, hon hade varit sjuk. Men Vendela kände att mörkret hade dragit förbi för den här gången.

»Jag måste gå«, sa hon.

Sedan tog hon droppställningen och vände om, långsamt och försiktigt.

»Behöver du sitta ner? Jag kan …«

»Nej, Max. Jag måste lägga mig igen.«

Och hon gick. Dörren till hennes rum verkade ligga mycket långt bort.

»Kan vi prata lite?« sa Max bakom henne.

»Inte nu.«

»Var är din ring?« frågade han. »Du hade ingen vigselring när du kom in här …«

Vendela stannade till. Sakta vred hon sig om, ett kvarts varv.

»Jag är ledsen«, sa hon. »Men jag slängde bort den.«

»Varför det?«

»Den var värdelös.«

Vendela sa inget mer, hon började gå igen. Hon var rädd för att Max skulle ropa eller komma springande efter henne, men det hände inte.

När hon nästan var framme vid dörren till sitt sjukrum stannade hon och vred på huvudet en sista gång.

Max var kvar borta i dagrummet. Han hade sjunkit ner på stolen, och nu lutade han sig framåt med händerna på knäna.

Vendela kunde bara stå och titta på, innan hon gick tillbaka in i sjukrummet. Hon la sig på sängen och stirrade i taket.

Hon trodde inte längre på älvornas makt. Ändå verkade de, på sitt eget sätt, ha uppfyllt hennes önskan om Max hjärta.

EPILOG

DET VAR FRÅNLANDSVIND och någon sorts blomdoft kom med brisen inifrån ön. Doften av hägg, eller hade den redan blommat färdigt? Per visste inte.

Han visste inte om det var sommar nu på Öland heller, eller fortfarande vår. Förmodligen var det försommar. Det var i alla fall lördagen den tjugotredje maj och det var grönt nästan överallt i byn. Stenbrottet var fortfarande kargt och grått, men till och med därnere hade tunna grässtrån tittat fram ur gruset. Från stenhögarna spretade små buskar med nya friska löv.

Han såg sig omkring och tänkte på hur livet ibland verkade uträknat, men sedan ändå alltid kom tillbaka.

Stentrappan var inte uppbyggd på nytt, den var borta. Det fanns inte ett spår av den. När Thomas Falls kropp hade hämtats och hans krossade bil hade körts bort av polisen i början av maj hade Per bestämt sig för att han inte behövde någon genväg ner till stranden, så han och Jesper hade ägnat en helg åt att bära tillbaka stenblocken och sprida ut gruset.

Jesper och John Hagman grävde grus och flyttade stenblock i brottet den här dagen, men det var inte för att bygga en ny trappa.

»Där var det«, hade Jesper sagt när Gerlof hade frågat honom exakt var i stenbrottet han hade hittat benbiten under påskhelgen.

Han hade pekat på den största högen av skrotsten ute på grusplanen – samma hög som Per hade klamrat sig fast vid när Thomas Fall jagat honom. Så det var där de grävde.

Per stod ovanför dem i trädgården, med ett eget projekt framför sig. Han hade dragit fram en trebent plåtgrill till kanten av klippan och stod och brände gamla löv och papper. Det gick ganska bra, trots bandaget runt armen.

Löven kom från trädgården och papperen hade tillhört hans far. Det var anställningskontrakten som Thomas Fall hade stulit när han bröt sig in i Jerrys våning i Kristianstad – nästan två hundra modell-kontrakt som Fall hade tagit hem till sin lägenhet och inte hade för-stört, av någon anledning. Polisen hade hittat dem vid en husrannsa-kan, och kopierat alla namn och adresser i dem. Sedan hade åklagaren lämnat tillbaka dem till Per, som numera var den rättmätige ägaren.

Han stod vid elden och bläddrade igenom papperen en sista gång. Så många påhittade namn.

Daniele, Cindy, Savannah, Amber, Jenna, Violet, Chrissy, Marilyn, Tammy ...

En rad drömfigurer. Men deras dopnamn och adresser fanns också med. De stod prydligt textade under den streckade raden där modellerna hade skrivit under att de frivilligt ställde upp på att bli fotograferade. Och när han bläddrat igenom de gamla kontrakten kvällen innan hade han hittat ett speciellt namn: *Regina*.

Han hade tittat länge på det papperet.

Regina hette egentligen Maria Svensson. Det var förstås ett vanligt namn och hennes adress var säkert gammal, men personnumret fanns också nedskrivet. Det borde gå ganska lätt att leta reda på henne.

»Vad tänker du på, pappa?«

Per vände sig om och såg på Nilla. Hon satt i sin rullstol på sten-verandan.

»Du får gissa.«

»Jag kan inte ... Det är helt tomt.«

»Jaså?« Han log. »Mitt huvud också.«

Bredvid Nilla satt Gerlof. Det var sjuttio år mellan dem, men de verkade trivas med att sitta tillsammans i varsin rullstol. De var med-tagna men skulle bli friska när sommaren kom.

Nilla och Jesper visste att deras farfar var död nu, men ingen av dem hade varit med på begravningen veckan innan. Per hade varit där ensam från familjen Mörner.

Jerrys kista hade haft få blommor på sig och kapellet hade varit nästan tomt. Ett par kusiner hade varit där, en präst och en vaktmästare – och så en svartklädd kvinna i sextiofemårsåldern som suttit för sig själv i den sista bänkraden och snabbt gått ut när ceremonin var över. Men dessförinnan hade hon skrivit sitt namn i kapellets gästbok, och när Per var sist kvar med kistan hade han gått bort för att läsa det:

Susanne Fall, hade kvinnan skrivit.

Var det Thomas mor som hade tagit farväl av Jerry?

Om Jerry hade varit far till Thomas Fall hade han inte vetat om det. Susanne hade inte berättat det för honom, men hon måste ha avslöjat det för sin son. Så Thomas hade vuxit upp i skuggan av sin ökände far, men till skillnad från Per hade han valt att börja jobba för honom – i hemlighet. Han hade lånat sin fotolärare Hans Bremers identitet och sökt anställning som kameraman och regissör på Morner Art. Och han hade skött sig utmärkt i den kärlekslösa värld som hans far hade skapat.

Thomas hade blivit den son för Jerry som Per vägrat vara. Men det hade slutat med en nerbränd studio och ett fadersmord.

Jerry var begravd nu, men hans sondotter Nilla var frisk och hade ett långt liv framför sig – Per kunde inte tro något annat den här soliga dagen.

»Hur är det med dig då?« frågade Gerlof plötsligt och såg på honom. »Har du börjat jobba igen?«

Han skakade på huvudet.

»Jag är arbetssökande.«

»Jaså? Har du slutat som marknadsundersökare?«

»Jag blev uppsagd … De sa att jag fuskade.«

Han tittade bort mot Larssons villa. Vendela var därinne, det visste han. Han hade inte träffat henne sedan hon kom tillbaka från sjukhuset en vecka tidigare, men hennes dotter hade tydligen varit på besök och Per hade sett Vendela gå ut med sin nya hund några gånger. En terrier.

Kurdins villa var igenbommad. Per hade inte sett dem sedan valborg, men de skulle säkert komma till midsommar.

Och Max Larsson? Hans kokbok skulle inte komma ut förrän i augusti, men han hade redan börjat göra reklam för den. Per hade sett honom sitta och berätta om sina matvanor i olika teveprogram den senaste veckan – men vid stenbrottet hade han inte synts till på länge. Han och Vendela tycktes ha flyttat isär för gott.

John Hagman ropade och vinkade. De hade hittat något i sten-högen.

»Vad är det?« ropade Per. »Är det benbitar?«

»Det är sten«, svarade John.

»Sten?«

»Slipad sten. Vill ni titta på dem?«

»Gärna.«

John och Jesper lutade sig fram i gropen de hade grävt ut och började plocka ut mindre stenbitar, en efter en. Per såg att de var rödare och blankare än den vanliga skrotstenen.

John la ett tiotal bitar i en skottkärra och körde bort dem till klippkanten. Gerlof sträckte på halsen.

»Verkar vara någon sorts skulptur«, sa han. »Ett krossat konstverk.«

Per satte sig på knä och tog emot stenarna från John. De var släta som marmor.

»Ta den här«, sa Gerlof och räckte över en filt som legat på hans ben.

Per placerade ut stenarna på filten. De var smala, och flera såg ut att passa ihop. Han flyttade runt dem för att se vad skulpturen kunde föreställa.

»Är det en obelisk?«

Gerlof skakade på huvudet.

»Det är en raket«, sa han. »En rymdraket.«

Då såg Per det också. Den runda kroppen med någon sorts vingar som landningsställ, och i andra änden en spetsig nos. Alla bitar var omsorgsfullt blankputsade. Han plockade upp ett par av dem och såg på Gerlof.

»Så Henry Fors byggde en raketmodell? Det var vad han höll på med här i stenbrottet?«

»Det verkar så.«

»Varför då?«

»Han hade väl inget annat att göra på slutet«, sa Gerlof. »Kunderna hade slutat komma ... men när han nästan var klar med skulpturen kom hans son ner till stenbrottet och krossade den.«

»Gjorde han? Hur vet du det?«

»Jag har läst det.«

Per la försiktigt tillbaka de runda bitarna på filten.

»Ska vi fortsätta?« ropade John Hagman nere på grusplanen.

Gerlof vinkade avvärjande.

»Det räcker så för mig, John ... men Henry Fors stackars son ligger kanske begravd längre ner.«

»Om han inte gav sig iväg ut till älvorna«, sa Per och tänkte på pojken som han mött ute på alvaret.

»Kanske det«, sa Gerlof. »Vi låter honom vara, tycker jag ... man behöver inte veta allt här i världen.«

Per blundade och kände värmen från himlen reflekteras av alla stenar.

Han la ner de sista anställningskontrakten i den glödande grillen, däribland Reginas. Det flammade upp och brann lika bra som alla de andra.

När elden började falna lyfte han upp en av de släta stenbitarna och vände ryggen mot klippkanten.

»Jag kommer tillbaka«, sa han till Gerlof och Nilla. »Jag ska lämna den här till Vendela Larsson.«

»Jag har också en sak till henne, i så fall«, sa Gerlof, och lyfte upp något som han hade haft i knät.

Det var ett stort vitt kuvert. När Per tog emot det hörde han något rassla inuti.

»Vad är det i det?«

»Några smycken«, sa Gerlof. »Du kan ge dem till Vendela.«

Per frågade inte mer. Han gick förbi sin stuga och ut på grusvägen, sedan vek han av mot Larssons stora villa och fortsatte fram till ytterdörren. Han tryckte in ringklockan, med kuvertet och den polerade stenbiten i handen.

Stenhusets tjocka väggar höjde sig över honom. När ringklockan tystnat hördes ivriga hundskall genom dörren, men ingen öppnade.

Han ringde på igen. Sedan tog han ett steg bakåt ut i solskenet och kände värmen och brisen i nacken.

Majsolen löser upp både trollen och älvorna, tänkte han. *De spricker som såpbubblor. Bara människorna blir kvar, en liten stund. Vi är en kort sång under himlen, ett skratt i vinden som slutar med en suck. Sedan är vi också borta.*

Framför Per vreds låset plötsligt om, och dörren öppnades.

FÖRFATTARENS TACK

P Å ÖLAND FINNS MÅNGA stenbrott längs kusten där trollen (eller »trullen«, som min släkting Axel Gerlofsson kallade dem) förr i tiden kunde få skulden om något stals eller gick sönder, och på alvaret finns älvastenar från bronsåldern (eller »älvkvarnsförekomster« som antikvarierna kallar dem), där man fortfarande lägger mynt och andra gåvor till älvorna. Men platserna där stenbrottet och älvastenen ligger i *Blodläge* är fritt uppfunna av mig, liksom alla personer och företag. (Kurser i att möta naturväsen ordnas tydligen i Sverige, men såvitt jag vet inte på Öland eller Gotland.)

Två bra reportageböcker som påverkade skrivandet av romanen var *Flickan och skulden* av Katarina Wennstam som bland annat handlar om modern sexualmoral och dubbelmoral, och *Porr – en bästsäljande historia* av Mattias Andersson som är en ingående granskning av den svenska sexindustrin. För andra fakta i *Blodläge* vill jag tacka Andreas Roman, Jo Clifford, Cherstin Juhlin, Per-Åke Öberg samt mina släktingar Jenny Rylander, Lasse Björk och Hans, Birgitta och Henrik Gerlofsson. Tack också till Ævar Örn Josepsson, Gunilla Ericsson och Margareta von Geijer för inspirerande resor till Island och Grez-sur-Loing i Frankrike.

Tack till alla på förlaget som arbetat hårt med att få färdig den här boken, framför allt Katarina Ehnmark Lundquist och Åsa Selling.

Johan Theorin

EXTRAMATERIAL

KALKSTEN

Någon gång, någonstans, satte en ölänning ett spett i marken första gången för att bryta loss sten till ett hus eller en mur. Det som lossnade då var en halv miljard år gamla bitar av öländsk kalksten, bildade av skalfragment och lerpartiklar i det ordoviciska havet och fulla av fossiler från de varelser som levde på havsbottnen.

Det stängda stenbrottet i *Blodläge* ligger någonstans vid kusten på Ölands nordvästra sida, där Carl von Linné noterade att stenbrytningen var i full gång för nästan trehundra år sedan. När han reste genom Föra och Persnäs socknar såg han lantbrukare försumma sitt åkerbruk för att i stället "allt för mycket vara pickhågade på stenslipning och stenbrott". Dessutom blev Linné förskräckt över hur den tunna jorden och hans älskade växter skyfflades åt sidan för att ge plats åt nya stenbrott.

Linné reste runt på ön 1741, men den öländska kalkstenen har brutits i minst tusen år. Öns många fornborgar och kyrkor är byggda av den, liksom alla de hundratals stenmurar som sträcker sig över alvaret. Mycket sten skeppades också bort från ön, och när ölänningarna lärde sig att jämna till och slipa (eller "skura") stenen så blev den även populär som golvsten. Det finns sten från Öland i trappor och golv i polska, tyska och holländska kyrkor och kloster, och i St Pauls katedral i London.

Stenen skiftade i färg från grått till rött, beroende på hur mycket järnoxid som fanns i den. Om stråk eller klumpar av mörkrött upptäcktes i grå kalksten kallade stenbrytarna detta lager för *blodläget*.

Johan Theorin i ett stenbrott vid kusten på nordvästra Öland. Ju djupare stenarbetarna bröt sig ner i berget, desto bättre och friare från sprickor blev oftast kalkstenen. Det översta lagret kallades hårdläget och ansågs odugligt. Skrotstenen från hårdläget skyfflades åt sidan i stora högar, som fortfarande ligger kvar. Foto: Jack Mikrut

När folk på fastlandet snidade i trä så slöjdade ölänningarna i kalksten. De satt på kvällarna med stenstycken och hackade ut skrin, burkar, snusdosor, mortlar, fågelbad, klockvikter och annat som behövdes på gården. Sådan vacker stenkonst görs fortfarande.

Själv härstammar jag från en släkt av öländska stenbrytare som "gick i berget", alltså bröt kalksten vid kusten, men som för ungefär hundra år sedan kom på att de kunde få bättre betalt genom att skeppa ut stenen själva. Så min morfar Ellert Gerlofsson blev skutkapten precis som romanfiguren Gerlof, och fraktade kalksten och mycket annat över Östersjön i trettio år.

I dag är de små stenbrotten stängda, och brytningen sker bara på ett fåtal platser på Öland. Kvar finns stora högar av skrotsten som var för trasig och sprickfylld för att kunna användas, som väldiga monument över det hårda slitet nere i berget.

Några meter från landsvägen strax söder om byn Södra Bårby på södra Öland ligger den här älvastenen, eller "älvkvarnsförekomsten" där människor i många år har lagt gåvor till älvorna. Foto: Johan Theorin

ÄLVASTEN

Stenen på Öland finns inte bara under jord, det ligger även mycket sten på marken. De största är flyttblock som inlandsisen lämnat kvar.

Som barn reste jag runt med Ellert i hans gamla Volvo PV på södra Öland, när han plötsligt stannade på vägen vid randen av stora alvaret för att peka bort mot ett sådant klippblock.

– Här ska vi gå ut och lägga pengar, sa han. Det betyder tur.

Så vi gick ur bilen och fram till blocket, och när jag kom dit såg jag att det fanns små gropar på ovansidan av stenen. Och i groparna låg mynt – riktiga pengar! (Till skillnad från papperslapparna som vuxna handlade med.)

Jag fick en bronsfärgad femöring av morfar, och la med lite tvekan ner den ihop med de andra. Jag minns inte att Ellert berättade något om älvorna den gången, men det var tydligen till dem vi offrade.

Förr i tiden lämnades små gåvor i form av nålar, knappar och andra ting till älvorna. Numera är det pengar som läggs i groparna när folk stannar till vid en älvasten. Foto: Johan Theorin

De här stenarna kallades för älvakvarnar. Förmodligen användes de i någon okänd ceremoni under bronsåldern, men de märkliga groparna i stenen fick folk att tro att älvorna kom dit för att mala mjöl om nätterna. Någon gång i tiden började man lägga nålar, smycken och annat från hemmet som gåvor till dem, men efterhand ersattes värdesakerna av reda pengar – vad nu älvorna skulle med dem till.

Johan Theorin

www.johantheorin.com